韓醫 方劑學

총론

Herbal Formula Science in Korean Medicine

한의방제학 공동교재
편찬위원회 편저

韓醫方劑學 총론

첫째판 1쇄 인쇄 | 2020년 3월 24일
첫째판 1쇄 발행 | 2020년 4월 3일
둘째판 1쇄 인쇄 | 2023년 2월 6일
둘째판 1쇄 발행 | 2023년 2월 28일

지 은 이 한의방제학 공동교재 편찬위원회 편저
발 행 인 장주연
출 판 기 획 김도성
출 판 편 집 이민지
편집디자인 양은정
표지디자인 김재욱
제 작 담 당 이순호
발 행 처 군자출판사
등록 제 4-139호(1991. 6. 24)
(10881) **파주출판단지** 경기도 파주시 회동길 338(서패동 474-1)
전화 (031) 943-1888 팩스 (031) 955-9545
www.koonja.co.kr

ISBN 979-11-5955-967-9
세트 ISBN 979-11-5955-966-2

정가 140,000원(세트)

편찬위원회 및 집필진

개정보완판 편찬위원 및 집필진(가나다순)

김상찬 대구한의대학교 한의과대학 방제학교실

김영우 동국대학교 한의과대학 방제학교실

김용주 상지대학교 한의과대학 방제학교실

김정훈 부산대학교 한의학전문대학원 약물의학부

김형우 부산대학교 한의학전문대학원 약물의학부

김홍준 우석대학교 한의과대학 방제학교실

노종성 대구한의대학교 한의과대학 방제학교실

박선동 동국대학교 한의과대학 방제학교실

박성규 경희대학교 한의과대학 처방제형학교실

변성희 대구한의대학교 한의과대학 방제학교실

신순식 동의대학교 한의과대학 방제학교실

오재근 대전대학교 한의과대학 방제학교실

이부균 부산대학교 한의학전문대학원 약물의학부

이숭인(편찬위원장) 동신대학교 한의과대학 방제학교실

이지혜 세명대학교 한의과대학 방제학교실

임규상 원광대학교 한의과대학 방제학교실

허유진 가천대학교 한의과대학 방제학교실

초판 편찬위원 및 집필진(가나다순)

국윤범 상지대학교 한의과대학 방제학교실

김상찬 대구한의대학교 한의과대학 방제학교실

김영우 동국대학교 한의과대학 방제학교실

김원남 세명대학교 한의과대학 방제학교실

김홍준 우석대학교 한의과대학 방제학교실

박선동 동국대학교 한의과대학 방제학교실

박성규 경희대학교 한의과대학 처방제형학교실

변성희 대구한의대학교 한의과대학 방제학교실

신순식(편찬위원장) 동의대학교 한의과대학 방제학교실

오재근 대전대학교 한의과대학 방제학교실

이부균 부산대학교 한의학전문대학원 약물의학부

이숭인 동신대학교 한의과대학 방제학교실

이장천 부산대학교 한의학전문대학원 약물의학부

이태희 가천대학교 한의과대학 방제학교실

임규상 원광대학교 한의과대학 방제학교실

개정보완판 서문

방제학은 본초, 한약을 다룬다. 한약은 일상적으로 인간이 먹는 음식과 유사하나, 질병 치료를 목적으로 사용되는 치료 도구인 만큼 그에 상응하는 약재를 선별하고 또 적절히 가공해야 한다. 건조, 보관, 자숙, 추출 등을 거쳐 인체에 투여되는 한약은 형태, 기미, 산지, 효능 등을 통해 규정된 과거의 정보뿐 아니라 식물 분류, 함유 성분, 유전자 감별 등 현대적인 지식까지도 포괄한다.

방제학의 내용은 크게 두 가지로 구분된다. 첫 번째, 의학적인 처치 목적에 따라 한약을 정량하고, 적절한 공정에 따라 추출하며, 활용 목적에 입각해 제형을 선택하고 제조하는 과정을 연구한다. 두 번째, 환자의 상황에 맞춰 어떻게 한약을 처방하고 조제할 것인가 하는 문제를 다룬다. 한마디로 방제학은 한약을 선택하고 가공해 환자에 맞춰 투여하는 과정을 보다 합리적으로 제안하기 위한 내용을 연구한다.

한약의 선별, 가공, 제조, 처방, 조제, 투여 등의 과정은 2천 년 이상 반복되어 왔으며 그동안 축적된 방대한 경험이 관련 고문헌 중에 축적되어 있다. 그러나 현대의 학문 체계는 '과학'을 기반으로 구축되어 있으며 한의학 역시 과학적인 연구 방법을 토대로 빠른 속도의 질적 및 양적 성장을 이루고 있다. 따라서 방제학 연구는 고문헌 중에 축적된 지식을 재해석하면서 동시에 최신의 연구 방법을 도입해 새로운 성과를 도출해 내는 방식으로 이뤄져야 한다.

2015년 발족한 『한의방제학』 공동교재 편찬위원회는 위의 두 가지 목표를 달성하기 위해 중국에서 출판된 중의약학 고급총서 『방제학』(李飛 주편, 인민위생출판사, 2011)을 도입하기로 했다. 그리고 2020년 사상의학 방제, 한방건강보험요양급여 한약제제, 천연물신약, 건강기능보조제 등을 추가해 전국 한의과대학 공통 교재 『한의방제학』을 출간했다. 출간 이후 수정 작업을 지속했으며 2023년 개정판에서는 다음 작업을 수행해 반영했다.

첫째, [임상응용]의 중국어 병증을 한국표준질병사인분류 용어에 맞게 수정하였다.

둘째, [조성]의 내용을 가독성 있게 편집하였다.

셋째, [의안], [발췌문헌]의 내용을 선별 정리해 전체 내용을 간소하였다.

위원회는 향후에도 추가적인 개정 작업을 통해 국내 실정에 맞는 방제를 수록하고, 학술 용어를 통일하며, 최신의 연구 성과를 보완할 예정이다. 모쪼록『한의방제학』이 한의학, 방제학에 관심을 지니고 있는 분들에게 도움이 되길 기대하며, 방제학 교육과 연구에 탄탄한 디딤돌 역할을 할 수 있기를 희구한다.

2023년 2월

한의방제학 공동교재 편찬위원회 일동

초판 서문

한의학은 辨證論治 의학이다. 辨證이 아무리 정확해도 論治에서 辨證에 맞는 유용한 치료를 확보하지 못하면 소기의 치료목적에 차질을 빚는다. 論治에서 중요한 역할을 하는 것은 鍼灸와 약이다. 옛부터 一鍼二灸三藥이라고 하여 그 중요성을 강조하였다. 여기서 약이라고 하면 두 가지 이상의 약물을 배합하여 만든 韓藥製劑인 方劑가 주를 이룬다. 방제에 대한 깊고 정확한 이해는 바로 치료효과와 직결되는 중요한 문제이다. 국민들에게 양질의 한의 의료 시혜를 제공하는데, 방제가 차지하는 비중은 그만큼 높다고 할 것이다. 방제학 교육의 질을 높이는 데에는 교수방법, 교재, 학생수준, 교육시설, 평가시험 및 교육시간 등을 포함한 여러 가지 요인이 작용한다. 그중에서도 양질의 내용을 갖춘 교재개발은 무엇보다도 중요하다고 생각한다.

方劑學 공동교재 편찬의 출발은 2012년으로 거슬러 올라간다. 당시 12개 한의과대학(한의학전문대학원 포함)의 방제학교실에서 교육되고 있는 方劑學의 주교재는『東醫臨床方劑學』(尹吉榮),『바른 方劑學』(康舜洙),『方劑學』(韓醫科大學 方劑學敎授),『處方劑型學』(朴性奎 外),『圖解增補 東醫方劑와 處方解說』(尹用甲)과『본초방제학』(부산대학교 한의학전문대학원 통합강의록)의 6종으로 파악되었다. 외관상 방제학이 다양하게 교육되고 있어 장점이 있는 것으로 보일 수 있으나 다른 한편으로는 방제학이 보편적인 학문으로 체계화되지 않은 채 교육되는 난립현상으로 비춰질 수도 있다. 2012년 8월 드디어 대한한의학방제학회 하계학술대회에서 방제학의 古典 문헌과 한국의 방제학교재, 중국의 방제학교재와 서구 및 일본의 방제학교재를 종합적으로 검토함으로써 그들의 공통점과 차이점이 무엇인지를 분석하여 그들의 장단점을 파악하게 되었고, 방제학이 학문으로서 체계적이고 표준화된 교육을 통하여 수준높은 한의사 양성의 목표를 달성하려면 방제학교육의 중심인『韓醫方劑學』공동교재가 반드시 편찬되어야 한다는데 공감하게 되었다.

3년이 흘러 2015년 10월에 학회의 한의방제학 공동교재 특별편찬위원회가 정식으로 발족되었고, 2012년 학회에서 논의되었던 기존 교재의 장단점을 정리하여 공동교재의 편찬체제에 대한 중국식과 한국식의 두 안을 마련하고 교수님들의 의견을 모아 중국에서 발간된『方劑學』上·下冊(李飛 主編.『方劑學』. 第2版 第9次印刷. 北京: 人民衛生出版社, 2011)을 기본으로 하되 한의학의 특징을 반영한 四象體質醫學의 方劑, 임상의에게 필요한 한방건강보험요양급여 한약제제 그리고 현대적으로 개량된 천연물신약과 건강기능보조제를 더 넣어 발간하기로 의결하기에 이르렀다.

여러 회에 걸쳐 편찬체제를 수정하고 각론에 수재될 방제의 세부항목과 작성지침을 구체적으로 정하였다. 본 교재에는 主方 299方, 副方 204方, 四象體質方 35方, 천연물신약 및 건강기능보조제의 24方과 부록의 한방건강보험요양급여 한약제제 중 혼합엑스산제의 56方을 포함하여 모두 618方을 수재하였다.

방제학의 과제상황이 존재하고 이를 해결하지 않은채 집필을 진행하다보니 혼선을 빚기도 하였다. 용량을 예로 들면, 古典에서 사용한 度量衡을 현대적인 미터법으로 전환할 때의 기준이 다르다. 古方(『傷寒論』과 『金匱要略』에 수재된 方劑)과 後世方(古方 이외의 方劑)이 다르고, 중국식과 한국식이 다르며, 한국식 내에서도 1돈을 3.75 g과 4 g으로 다르다. 용량의 표준안에 대하여 집필진 간에 많은 학술논쟁을 진행하였으나 결론이 나지 않아 主方과 副方은 『方劑學』(李飛 主編)을 따르고, 四象體質方은 식품의약품안전처의 도량형 기준을 채택하였으며, 한방건강보험요양급여 한약제제는 대한민국약전과 한방건강보험요양급여비용(대한한의사협회 발간)을 채택하여 용량을 정하였다. 불합리한 부분은 향후 학회의 학술모임에서 충분히 논의를 거쳐 보다 완성된 표준안을 도출하여 개정판에서 반영하는 것으로 마무리를 지었다. 또한 수재된 방제에 대한 임상보고와 현대적인 약리작용도 담아내지 못한 아쉬움이 든다.

집필진 교수님들의 노고가 없었다면 이 책의 완성은 불가능하였을 것이다. 그럼에도 불구하고 책이 완성되고 나니 태산을 움직이려 울리고 나서 쥐 한 마리를 잡았다는 泰山鳴動 鼠一匹이라는 말이 생각난다. 편찬위원회에서 처음 의도한 바에는 크게 미치지 못하는 탓이다.

이 책은 원래 방제학에 입문하는 한의과대학 학부생을 위한 것으로 목표를 설정하여 집필하려 하였지만 집필과정에서 원래의 의도를 충분히 달성하였는지에 대하여는 자신하지 못한다. 또한 수없는 교열과정에서 매번 발견되는 오류들은 집필진들에게 큰 실망을 가져다주기도 하였다. 그러나 이러한 많은 실수들에도 불구하고 이 책이 독자들에게 작은 도움이 될 것은 틀림없다고 확신한다. 또한 독자들의 날카로운 비판과 지적은 물론이고, 집필과정에서 도출된 방제학의 과제상황을 학회에서 학술적으로 정리하여야 다음번 개정판에서 더 좋은 책으로 다시 태어날 것으로 생각한다.

아무쪼록 이 초판 책자를 도와 원고뭉치와 씨름한 집필진 교수님들, 또 출판을 맡아주신 군자출판사의 장주연 사장님과 편집부 여러분들께 깊은 감사를 드린다.

끝으로 이 책이 한의과대학생과 관심 있는 한의 의료인 여러분이 방제학을 이해하는 데 넓게 이용되기를 바라며, 방제학의 발전과 더불어 판을 거듭해 가며 보완되어 무궁한 발전이 있기를 바라는 바이다.

2020년 3월

편찬위원장 신순식

일러두기

1. 본서는 총론과 각론으로 구성하여 방제학의 이론과 임상응용을 체계적으로 소개하였고, 표준화된 방제학 교육을 효율적으로 실시함으로써 실제 임상목표를 달성하도록 하였으며, 방제학에 대한 과학적 연구의 참고자료 또는 교재로 사용할 수 있게 편찬되었다.

2. 본서는『方劑學』上·下冊(李飛 主編.『方劑學』. 第2版 第9次印刷. 北京: 人民衛生出版社, 2011)을 기본으로 하였다.

3. 본서의 총론은 서론, 方劑와 治法, 方劑의 분류, 方劑의 조성과 변화, 方劑 제형, 煎湯法과 복용법, 한방新藥의 기초 및 임상평가로 구성하여 방제학의 전반적인 이론을 개괄하였고, 부록으로 古今度量衡을 넣어 도량형의 변천과정을 이해할 수 있도록 하였다.

4. 본서의 각론은 解表劑·瀉下劑·和解劑·淸熱劑·祛暑劑·溫裏劑·表裏雙解劑·補益劑·固澁劑·安神劑·開竅劑·理氣劑·理血劑·治風劑·治燥劑·祛濕劑·祛痰劑·消食劑·驅蟲劑·涌吐劑·治癰瘍劑·四象體質方劑와 천연물신약 및 건강기능보조제의 23장으로 구성하였으며, 각 장마다 概要와 主方 및 副方을 소개하였다. 기존 方劑書와는 달리 한의학은 四象體質醫學의 특징을 갖고 있으므로 이를 반영한 四象體質方劑와 韓醫藥과 현대과학의 융합을 통해서 개발된 천연물신약과 건강기능보조제를 소개하였고, 한방건강보험요양급여 한약제제 중 혼합엑스산제 56개 품목은 부록으로 넣어 임상실제에서 응용할 수 있게 하였다.

5. 본서의 각론에 수재된 개별 方劑는 **【異名】**·**【出典】**·**【組成】**·**【用法】**·**【效能】**·**【主治】**·**【病機分析】**·**【配伍分析】**·**【類似方比較】**·**【臨床應用】**·**【注意事項】**·**【變遷史】**·**【難題解說】**·**【醫案】**·**【副方】**·**【參考文獻】**의 17개 항목으로 정리하였다.

【異名】은 해당 方劑에 대하여 달리 불리는 方劑名을 명기하였다.
【出典】은 해당 方劑의 原出典을 명기하였다.
【組成】은 해당 方劑의 組成藥物과 용량을 표기하였다.
【用法】은 해당 方劑의 煎湯 방법과 복용 방법을 제시하였다.
【效能】은 해당 方劑의 方劑學的인 作用을 제시하였다.
【主治】은 기존 문헌에 근거하여 해당 方劑의 치료 病證을 제시하였다.
【病機分析】은 해당 方劑의 적응증에 대한 病機를 분석하였다.

【配伍分析】은 원 출전의 해당 方劑를 기준으로 配伍分析 하였다. 조성약물의 配伍는 한약의 七情配伍와 氣味藥性論 그리고 方劑의 君臣佐使論으로 분석하였다.

【類似方比較】는 해당 方劑와 유사한 方劑를 비교하여 해당 方劑와 類似 方劑의 같은 점과 다른 점을 구분하였다.

【臨床應用】은 해당 方劑에 대한 證治要點, 加減法과 常用하는 현대의학의 病名을 제시함으로써 해당 方劑를 임상에서 효과적으로 응용할 수 있도록 하였다.

- 제2판부터 현대의학 병명은 중국과 한국의 방제학 분야 전문서적들에서 사용하는 병명들을 검토하여 제8차 한국표준질병사인분류(KCD)와 대응시켰다.
- 단, 진단명이 아니라 증상(symptom)에 가까운 표현이거나, 특정한 KCD와 호환이 곤란하다고 판단된 용어들에 대해서는 "질병명 특정곤란"으로 표기하고 다른 명시된 진단명을 사용하기 어려운 경우 선택할 만한 코드를 아래에 기록하였다.
- 또한 KOICD 질병분류 정보센터(https://www.koicd.kr/kcd/kcd.do)에 의하면 한의병명(U22-32)는 불확실한 병인의 신종질환의 잠정적 지정을 위해 사용하도록 부여되었으며, 한의병증(U50-79)과 사상체질병증(U95-98) 병증은 연구목적으로 사용하는 코드이므로, 본 교재에서는 별도로 특정하여 기술하지 않았다.

【注意事項】은 해당 方劑를 임상에서 응용할 때 주의해야 하는 사항을 제시하였다.

【變遷史】은 해당 方劑가 어느 문헌에서 시작되어 시대를 거쳐 오면서 어떻게 발전되어 왔는지를 소개하였다.

【難題解說】은 해당 方劑에서 쟁점이 된 難題에 대하여 의학자들의 異見을 소개하였고, 이를 해설하였다.

【醫案】은 해당 方劑에 대한 의학자들의 임상경험례를 소개하였다.

【副方】은 해당 方劑와 관련된 부수적인 方劑로 出典·組成·用法·作用과 적응증으로 정리하였다.

【參考文獻】은 해당 方劑에 대하여 인용된 연구논문, 연구문헌과 자료를 제시함으로써 학문적인 근거를 마련하였다. 書名은『 』, 篇名은「 」로 표기하였다.

6. 본서의 각론에 수재된 방제의 조성약물의 용량은『方劑學』(2版, 李飛 主編)을 따라 정하였고, 사상체질의학의 방제에 대한 조성약물의 용량은 식품의약품안전처에서 고시한「한약(생약)제제 등의 품목허가·신고에 관한 규정」의 [별표 1] 한약(생약)제제의 제출자료에 있는「도량형 등 환산 기준」을 따라 정하였으며, 한방건강보험요양급여 한약제제는『대한민국약전』(식품의약품안전처고시 제2018-16호(2018.03.08., 개정)과『한방건강보험요양급여비용』(대한한의사협회 발간, 2014년 1월판)에 의하여 정하였다.

7. 부록으로 방제색인을 넣었다.

목차

第一章 서론

第一節 方劑와 方劑學의 개념 • 01

第二節 方劑學 發展의 간단한 역사

1. 先秦(기원전 206년 이전) • 02
2. 兩漢(기원전 206~서기 220년) • 04
3. 魏晉南北朝(서기 220~618년) • 06
4. 唐代(서기 618~907년) • 07
5. 宋代(서기 960~1279년) • 08
6. 金 · 元(서기 1115~1368년) • 10
7. 明代(서기 1368~1644년) • 11
8. 淸代(서기 1644~1911년) • 14
9. 民國 이후(서기 1911년 이후) • 18

第三節 방제학과 기타 학문의 관계

1. 기초와 임상의 연계 • 23
2. 韓醫와 韓藥의 연결 • 23
3. 현대의 여러 학제와 상호교류 • 24

第四節 방제학의 학습방법과 요구

1. 서로 관련된 학문의 기초지식 갖추기 • 24
2. 방제학의 학문특징을 명확히 하기 • 24
3. 章(法)을 綱으로 하고 節(方)을 目으로 하여 綱과 目의 연계 • 24
4. 중점내용과 基本기능 훈련에 주의 • 25
5. 일석이조로 提高확대 • 25

第五節 방제학의 연구범위 • 25

第六節 방제학의 연구방법

1. 임상시험 • 26
2. 문헌정리 • 27
3. 논리분석 • 28
4. 실험연구 • 29
5. 다학제 연구 • 30

第二章 方劑와 治法

第一節 方劑와 治法의 관계

1. 治法의 유래는 方劑다. • 31
2. 治法은 方劑를 사용하거나 方劑를 구성하는 근거다. • 31
3. 方劑는 治法을 구현하고 검증하는 주요한 수단이다. • 32

第二節 常用 治法

1. 汗法 • 33
2. 和法 • 35
3. 下法 • 36
4. 消法 • 39
5. 吐法 • 41
6. 淸法 • 43
7. 溫法 • 44
8. 補法 • 46

第三章 方劑의 분류 • 49

第四章 方劑의 조성과 변화

第一節 약물 配伍

1. 配伍의 개념 • 55
2. 흔히 보는 약물 배오형식 • 55

第二節 방제 조성의 원칙 • 59

第三節 방제의 조성 변화 • 65

第五章 方劑의 劑型

1. 방제劑型의 역사는 오래되었다. • 73
2. 方劑의 劑型은 각각 특징이 있다. • 79
3. 劑型과 治療 效果는 밀접하게 관련되어 있다. • 89
4. 어떻게 하면 합리적으로 劑型을 선택할 것인가? • 92

第六章 煎藥法과 服藥法

第一節 煎藥法 • 97

第二節 服藥法

一. 服藥時間 • 113
二. 服用方法 • 115
三. 藥後調護 • 117
四. 服藥食忌 • 119

第七章 한방 新藥의 기초 및 임상평가

1. 한약(생약)제제 정의 • 123
2. 한약(생약)제제 개발을 위한 자료제출범위 • 124
3. 한약(생약)제제 품질 관리(Quality Control, QC) • 125
4. 한약(생약)제제 임상시험(Clinical Trial) • 125
5. 세계 시장과 미래 가치 • 126

附錄 古今의 度量衡 대조

附錄 古今의 度量衡 대조 • 129

第一章

서 론

第一節 方劑와 方劑學의 개념

方劑는 韓醫가 辨證을 하고 病機를 알아내어 治法을 확립한 기초 위에서 방제조성의 원칙에 따라 알맞은 한약을 선택하고 적당한 용량을 정하고 적절한 劑型 및 복용법 등을 규정하는 일련의 과정을 거쳐 마지막으로 완성하는 약물 치료 처방이다. 방제는 한의가 한약을 응용하여 질병을 예방하고 치료하는 주된 형식이며, 한의학의 理·法·方·藥에서 중요한 구성부분이다.

방제는 "醫方"·"藥方"이라고도 일컬으며, 속칭 "方子"라고도 한다. 『隋書』「經籍志」에 "의방은 질병을 없애고 성명을 보존하는 기술이다(醫方者, 所以除疾疢, 保性命之術也.)"라고 하였다. 劑는 옛날에는 齊로 되어 있고 調和를 가리킨다. 『漢書』「藝文志」에 "온갖 약물을 섞어서 가지런히하고 짓는 것이 적합하다(調百藥齊, 和之所宜.)"라고 하였다. 초기의 방제에는 醫方·醫術·調劑 등의 뜻이 담겨 있다.

방제는 처음에는 임상 한의사들의 효과있는 醫案에 대한 직접적인 기록일 것이다. 오랫동안 사람들이 임상경험을 겪어가는 과정에서 반복하여 검증하고 끊임없이 보완하다가 점차 몇 가지 약물을 배합하여 사용하는 것과 몇몇 病證에 대한 치료 효과 사이에 고정된 관계가 존재함을 인식하게 되었다. 특정한 病證에 有效한 方의 배합이 바로 방제다. 일반적으로 "成方"이라고도 일컫는다. 역대의 많은 한의학자들이 만든 成方들은 임상 의료 현장에서 질병을 예방하고 치료하는 효과적인 수단으로 활용되어 왔다.

방제는 病症에 따라 간단하게 한약을 넣는 것도 아니고, 단순히 몇몇 한약을 조합하는 것도 아니며, 治法의 이론기초 위에서 病證의 病機를 목표로 하고, 목적을 갖고 여러 한약을 합리적인 配伍를 거쳐 구성한 하나의 새로운 유기체적인 전체이다. 방제 속의 한약들 사이에는 복잡한 상호 配伍 관계가 존재하고, 방제의 작용은 방제 안의 한약들이 공동으로 몸에 작용하여 생긴 종합적인 반응효과이다.

일단 검증된 방제는 반드시 안전하고 효과적인 것이다. 임상에서 방제를 조합할 때 가장 먼저 어떻게 환자에게 불리한 毒副作用을 피하느냐이며, 그런 뒤에 비로소 치료효과를 추구할 수 있다. 방제 속에는 한약의 효과와 毒이라는 이중성을 중시하고 치료의 得失을 저울질하며, 몸에 가장 좋은 평형상태 등의 깊이 있는 辨證이념을 찾아서 配伍하여 한의학에서는 사람을 本으로 하고 병을 標로 하는 治病 원칙을 高度로 구체화 하였다.

방제학은 방제의 製方原理·한약의 配伍와 임상에서의 응용원칙을 연구하고 밝히는 한의학의 기초 응용과목이다. 방제학의 기본이론과 지식은 한의학 이론의 기초 위에서 한약을 응용하여 질병을 예방하고 치료하는 종합적인 경험이다.

한의학의 방제는 방대하다. 통계에 의하면, 清末까지의 한의학의 옛 방제는 10만 여 개에 이른다. 그러나 방제의 이론은 역대의 醫書에 흩어져 나타나고 있고, 역대의 한의학자들은 다른 차원에서 거기에 대하여 정리를 하였으며, 20세기 50년대에 방제 이론이 겨우 초보적으로 계통이 서고, 방제학은 여기서부터 점차로 한의학에서 갈라져 나와 독립된 학문이 되었다.

역사적으로 보면, 한의학의 다양한 學術流派의 학술경험은 주로 그 유파에서 만든 방제에 집중되어 있다. 대부분의 방제의 創製는 製方者의 특정한 지식 배경에서 임상실제와 결합하고 기존의 이론과 경험에 대한 어떤 發揮와 創新을 반영한 것이다. 방제는 여러 다른 의학 유파에서 기원하고 역대의 여러 의학자들의 손을 거쳐서 나온 것이며, 다양한 製方者의 학술적인 품격과 그 독특한 진료경험을 구체화한 것이다. 따라서 하나의 방제는 한 의학자의 학술적인 정화이며, 매우 많은 방제들이 모여서 한의학 학술경험의 寶庫가 된 것이다.

형식적으로는 방제는 단지 일부 藥名과 藥量을 직접적으로 기록한 것이라, 혹자는 임상에서 약물치료의 하나의 처방형식이라고 말하지만, 방제의 內涵은 오히려 매우 풍부하다. 방제는 임상에서 辨證論治의 결과이기 때문에 한의학에서 변증논치의 논리적인 思惟의 산물이다. 어떤 의미에서 방제 속에 한의학의 辨證論治와 관련된 이론과 경험을 풍부하게 포함하고 있고, 선조들이 전하여 남기신 대량의 방제는 이들 이론과 경험의 정보 매체이다. 그런 까닭에 역대의 방제에 대하여 계통적으로 연구하는 것은 한의학의 辨證論治의 이론체계를 완성하는데 도움을 주게 된다.

第二節 方劑學 發展의 간단한 역사

방제학은 2,000여 년이 넘게 발전해왔으며 그 연원이 길고 내용은 광범위하다. 『全國中醫圖書聯合目錄』에 의거해 볼 때, 현존하는 방제학 서적은 晉·唐으로부터 지금에 이르기까지 1,950종[1]에 달하고 있으며, 방제와 관련있는 의학 서적까지 포괄하면 더욱 많아진다. 방제학은 이러한 서적들이 축적되는 단계를 통해 부단하게 발전하고 진보해 왔다. 근원을 밝히고 발전 과정을 살펴보기 위해 역대 방제학 서적들을 열람하고, 고증하고 분석하는 작업을 통해 발전 변화의 궤적을 찾아보고자 한다. 이하에서는 역사 발전 단계를 순서로 삼아 방제학의 간단한 역사를 서술해본다.

1. 先秦(기원전 206년 이전)

방제의 기원은 매우 오래되었으며, 대개 약물의 탄생과 함께한다. 약물의 명칭·형태·산지·채취시기·포제·약성·기능 등을 인식하는 것은 본초학의 범주이고, 이것을 기초로 특정한 방제 제형 및 약물 공급 방식을 활용하거나 약물 配伍를 운용해(復方이 만들어진 이후의 일이다) 질병을 치료하는 것은 방제학의 내용이다. 약물의 기원은 史料에 따르면 神農의 전설로부터 시작한다. 『淮南子·修務訓』에서는 "神農乃始教民播種五穀, 相土地, 宜燥濕肥饒高下. 嘗百草之滋味, 水泉之甘苦, 令民知避就. 當此之時, 一日而遇七十毒."고 했고, 『資治通鑑外紀』에서는 또 "古者民茹草飲水, 采樹木之實, 食蠃蛇之肉, 多疾病毒傷之害, …… 嘗百草酸鹹之味, 察水泉之甘苦, 令民知所避就. 當此之時, 一日而遇七十毒, 神而化之, 使民宜之. 天下號曰神農."이라고 했다. '神農'은 한 사람을 가리키는 것이 아니라 상고시대 씨족부락에 대한 범칭으로 이해되어야 한다. 원시 농경시기에 진입하면서(이른바 '播種五穀'을 말한다) 농업이 발전하고 식물학 지식이 어느 정도 누적되었으며, 또 선인들의 무수한 의미 있는 실천 과정을 통해(이른바 '嘗百草'를 말한다) 식물의 약용 가치를 발견했고, 아울러 내복하거나 외용하는 방법을 통해 병을 치료하게 되었기 때문이다. 이와 같이 하여 최초의 방제학이 탄생하게 되었다.

방제의 유래로는 두 가지 가능성이 있다. 첫 번째는 생리적인 활성이 맹렬한 약물로부터 유래했을 수 있다. 이러한 종류의 약물은 사람들에게 쉽게 인식될 수 있지만, 용량을 정확하게 통제하지 못하면 중독을 일으키기 때문에 '毒藥'이라고 부른다. 두 번째는 飮食物로부터 근원했을 수 있다. 음식은 생명을 유지하는 기본 조건으로 먹는 과정을 통해 어떤 飮食物이 지닌 질병 치료 작용이 발견되어 사람들이 운용하게 되었다. 그래서 '藥食同源'이라고 부르기도 한다. 이상의 내용은『周禮』에서 확인할 수 있다.『周禮』는 戰國시대 사람들이 周나라의 事跡을 추적해 기록한 저작물이다.『天官』편에 따르면 周代에는 醫師·食醫·疾醫와 瘍醫 등이 있었다. 醫師는 "掌醫之政令, 聚毒藥以供醫事."라고 했으니, 위생 행정을 주관하는 관원이면서 아울러 '毒藥'을 수집하여 醫療에 사용하도록 제공하였다. 食醫는 "掌和王之六食·六飮·六膳·百羞·百醬·八珍之劑."라고 했으니, 음식물을 배합해 사용함으로써 제왕의 영양 보건과 질병 예방 및 치료를 책임졌다. 이 무렵 食療 방제가 이미 만들어져 있었던 것이다. 疾醫는 "掌養萬民之疾病 …… 以五味·五穀·五藥養其病."이라 했으니, 주로 평민 백성의 질병을 치료했으며, 치료 시에는 '毒藥'이 포함된 방제를 사용했을 뿐만 아니라 食療의 방제도 사용했다. 瘍醫는 "掌腫瘍·潰瘍·金瘍·折瘍之祝藥·劀殺之劑. 凡療瘍, 以五毒攻之, 以五氣養之, 以五藥療之, 以五味節之."라고 했으니 外傷科 질병을 분업하여 치료하거나, 毒藥 방제나 食療 방제를 겸하여 사용했다. 이를 통해 方劑는 일찍이 周代에 생기거나 혹은 周代 이전에 이미 생겨 있었고, 당시 방제의 구성은 '毒藥'과 '飮食物'의 두 가지 종류를 벗어나지 않았음을 추측할 수 있다. 관련된 고고학적 출토물을 통해 보더라도, 멀리는 夏代 무렵에 고대인들은 이미 도자기를 만드는 기술을 장악하고 있었다. 출토된 陶釜·陶罐 등은 夏代의 조리기구가 이미 상당히 정교했음을 보여준다. 商代의 청동으로 제작된 음식 그릇들은 더욱 정교하다. 이러한 것들은 모두 藥物을 조제하고 煎煮하는데 있어 물질적인 조건을 제공했을 것이다.

'毒藥'으로 구성된 방제는 운용이 쉽지 않았기 때문에 中毒을 예방하기 위하여 고대인들의 用藥은 매우 신중하게 이뤄졌다. 이러한 정황은 춘추 말기에 이르기까지 여전했다. 예를 들어『論語』에는 康子가 孔子에게 약물을 증정했을 때, 孔子가 "拜而受之曰:丘未達, 不敢嘗."이라고 했다는 이야기가 실려 있다. 孔子가 학식이 깊고 넓었지만 藥性을 알지 못해 다른 사람이 보내온 약물을 함부로 복용할 수 없었다는 것이다.『禮記』에서도 임금이나 부모가 복약할 때 신하나 자식이 먼저 맛을 보아 뜻밖의 일에 대비해야 한다고 했다.

음식물로 구성된 방제에 대해 晉代 皇甫謐은 그 기원을 "伊尹以亞聖之才, 撰用神農本草以爲湯液."(『鍼灸甲乙經』「序」)이라고 인식했다. 이것이 곧 저명한, 방제의 기원이 伊尹의 湯液 창제에 비롯했다는 傳說이다. 방제의 발명을 聖人의 創造로 귀결시키는 것은 옛 사람들의 역사 인식 상의 한계이다. 그러나 전설 속에서 伊尹은 요리를 잘하는 재주꾼이었다가 湯王을 보좌하는 재상이 되었다. 이것은 바로 食療方의 발견이 음식물 조리로부터 벗어나지 않고 있음을 이야기한다.『呂氏春秋』중에도 伊尹과 商나라 湯王이 烹調하는 방법을 의논하다가 "陽朴之薑, 招搖之桂."에 대해 이야기했다는 내용이 기재되어 있다. 薑·桂는 상용하는 調味品일 뿐만 아니라 溫裏散寒시키는 良藥이다. 薑·桂를 통해 음식을 烹飪하는 것과 食療 방제의 연원 관계를 살펴볼 수 있다.

전국 시기, 방제에 진일보하는 발전이 있었다.『史記』「扁鵲倉公列傳」에 따르면, 扁鵲은 長桑君으로부터 '禁方'을 전수 받아 방제를 운용할 수 있었다. 虢太子가 暴死했을 때 "八減之劑和煮之, 以更熨兩脇下." 했고, 太子가 깨어난 후에는 다시 湯劑를 20일 동안 내복시킴으로써 陰陽을 조절시켜 회복시켰다. 이것이 우리가 알고 있는 방제를 사용해 구체적인 病例를 치료한 가장 이른 기록이다. 1973년 湖南 長沙에 있는 馬王堆 3호 漢墓에서 한 무더기의 帛書가 출토됐다. 그중에는 일부의 醫方 서적이 있었는데, 그중에 52종 질병의 증상과 치료 방제가 기록되어 있어 그것을 『五十二病方』이라고 칭했다. 고증에 따르면 이 책은 전국 시기의 작품으로 현존하는 가장 오래된 방제 저작이다. 『五十二病方』은 전국 시기의 방제학 성취를 전면적으로 반영하고 있다. 서적 중의 대다수는 외과·피부과 방제이고, 그 다음으로 약간의 내과·소아과 및 부인과 방제가 있다. 각각의 병증에 대한 치료 방제는 적게는 1~2개이고 많게는 20여 개이며, 총 280개에 달한다. 內服 및 外用 방제 위주로 구성되어 있으며, 일련의 祝由方이 포함되어 있어 당시에 醫와 巫가 아직 구분되지 않았음을 보여준다. 책에 기록된 비교적 온전한 189개 방제 중에 單味의 藥方은 110개에 이르고, 구성 약물이 가장 많은 醫方도 7개에 불과하다. 이는 방제의 구성이 먼저 單味 약물의 사용 단계를 거친 뒤, 이것을 기초로 약물을 증가시켜 復方을 구성해내는 역사적인 과정을 지니고 있음을 설명한다. 방제 중에 있는 약물로는 酒·醋·豬脂 등의 응용 빈도가 가장 높고, 그 다음으로는 薑·桂 등의 辛熱한 약물이었다. 극독약인 水銀·信石·藜蘆 등도 사용됐다.[2)]

『黃帝內經』(약칭 『內經』)이 이루어진 년대는 『五十二病方』보다 늦다. 대부분이 전국 시기의 산물로 일부 漢代에 나온 것들도 있다. 『內經』에는 13개의 방제를 기록하고 있으니, '湯液醪醴'·'生鐵落飮'·'左角發酒'·'澤瀉飮'·'雞矢醴'·'烏鰂骨茹丸'·'蘭草湯'·'豕膏'·'翹飮'·'半夏秫米湯'·'馬膏膏法'·'寒痹熨法'·'小金丹'이 그것이다. 13개 방제의 내용은 예스럽고 소박하지만, 劑型만큼은 이미 비교적 풍부해져 있다. 『內經』의 방제학에 대한 공헌은 주로 다음과 같이 표현된다. 陰陽五行·氣血津液·臟腑經絡 등 이론의 건립과 구성은 방제학 발전에 견실한 기초를 다졌고, 病因病機·望聞問切의 학설은 정확하게 방제를 사용하는 선결 조건이 되었으며, 標本緩急·三因制宜·正治反治 등의 치료 원칙과 寒之·熱之·瀉之·補之 등의 치료 방법은 처방을 하고 약물을 운용하는 지침이 되었다. '君臣佐使'의 방제 配伍 원칙과 약물 氣味의 配伍 원리(예를 들면 "辛甘發散爲陽", "酸苦湧泄爲陰" 등), 大·小·緩·急·奇·偶·重의 방제 분류 방법(金代 成無己가 '重'를 '復'으로 바꾸면서 '七方'이라고 칭하였다)은 모두 후세 방제학의 중요 이론이 되었다.

2. 兩漢(기원전 206~서기 220년)

동한 班固의 『漢書』「藝文志」에 따르면, 서한 한무제 시대에 侍醫였던 李柱國으로 하여금 方技(곧 醫藥)類 書籍을 醫經·經方·神仙과 房中의 네 가지 종류로 편집 교정하도록 하였다. 醫經은 기초 이론 방면을 토론하는 저작이다. 神仙과 房中에 대해서는 따로 논하지 않겠다. 무엇을 일러 經方이라고 하는가? 『藝文志』에서는 "經方者, 本草石之寒溫, 量疾病之淺深, 假藥味之滋, 因氣感之宜, 辨五苦六辛, 致水火之劑, 以通閉解結, 反之於平."이라고 했다. '經方'은 후세에서 말하는 仲景方의 '經方'을 가리키는 것이 아니며 광의의 방제류 서적을 말한다. 『藝文志』의 이 단락은 '經方'의 연구 방법과 연구 목적을 개괄한 것으로 방제에 대한 최초 정의라고 말할 수 있다. '經方'과 관련된 저작으로는 『五藏六府痹十二病方』 30권·『五藏六府疝十六病方』 40권·『五藏六府疸十二病方』 40권·『風寒熱十六病方』 26권·『泰始黃帝扁鵲俞拊方』 23권·『五藏傷中十一病方』 31권·『客疾五藏狂顚病方』 17권·『金瘡瘲瘈方』 30권·『婦人嬰兒方』 19권·『湯液經法』 32권·『神農黃帝食禁』 7권으로 11가 274권이다(295卷이니, 『漢書』「藝文志」에서 274권이라고 말한 것은 오류로 보인다). 이것은 '經方'이 당시에 이미 상당한 정도로 발전했고, 비교적 세밀한 분류를 지니고 있었음을 충분히 설명한다. 애석한 것은 '經方'들이 모두 佚失되어 다시 볼 수 없다는 것이다.

이러한 안타까움을 만회할 수 있는 것으로 1972년 甘肅省 武威縣에서 『治百病方』이 출토됐다. 동한 초기의 方書로 추정된다. 정리 및 복원 과정을 거친 후 醫方을 변별하고 중복된 것을 제거하니 30여 방제가 있었다. 이들 중에는 병증으로 명명한 것, 예를 들어 治諸癃方·治目病方 등 외에 사람 이름을 활용해 명명한 것, 예를 들어 公孫君方·呂功君方 등도 있었고, 효능으로 명명한 것, 예를 들어 治傷寒逐風方 등도 있었다. 방제의 약물 구성은 적은 것은 2~3개 였고, 많은 것은 10여 개였다. 예를 들어 治久咳上逆淸方은 茈蓢·大棗·門冬·款冬·橐吾·石膏·薑·桂·蜜·半夏의 10개 약물로 구성되어 있고, 治金創止痛方은 石膏·薑·甘草 및 桂의 4개 약물로 구성되어 있다. 이것은 『五十二病方』과 『內經』의 방제와 비교할 때 비교적 크게 진보한 것으로 당시 약물 配伍에 대하여 어느 정도 이해하고 있었으며, 아울러 復方의 응용도 파악하고 있었음을 이야기한다. 다만, 전체적으로 볼 때 『治百病方』에서는 아직 辨證論治의 精神이 반영되어 있지 않다.[3]

『傷寒雜病論』의 등장은 방제의 발전이 상당히 성숙했음을 시사한다. 이 책은 동한 말년의 위대한 의학자 張機(字:仲景, 河南 南陽人)가 『素問』·『九卷』·『八十一難』·『陰陽大論』·『胎臚藥錄』 등을 활용해 편찬 한 것으로 옛 가르침을 부지런히 찾고 당대에 활용되던 방제들을 널리 채집한 뒤 자신의 풍부한 임상 경험을 결합시켜 저술한 것이다. 일반적으로 현존하는 『傷寒論』과 『金匱要略』은 원 저작이 전승되는 과정에서 분리된 것으로 인식하고 있다. 『傷寒論』에는 六經으로 傷寒을 논의하는 113개의 방제가 수록되어 있고, 『金匱要略』에는 臟腑로 雜病을 논의하는 245개의 방제가 수록되어 있다. 중복된 것을 제거하면 두 서적에 수록된 방제는 323개이다.[4] 張仲景의 방제학에 대한 공헌은 아래와 같다.

(1) 辨證論治, 方中蘊法:辨證을 방제 사용의 前提로 삼아, 이러한 증상이 있으면 바로 이러한 방제를 사용한다. 예를 들어, 太陽傷寒에는 麻黃湯을 사용하고, 太陽中風에는 桂枝湯을 사용하며, 腸癰 초기에 瘀熱이 있는 경우에는 大黃牡丹湯을 사용하고, 오래되어 虛寒에 속하는 경우에는 薏苡附子敗醬散을 사용한다. 책 중의 여러 방제들이 治法을 명확하게 말하고 있지 않지만 풍부하면서 엄격한 治法이 그중에 내포되어 있다. 예를 들어, 麻黃湯·桂枝湯은 곧 汗法이고, 瓜蒂散은 곧 吐法이며, 諸承氣湯은 곧 下法이고, 小柴胡湯은 곧 和法이고, 理中丸은 곧 溫法이고, 白虎湯은 곧 淸法이고, 桂枝茯苓丸은 곧 消法이고, 炙甘草湯은 곧 補法이다.

(2) 配伍嚴密, 藥變方殊:방제의 配伍와 用藥이 매우 엄밀하기 때문에 방제 중의 藥味나 심지어 藥量을 증감시키더라도 方劑의 效能과 主治를 변화시킬 수 있다. 예를 들어 桂枝湯이 변화되어 桂枝加桂湯·桂枝加芍藥湯·桂枝去芍藥湯·桂枝去芍藥加附子湯·桂枝加大黃湯·桂枝加葛根湯·桂枝加厚朴杏子湯·桂枝加附子湯·桂枝新加湯·桂枝去桂加茯苓白朮湯·小建中湯·當歸四逆湯 등이 되는 것이 그 例證이다.

(3) 醫方之祖, 名方之本:이제껏 출판된 『方劑學』 교재의 방제 중에는 仲景의 방제가 가장 많이 수록되어 있다. 역대의 名方도 대부분 仲景의 방제를 가감하여 변화시킨 것들이다. 예를 들어 六味地黃丸은 『金匱要略』의 腎氣丸에 附子·桂枝를 빼고 乾地黃을 熟地黃으로 바꿔서 만들었고, 四君子湯은 『傷寒論』의 理中湯에 乾薑을 빼고 茯苓을 넣어 만들었다. 四物湯은 『金匱要略』의 膠艾湯에 阿膠·艾葉·甘草를 빼고 生地黃을 熟地黃으로 바꿔서 만들었으며, 疏肝의 名方인 逍遙散과 柴胡疏肝散은 四逆散에서 來源했다. 『溫病條辨』 중의 加減復脈湯·一甲復脈湯·二甲復脈湯·三甲復脈湯과 大定風珠 등 계열의 방제들은 炙甘草湯에서 기원했다. 또한 六味地黃丸·四君湯·四物湯 등의 방제로부터 여러 가지 유명 방제들이 파생됐다.

(4) 劑型豊富, 煎服有法:방제의 劑型으로는 湯·散·丸·酒 등이 있고 각각 적절하게 사용되는 곳이 있다. 內服하는 것으로는 湯劑의 사용이 가장 광범위하고, 전탕하는 방법으로는 直接水煎·微火煎·去滓再煎·米熟

湯으로 만드는 것 등이 있다. 복용 방법으로도 平旦服·空腹服·頓服·少少與服·不效繼服 등이 있다. 이것은 仲景이 방제의 製劑와 用法에 대해 공헌한 것이며 방제의 효능이 전면적으로 발휘될 수 있도록 保證을 제공한 것이다.

⑸ 療效卓著, 流傳千古:仲景의 방제는 審證이 확실하고 用法이 마땅하다면 북을 두드리면 울리듯 곧바로 효과를 보인다. 수천 수백 년 동안 임상에서 검사하고 시험하여도 차이가 없었기에 千古에 流傳될 수 있었고 萬代를 행복하게 할 수 있었다. 張機는 방제학 발전에 거대한 공헌을 이루었기에 후세 사람들에게 '經方之祖'나 '醫聖'으로 찬양되고 있다.

3. 魏晉南北朝(서기 220~618년)

魏晉南北朝 시기, 方書 文獻과 대표적인 의학자 및 그들의 저작, 方劑의 사용 특징은 아래의 세 가지로 개괄할 수 있다.

먼저 方書가 대량으로 출현한 것은 이전에 없던 추세이다. 예를 들면 李當之의 『藥方』, 皇甫謐의 『曹歙論寒食散方』과 『依諸方撰』, 殷仲堪의 『荊州要方』, 葛洪의 『肘後備急方』과 『玉函方』, 支法存의 『申蘇方』, 範汪의 『範東陽方』, 秦承祖의 『秦氏藥方』, 胡洽의 『胡氏百病方』, 褚澄의 『雜藥方』, 徐嗣伯의 『風眩方』과 『徐氏落年方』, 姚僧垣의 『集驗方』, 甄權의 『古今錄驗方』, 徐之才의 『徐王方』과 『徐王八世家傳效驗方』, 陶弘景의 『陶氏方』과 『效驗方』, 陳延之의 『小品方』, 謝士泰의 『刪繁方』, 釋道洪의 『寒食散對療』, 宋佳의 『經心錄方』 등이 있다. 애석하게도 이들 方書 중에 『肘後備急方』이 후대의 陶弘景과 楊用道의 정리로 후세에 전해진 것, 『小品方』의 失傳된 문장이 수집되어 輯佚本의 형태로 현존하는 것을 제외하면, 모두 세월이 흐르면서 散失됐다.

다음으로 葛洪과 陳延之는 이 시기에 방제학을 연구하여 후세에 중대한 영향을 미친 대표적인 인물이다. 葛洪은 字가 稚川이고, 自號는 抱朴子이며, 丹陽의 句容人(지금의 江蘇 句容)으로 의학자면서 또한 道家였다. 그가 지은 『玉函方』(一名 『金匱藥方』)은 100여 권에 달하며 이것은 "周流華夏九州之中, 收拾奇異, 捃拾遺逸, 選而集之, 使神類殊分, 緩急易簡."하여 만든 것이다. 卷帙이 방대해서 세상에 전해지는 것이 불편했기 때문에 遺佚되었다. 葛氏의 『肘後備急方』은 『玉函方』의 요점만을 취해 만든 것이다. 겨우 3卷에 불과하지만, 諸方을 싣고 있어 "單行徑易, 籬陌之間, 顧眄皆藥, 衆急之病, 無不畢備."하다. 요즘 사람들도 이에 대해 效驗·便利·低廉하다고 부르면서 참으로 절실하다고 평가하고 있다. 全書를 계산해보면 藥方이 1,060개 수록되어 있고, 그중에 內服으로 사용하는 것이 714개, 熏洗·敷貼·吹入·佩帶 등 각종 外用으로 사용하는 것이 346개로 이책이 비교적 外治를 중시하고 있음을 말해준다.[5] 책에 기록된 방제 중 傷寒 時毒門에서는 "病已六七日, 熱極, 心下煩悶, 狂言見鬼, 欲起走."를 치료할 때에는 "黃連三兩, 黃芩·黃柏各二兩, 山梔十四枚, 水六升, 煎取二升, 分再服."하라고 했는데, 이것은 현재의 黃連解毒湯으로 苦寒한 약물로 火毒을 直折하고 淸瀉하는데 빠른 효과를 보인다. 瘧疾을 치료하는 방제로 "靑蒿一把, 以水二升漬, 絞取汁, 盡服之."하라고 했는데, 이 單方의 가치는 현대에 靑蒿素의 항말라리아 작용을 발견함으로써 실증됐다. 이외에 千金礪·葎草가 毒蛇의 咬傷을 치료한다고 했는데, 이 두 종류의 약물은 현대의 유명 蛇藥 중에 포함된 중요한 성분 중 하나이다. 陳延之는 南北朝 시기의 의학자로 『小品方』 12권을 지었다. 『小品方』은 唐代에 『傷寒論』과 명성을 나란히 했으며, 의학 교과서로 활용되며 唐代의 방제학 발전에 큰 영향을 끼쳤다. 다만 『小品方』은 北宋 初年에 이르면서 亡佚되었고, 그 佚文들이 『外臺秘要』·『醫心方』 등의 서적 중에 많이 남겨져 있다. 이 책은 傷寒·天行溫疫 등의 병증에 대한 論治를 중시했다. 芍藥地黃湯·茅根湯·葛根橘皮湯 등의 방제는 후세 溫病學의 養陰生津·涼血散瘀·淸熱解毒 등의 치법을 구현해 『傷寒論』의 미비한 점을 보충하고 있다.

세 번째, 石藥을 복용하는 풍습이 성행했고, 石毒을 푸는 方書가 탄생했다. 兩晋 시대의 사대부들은 청담한 것을 즐기면서 신선 사상을 좋아했지만, 제왕들이 長生不老와 房中術에 미련을 두면서 상층 사회에 石藥을 복용하는 풍조가 성행했다. 그 결과 한 가닥의 歪門邪道의 퇴폐적인 풍습을 숭상했다. 石藥을 복용함으로 인해 '石發'(중독증상)·殘廢가 출현하거나 심하면 사망에까지 이르면서 당시의 의학계에 새로운 요구가 제기됐다. 이로 인해 石毒을 解散하는 方書가 전무후무하게 출현하게 됐다. 『隋書』「經籍志」의 기록에 따르면 이러한 종류의 책으로 10여 가지가 있었는데, 앞서 서술한 釋道洪의 『寒食散對療』가 바로 이것이다.

이밖에 이 시기에 외과 전문 方書가 출현했다. 晉末에 劉涓子가 짓고 南齊의 龔慶宣이 정리한 『劉涓子鬼遺方』이다. 고대에는 전쟁이 빈발해 외상과 질병이 비교적 많았으므로 외상과 方書의 발육이 비교적 빠른 편이었다. 부인과·소아과·안과·치과·인후과 등의 전문 方書는 이후에나 생겨난다.

4. 唐代(서기 618~907년)

唐代에는 孫思邈의 『備急千金要方』과 『千金翼方』 및 王燾의 『外臺秘要』가 세상에 알려졌다. 이것은 모두 당시의 방제학을 집대성한 著作들이다.

孫思邈은 京兆 華原人(지금의 陝西 耀縣)이다. 唐나라가 崛起하자 이전 王朝 의학자들의 精華를 계승하고, 광범위하게 국외 의학의 성과를 수집하여 "人命至重, 有貴千金, 一方濟之, 德逾於此."라고 하면서 『備急千金要方』 30권을 저작했다. 만년에 다시 『千金翼方』 30권을 저작하여 '羽翼交飛'하려는 의도를 취하였다. 수록된 방제로 6,500여 개가 있는데, 대다수가 전대 의학자들이 경험한 良方들로부터 왔으며, 당대의 명의·소수민족·문인학사·종교계 및 국외에서 전입된 醫方들을 포함하고 있어 "囊括海內, 遠及異域."이라고 불릴 만하다. 孫氏의 방제 구성과 약물 사용 상의 특징은 아래 세 가지가 있다[6]: ① 簡易見長. 孫氏는 "吾見諸方部帙浩博, 忽遇倉卒, 求檢至難."이라고 하며 "務在簡易"한 방제를 채집했고, 그 효과가 탁월했다. 예를 들어 嘔噦을 치료하는 방제는 蘆根 한 가지를 煎湯하여 飮服하는 것이었고, 吐血을 치료하는 방제는 生地黃汁으로 生大黃末을 삼키는 것이었다. 방제 후에 "瘵十日瘥"을 붙여 치료 효과가 뛰어남을 부여주었다. ② 平正取勝. 예를 들어 當歸建中湯으로 產後虛羸를 치료하고, 葦莖湯으로 肺癰을 치료하였으며, 獨活寄生湯으로 痹證을 치료하는 것은 모두 立方이 平正하고 配伍가 嚴密한 王道의 製方 원리이다. ③ 奇崛繁雜. 孫氏의 많은 방제들 중 현재의 辨證論治 精神으로 파악할 때 이해하기 어려운 것들이 있다. 예를 들어 附子·烏頭·人蔘·茯苓·半夏·朱砂를 사용하여 '神丹'이라고 부르면서 傷寒으로 惡寒發熱하고 體痛하는 것을 치료한다고 한다. 이것은 기발하고 특출나지만 麻·桂로 구성된 방제로 發汗하는 일반적인 규율과는 다르다. 또 鎭心丸은 虛損驚悸·失精·月水不利 등의 증상을 치료하는데, 사용하는 약물이 35개에 달한다. 人蔘·地黃·當歸를 사용할 뿐 아니라, 大黃·牛黃·石膏, 다시 烏頭·細辛·乾薑 …… 등을 사용해 寒熱溫涼과 氣血攻補를 겸비한 채 처방하고 있어 지극히 繁雜하다. 孫氏가 만든 일부 방제들이 기이하고 독특하기 때문에, 淸代의 徐大椿은 仲景의 학문이 孫氏에 이르면서 "古聖制方之法不傳矣, 此醫道之一大變也."(『醫學源流論』卷下)라고 인식하기도 했다. 仲景에서 孫氏에 이르기까지 '變'한 것만큼은 분명하지만 徐大椿이 인식했던 것처럼 잘못 변화했는지에 대한 평가는 그렇게 간단하지 않다.

孫思邈의 『備急千金要方』과 더불어 唐代에 빼어난 방제 저작으로 王燾의 『外臺秘要』가 있다. 王燾는 郿人(지금의 陝西 郿縣)으로 명망 있는 가문 출신이었다. 임상 의가가 아니었으며 그의 조부인 王珪는 재상의 관직에까지 이르렀다. 王燾 본인도 조상의 蔭德에 기대어 官界에 있으면서 일찍이 국가 도서 중심인 弘文館을 관리했는데, "幼多疾病, 長好醫術." 하였기 때문에

"二十餘載, 久知弘文館圖籍方書." 했으며, 풍부한 圖書 자료들을 편리하게 이용해 『外臺秘要』 40권을 편찬했다. 王燾가 自序 중에서 "上自炎昊, 迄於盛唐, 括囊遺闕, 稽考隱秘, 不愧盡心焉."이라고 했다. 全書는 모두 1,104문으로 나눠져 있으며, 수록된 방제는 6,000여 개에 달한다. 문장의 격식이 엄격하고, 인용한 서적에 대해서는 상세하게 注를 달아서 출처를 밝혔다. 현재에 亡失된 수많은 의학 서적들, 예를 들어 深師·崔氏·許仁則·張文仲 등의 方書들은 『外臺秘要』를 통해 그 개략을 살펴볼 수 있다. 따라서 方書를 보존하고 있는 문헌적 성취는 『備急千金要方』보다 뛰어나다고 할 수 있다. 徐大椿은 "唐王燾集『外台』一書, 則纂集自漢以來諸方薈萃成書, 而歷代之方於焉大備, 但其人本非專家之學, 故無所審擇以爲指歸, 乃醫方之類書也. 然唐以前之方賴此書以存, 其功亦不可泯." (『醫學源流論』卷下)이라고 했다.

위에서 서술한 두 가지 책을 제외하고도 唐代의 方劑學 발전 과정 중에 업적이 있는 의학자와 醫書로는 다음을 들 수 있다. 陳藏器가 지은 『本草拾遺』는 序例에서 "宣·通·補·泄·輕·重·滑·澀·燥·濕"의 10劑를 창안하였다. 본래는 약물을 포괄하려했던 것인데, 후세 사람들이 그 뜻을 확대해 하나의 중요한 방제 분류 방법을 만들었다. 藺道人이 지은 『仙授理傷續斷秘方』은 외상과의 方書이다. 이 책 중에 처음 실리게 된 四物湯은 외상과에서 상용될 뿐 아니라 그 운용 영역이 후세에는 부인과·내과에까지 확대되어 중의학 임상에서 補血和血하는 중요 방제가 되었다. 孟詵의 『食療本草』와 昝殷의 『食醫心鑒』의 두 서적에는 많은 食療方이 실려 있어 食療方劑가 한걸음 더 발전하도록 하면서도 점차 전문화되도록 했다. 이외에 許孝崇의 『篋中方』, 陸贄의 『陸氏集驗方』, 韋宙의 『集驗獨行方』, 鄭注의 『鄭氏藥方』, 劉禹錫의 『傳信方』, 崔玄亮의 『海上集驗方』 등 모두 각각의 성취가 있었다.

5. 宋代(서기 960~1279년)

唐의 이후인 五代(서기907~960年)는 戰亂의 시대로 중의약학 발전이 정체된 채 앞으로 나가지 못했기 때문에 생략한다. 宋代 방제학 발전의 성취와 특색은 대략 아래 몇 가지다.

첫째, 의약 方書의 편찬이 朝廷으로부터 중시되어 정부 주관하에 『太平聖惠方』·『神醫普濟方』·『太平惠民和劑局方』·『聖濟總錄』·『慶歷善救方』 및 『簡要濟衆方』 등의 서적이 편집되었다. 이것은 중국 역사상 극히 드문 일이었다. 현재까지도 영향이 비교적 큰 『太平聖惠方』과 『聖濟總錄』을 예로 들어서 일부분을 살펴본다(『太平惠民和劑局方』은 뒤에 분석한다). 송나라 太宗인 趙匡義는 모함을 받아 자택에 머물 무렵 의술에 뜻을 두어 일찍이 천여 개의 경험방을 얻었다. 이후 翰林醫官들에게 家傳되는 驗方들을 바치도록 해 다시 만여 개의 방제를 확보한 뒤, 의관 王懷隱·王祐·陳昭遇 등에게 교감 및 분류 편집하도록 명령 해 『太平聖惠方』 100권을 완성했다. 이 책은 1,670문으로 구분되며 16,934개의 방제를 수록하고 있다. 개별 각 과를 겸비하고 있으면서 내용이 광범위하여 이전 왕조의 모든 서적을 넘어섰다. 송나라 徽宗인 趙佶은 나라를 망하게 했지만, 타고난 자질이 총명하여 吹彈·書畫·聲韻·詞賦에 뛰어나지 않은 바가 없었다. 동시에 의약에도 관심이 있어 의서를 편찬한 뒤 자기의 이름으로 『聖濟總錄』이라고 공포했다. 이 책의 卷帙은 『太平聖惠方』을 초과하여 200권에 달했으며, 수록된 방제 역시 『太平聖惠方』을 넘어 대략 20,000여 개에 달했다. 漢 이후 方書 중의 處方을 거의 망라하여 수록하고 있다. 또한 宋나라 徽宗은 道教를 숭앙하였기에 책 중에 가장 먼저 六十年運氣圖를 나열했다. 이것은 후대에 자못 큰 영향을 미쳐, 후대 사람들이 60년 運氣主病의 병증과 司天在泉 主病의 병증에 근거해 處方을 분별하여 설정하도록 하기도 했다. 실제적인 임상으로부터 벗어나는 갈림길에 들어서도록 했던 것이다.

둘째, 『局方』이 성행했고, 방제 중의 약물이 辛溫香燥한 쪽으로 치우쳤다. 『太平聖惠方』과 『聖濟總錄』은 수록된 방제가 많았지만 당시 의가들이 處方하고 用藥하는 것에는 큰 영향을 미치지 않았다. 두 가지 서적 모두 하나의 병증 아래 소개하고 있는 방제가 너무 많았고, 동일한 이름을 지닌 방제라 하더라도 약물의 구성과 용법이 달랐기 때문이었다(名同實異方). 또한 갈수록 그 규모가 증가한 것도 임상 의가들이 운용하기 불편하게 만들었다. 진정으로 비교적 큰 영향을 미친 것은 『太平惠民和劑局方』이었다. 이 책은 중국에서 첫 번째로 정부에서 반포한 藥典으로 元豊 년간에 편찬되기 시작해 大觀 년간에 重修되었다. 수록 방제의 수는 297개였다. 각각의 방제의 뒤에는 主治하는 질병과 약물을 상세하게 나열하는 것 외에 약물의 포제와 제조 방법을 상세하게 설명했다. 이 책은 방제를 配伍하는 手冊이었을 뿐 아니라 用藥하는 이정표가 되어 민간에서 운용하고 보급하기에 편리했다. 이후 紹興·寶慶·淳祐 년간에도 여러 차례 증보되어 그 내용이 더욱 풍부해졌으며 書名도 역시 여러 차례 변경됐다. 현재 세상에 전해지고 있는 『太平惠民和劑局方』은 모두 10권이며 788개의 방제가 실려 있다. 이 방제들은 모두 당시 명의들의 다년간의 임상 경험을 총결한 것으로 後世의 方書들에 의해 광범위하게 인용했을 뿐 아니라 몇몇 방제들은 방제를 구성하는 규범이 되기도 했다. 예를 들어 逍遙散·蔘苓白朮散·藿香正氣散·二陳湯 등은 지금까지도 임상에서 여전히 광범위하게 활용되고 있다. 朱震亨은 『局方發揮』에서 "『和劑局方』之爲書也, 可以據證檢方, 即方用藥, 不必求醫, 不必修治, 尋贖現成丸散, 病痛便可安痊. 仁民之意, 可謂至矣. 自宋迄今, 官府守之以爲法, 醫門傳之以爲業, 病者持之以立命, 世人習之以成俗."라고 말했으니 이 책의 영향이 얼마나 컸었는지 알 수 있다. 다만 『太平惠民和劑局方』의 일부 방제는 溫燥한 것에 편중되어서 陰血을 손상시키는 폐단이 있기도 했다. 流傳되는 정도가 광범위하였기에 일련의 부정적인 영향을 일으키기도 했던 것이다.

셋째, 南宋 시기에 大型 方書가 나옴과 동시에 국운이 쇠약해졌다. 南宋의 작은 朝廷은 한쪽 구석에 치우쳐 있었고, 거대한 권질의 方書를 간행할 여력이 없었다. 그 결과 私人들이 편찬한 소형 方書들이 증가했다. 이러한 方書들의 특징은 모두 由博返約한 것이거나 혹은 경험에 입각한 것이거나 혹은 古籍에서 중요한 것을 따 온 것이거나 혹은 민간에서 유행하며 효과가 있던 방제를 선택한 것이었다. 임상에서의 활용이 편리했기에 그 영향 또한 비교적 컸다. 예를 들어 嚴用和의 『濟生方』, 陳無擇의 『三因極一病證方論』, 楊士瀛의 『仁齋直指方論』, 許叔微의 『普濟本事方』, 楊倓의 『楊氏家藏方』, 朱佐의 『朱氏集驗醫方』, 王璆의 『是齋百一選方』 등이 있다.

이외에 宋代에는 전문 과목 方書의 발전이 비교적 빨랐고, 성취 또한 상당히 높았다. 외과 方書로는 東軒居士의 『衛濟寶書』와 陳自明의 『外科精要』 등이 있다. 부인과 方書로는 李師聖의 『產育寶慶集方』과 陳自明의 『婦人大全良方』이 있다. 그중에 『婦人大全良方』 24권은 266개의 醫論과 1,118개의 방제를 수록해 '大全'이라는 명칭이 부끄럽지 않을 정도이다. 현재까지 전해지고 있는 縮泉丸·四生丸 등은 方藥이 간결하면서 치료 효과가 확실해 지금까지 사용되고 있다. 소아과 方書로는 董汲의 『小兒斑疹備急方論』, 錢乙의 『小兒藥證直訣』, 閻孝忠의 『閻氏小兒方論』, 劉昉의 『幼幼新書』 등이 있다. 宋代의 소아과 方書는 중의학 소아과 역사상 가장 우뚝 솟은 봉우리와 같다. 예를 들어 『小兒藥證直訣』은 소아과 처방 用藥(몇 가지 방제는 소아과의 영역을 뛰어넘고 있다. 예를 들면 六味地黃丸·瀉白散·導赤散·瀉黃散 등이다)의 지침과 규범으로 작용하고 있다. 『幼幼新書』는 소아과 방제의 문헌학적인 가치를 보유하고 있으며 후대 소아과 方書 중에서 이것을 뛰어넘는 것은 찾아보기 힘들다.

6. 金·元(서기 1115~1368년)

金·元시대에는 학술 연구에 대한 구속이 비교적 적었다. 의학 풍조에 변화가 일고, 의학가들의 뛰어난 사상이 제기되어 학술 쟁명의 분위기가 뜨겁게 달아올랐다. 의학 유파의 굴기는 方劑學에 대한 새로운 방법과 학설을 가져왔다. 그중에 成無己·張元素 및 金元四大家는 金·元시대에 창조적으로 방제학을 연구했고 나름의 성과를 거두어낸 대표적인 인물들이다.

成無己는 宋나라 聊攝人(지금의 山東 聊城)이었지만, 이후에 그 지역이 金나라로 편입되어 金人이 되었다. 成氏의 方劑學에 대한 공헌은 그가 方論이라는 새로운 연구 방법을 개창했다는 것이다. 주지하다시피 『傷寒論』에는 辨證論治와 處方用藥이 상세히 기재되어 있지만, 왜 이렇게 방제를 만들고 약물을 운용했는지에 대한 설명이 없다. 唐·宋시기의 方書 역시 마찬가지다. 成無己는 『注解傷寒論』 10권을 지으며 仲景의 원문을 조문마다 注解하고, 각각의 方劑 역시 상세히 분석했다. 『內經』의 四氣五味 이론을 활용해 방제의 君臣佐使 구조를 밝혔다. 嚴器之는 이에 대해 서문 중에서 "百一十二方之後, 通明名號之由, 彰顯藥性之主, 十劑輕重之悠分, 七情制用之斯見, 方法之辨, 莫不允當. 實前賢所未言, 後學所未識, 是得仲景之意深者也."라고 기술해두었다. 成氏는 이후에 『傷寒明理論』 4권을 지었는데 그중 '藥方論' 1권에서는 仲景의 상용 방제 20개에 대해 보다 심도 깊은 논술을 제시했다. 方義·方製·藥理·加減 및 때로는 注意事項을 기재하여 仲景方에 밝혀져 있지 않은 것들을 충분히 밝혀냈다. 이 때문에 淸代의 汪昂은 『醫方集解』에서 "方之有解, 始於成無己."라고 하기도 했다.

成無己가 仲景의 古方을 상세하게 注解한 것과는 달리 張元素(字:潔古, 金·易州人)는 "運氣不齊, 古今異軌, 古方今病不相能也."라고 하며 新方을 사용할 것을 주장했다. 張氏는 傷寒의 경우 "有汗不得服麻黃, 無汗不得服桂枝, 若差服, 則其變不可勝數."(錄自『此事難知』卷上)라고 하면서 九味羌活湯이라는 하나의 방제로 변통함으로써 금기를 벗어나고자 했다. 張氏는 또한 『金匱要略』 중의 枳朮湯을 枳朮丸으로 변화시켜 調養脾胃·升淸降濁하는 良方을 만들기도 했다. 바꾼 것은 藥量과 劑型에 불과했지만 古方을 잘 이용해 새로운 것을 창조하는데 뛰어났다고 말할만 하다. 張元素가 방제를 만들 때 약물을 활용한 사상은 주로 『醫學啟源』 중에 보인다. 이외에도 張氏는 『珍珠囊』 등을 지어 약물의 四氣五味·升降浮沈을 연구했으며, 약물의 歸經學說을 창안하고, 臟腑辨證을 제창해, 후대 의가들의 處方用藥에 대한 깊은 영향을 미쳤다.

劉完素·張從正·李杲와 朱震亨을 金元四大家라고 부른다. 이 시대에 우뚝 솟아 각자 자기의 학설을 제창하고 각각 새로운 이론을 갖춰 각자의 학설을 세울 수가 있었다. 劉完素(字:守眞, 自號:通玄處士, 金·河間人, 又稱劉河間)는 火熱論을 제창했으며, 저서로는 『傷寒直格』·『素問病機氣宜保命集』 및 『黃帝素問宣明論方』 등이 있다. 寒凉한 성질의 약물을 활용한 방제를 잘 사용하여 防風通聖散·雙解散·益元散·桂苓甘露飮 등의 방제를 만들었다. 기존 방제를 수정한 芍藥湯으로 痢疾을 치료했는데, 仲景이 瀉痢를 치료하던 여러 방제에서(예를 들어 白頭翁湯·黃芩湯·大小承氣湯) 보이는 淸熱解毒과 瀉下의 토대 위에 行氣活血하는 약물을 넣은 것이었다. "調氣則後重自除, 行血則便膿自愈."라고 했으니 계승을 잘 하면서도 발전을 이뤄낸 것임을 알 수 있다. 張從正(字:子和, 自號:戴人, 金·睢州考城人)은 攻下說을 주장했다. 저서로는 『儒門事親』이 있다. 병이 상부에 있으면 모두 吐하도록 할 수 있고, 병이 표부에 있으면 모두 發汗시킬 수 있으며, 병이 하부에 있으면 모두 下法을 쓸 수 있다고 해, 汗·吐·下 三法 및 그 방제의 임상 응용에 있어서 독창적인 새로운 기풍을 만들어 냈다. 또한 補法은 신중히 사용해야 하며, 食補가 최상이라는 관점을 주장했다. 三聖散·禹功散과 木香檳榔丸은 그가 만든 대표적인 방제이다. 李杲(字:明之, 自號:東垣老人, 金·眞定人)는 張元素의 제자로 스승의 뜻을 계승해 臟腑辨證을 운용했으며, 대부분의 질병이 脾胃 손상과 관련있음을 발견해 냈다. 『內外傷辨惑論』·『脾胃論』·『蘭室秘藏』 등을 저작해 補土派의 일대종사가 되었다. 李杲의 補土에 있어 補中升陽을 중시했다. 예를 들어 內傷發熱을 치료하기 위해 補中益氣湯을 세웠고, 脾胃氣虛를 치료하기 위해 升陽益胃湯을 사용했으며, 설사를 치료하기 위해 升陽除濕防風湯을 창안했고, 麻木을 치료하기 위해 補氣升陽和中湯을 사용할 것을 주장했으며, 외과의 瘡瘍을 치료하기 위해 內托榮衛湯을 창안했고, 부인의 崩漏를 치료하기 위해 升陽除濕湯을 만들었다. 朱震亨(字:彦修, 又稱:丹溪, 元·婺州義烏人)의 저작으로는 『格致餘論』·『局方發揮』·『丹溪心法』 등이 있다. 理學으로 의학을 섭렵해, 인체 중에 "陽常有餘, 陰常不足." 하다고 인식했다. 방제를 고르고 약물을 활용함에 있어서는 滋陰降火에 뛰어났다. 그가 제작한 大補陰丸·虎潛丸 중에는 이러한 생각이 반영되어 있다. 『太平惠民和劑局方』의 香燥溫熱한 風格과는 달리 辛香溫燥한 방제를 남용하는 것을 극력 반대했다. 또 鬱症을 잘 치료해 六鬱을 치료하는 越鞠丸, 消食하는 保和丸, 除濕하는 二妙丸 등 名方을 만들어 후세에 전해주었다.

元代의 방제학 발전 역사에 있어서는 忽思慧와 葛乾孫의 공로를 빠뜨릴 수 없다. 忽思慧는 蒙古人으로 宮廷의 飮膳太醫로 임명되어 『飮膳正要』 3권을 저술했다. 이 책의 1권에는 膳食方 94종이 나열되어 있고, 2권에는 諸般湯煎·服餌方 83方과 食療諸病方 61首가 실려 있다. 서적 중에 있는 대다수의 방제들, 예를 들어 地黃雞·鯽魚羹 등은 맛 좋은 음식일 뿐만 아니라 强身健體·延年益壽하면서 질병을 예방하고 치료하는 良方이기도 하다. 이것은 영양학 전문 서적일 뿐 아니라 보건을 위한 食療 方書이다. 元代에 이뤄진 몽고의학과 중의학 간의 교류와 결합을 반영하고 있어서 가치가 상당히 높다. 葛乾孫은 字가 可久이고 長洲人(지금의 江蘇 蘇州)이다. 저서로 『十藥神書』가 있다. 그중에 癆病을 치료하는 10개의 방제가 甲·乙·丙·丁…… 의 차례로 배열되어 있다. 기록되어 있는 방제들은 기이하지만 正道를 벗어나지 않고 있으며 대다수가 실용적이고 효과가 있다. 예를 들어 咳血咯血을 치료하는 十灰散과 氣隨血脫을 구조하는 獨蔘湯은 지금까지도 임상에서 광범위하게 사용되고 있다. 서적이 간행되기 전에 葛氏가 세상을 떠나는 바람에 『十藥神書』는 줄곧 사람들에 의해 傳抄되며 비밀스런 의서로 남겨지게 되었다. 이외에 危亦林의 『世醫得效方』, 許國禎의 『禦藥院方』, 李仲南의 『永類鈐方』 및 沙圖穆蘇의 『瑞竹堂經驗方』 등은 모두 元代의 비교적 저명한 方書들로 元代의 방제를 보존하고 있다는 점에서 높은 가치를 지닌다.

전문 과목의 方書에 있어서는 元代에는 안과 方書가 출현했다. 안과 方書의 발전은 비교적 늦어 元代에 이르러서야 비로소 세상에 알려졌다. 저자 미상의 『秘傳眼科龍木論』·孫思邈에 僞托한 『銀海精微』, 倪維德의 『原機啟微』 등은 모두 각종 안과 질병을 치료할 수 있는 효과적인 방제를 수록하고 있다.

7. 明代(서기 1368~1644년)

방제학의 발전은 明代에 이르러 비교적 성숙했다. 方論은 깊이 있게 방제학을 연구하는 방법 중 하나로 의가들에 의해 자각적으로 운용됨에 따라 완전한 이론체계를 갖춘 하나의 학문으로 그 발전이 촉진됐다. 方書 문헌의 정리는 넓이 면에서나 깊이 면에서나 前代를 초월하여 풍성한 성과를 거두었다. 방제 분류에 있어; 治法에 따른 분류', '主方에 따른 분류' 등이 출현해 기존의 '병증에 따른 분류'가 임상 응용에는 편리했지만, 같은 종류의 방제들 중에서 '방제와 방제 사이', '방제와 치료 방법 사이'의 내재적인 연계점을 제시하지 못했던 한계를 극복했다.

明代 초기에는 『普濟方』이 등장해 고대의 方書 문헌을 정리에 있어(수량상으로는) 최고점을 찍었다. 『普濟方』은 현존하는 중의약 문헌 중에서 가장 많은 방제를 수록한 古方書로 明代 초기 周定王 朱橚(明太祖朱元璋의 다섯 번째 아들) 및 教授인 滕碩·長史인 劉

醇 등이 편찬한 것이다. 모두 426卷, 1,960論, 2,0175類, 778法으로 구성되어 있으며, 수록된 방제는 61,739方에 달한다. 내용이 풍부하면서 예전에 없던 뛰어남을 지니며, 明代 초기 이전 각종 의학 서적 중의 방제와 기타 傳記·雜說·道藏·佛書 중의 관련된 기록을 광범위하게 수집했다. 그 내용은 사실『聖濟總錄』을 지속적으로 발전시킨 것과 관계되어 있다. 이 책은 여러 가지를 절충해 각과 병증의 論治를 상세하게 서술했고 溫淸攻補를 각각 적절하게 사용했다. 李時珍이 지은『本草綱目』각 약물의 하단에 첨부된 附方들은 이 책 중에서 매우 많이 채택하고 있다. 이 책은 내용이 浩繁해 임상 검색을 통해 지식을 넓히는 데는 편리하지만, 임상 응용의 지침으로 삼기에는 불리하다. 개별적인 방제의 考訂이 엄격하지 못하고 方源에 오류가 있으며 약물 기록에 착오가 있는 것이 결점이다.

『普濟方』의 방제학에 대한 공헌이 '너비'에 있다면, 『醫方考』와『景岳全書』의 공헌은 '깊이'에 있다.

"方之有解, 始於成無己."라고 할 정도로 成氏의 方論은 처음 창안됐다는 특징을 지닌다. 그러나, 方論 전문 저작으로 전면적으로 方論이라는 방법을 운용해 方劑를 분석하는 것은 明朝 吳昆의『醫方考』에서 비롯된다. 吳昆은 字는 山甫, 別號는 鶴皐이며 安徽 歙縣人이다. 집안에 소장한 책이 매우 많았으며 古代 醫學의 名著들을 열심히 공부했다. 江蘇·浙江·安徽 등을 유람하면서 상당히 명성이 있었다.『醫方考』를 지었는데, 총 6권으로 中風·傷寒·感冒·暑·濕·瘟疫 등 72門으로 나누어 內·外·婦·兒·五官 각과의 증상을 치료하는 상용 방제 700여 개를 골라 편집했다. 중복된 것과 단미 방제를 제외하면 실제로는 564方에 달한다. 방제마다 "考其方藥, 考其見證, 考其名義, 考其事跡, 考其變通, 考其得失, 考其所以然之故, 非徒苟然志方而已."(『醫方考』「序」)라고 했다. 방제의 命名·조성 약물·효능·적응증·방제의 의미·가감 응용·금기 등에 대해 비교적 자세하게 논술했으며, 특히 방제의 配伍 의의에 중점을 두어 상세한 분석과 설명을 진행했다. 淸代 方論書의 발흥은 실제 이 책에서부터 발족된 것이다. 吳氏는 임상 경험이 풍부해『醫方考』중에는 吳氏가 스스로 만든 經驗方도 포함되어 있다. 예를 들어 책에 실린 '六味地黃加知母黃柏方'은 지금까지도 통용되고 있는 知柏地黃丸으로 그 효능이 六味地黃丸과 大補陰丸의 사이에 놓여져 있는 良方이다. 이외에 任·督二脈을 함께 補하는 龜鹿二仙膠, 淸化痰熱하는 淸氣化痰丸은 모두 이 책으로부터 전해져 현대 임상에서 상용되는 것들이다.

張介賓은 字는 景岳이고, 또 다른 字는 會卿이다. 山陰人(지금의 浙江 紹興)이다. 유년 시절 부친을 따라 京城에서 학습했고, 10여 세 무렵 명의인 金英에게 의학을 배웠다. 중년에는 군대에 들어가 막료로 생활했지만, 여러 해 동안 功名을 얻지 못하자 고향에 돌아와 의학에 전력했다. 만년에는 여러 해 동안의 임상 경험을 결합해『景岳全書』64권을 지었다. 방제학과 관련된 내용은 이 책의 '新方八陣'과 '古方八陣'의 두 편에 집중되어 있다. 前者에는 스스로 만든 新方 186개가 실려 있으며, 後者에는 前人들의 古方 1,516개가 골라 편집되어 있다. 모두 補·和·攻·散·寒·熱·固·因의 八陣에 따라 배열되었다. 八陣의 설립은 치료 방법과 방제를 대응해 분류하는 방법의 시작을 열면서 치료 방법의 방제에 대한 통솔이 두드러지도록 했다. 前人들이 시도했던 病證에 따른 분류 방법보다 확실히 요점을 간명하게 제시하는 편리함이 있었다. 張介賓은 방제를 만들 때 숙지황을 사용하길 즐겨했으며 溫補에 長技를 지니고 있었다. 그가 만든 左歸丸(飮)·右歸丸(飮)·大補元煎·玉女煎·濟川煎 등의 방제는 法度를 갖추고 있으면서도 치료 효과를 믿을 만해 후대 사람들에게 비교적 큰 영향을 끼쳤다. 다만 張介賓은 道家의 부정적인 사상으로부터 비교적 깊은 영향을 받아 李時珍으로부터 질책을 받게 되는 紅鉛丸을 수록하기도 했다. 그것은 잘못된 점이다. 張介賓이 溫補의 방제를 처방하는 風格은 薛己로부터 이어진 것이었다. 張介賓과 거의 동시대에 활동한 趙獻可는『醫貫』을 지어 命門 학설을 제창했다. 그는 六味丸으로 命門의 水를 補할 수 있고 八味

丸으로 命門의 火를 補할 수 있다고 말하면서 이것으로 모든 병증들을 統治할 수 있다고 했는데 이것은 지나치게 편향된 면이 있다.

明朝에는 관직이 오르락내리락 하는 와중에도 의학을 좋아했던 王肯堂·王綸·張時徹 등이 편찬한 방서의 영향이 비교적 컸다. 明代의 특색 중 하나이다. 王肯堂은 字가 宇泰이고, 號가 損庵이며, 自號가 念西居士이다. 金壇人(지금의 江蘇 金壇)이다. 일찍이 翰林院檢討 등의 官職을 지냈지만, 왜구에 대한 대항책을 상서한 일로 좌천되자 병을 핑계 삼아 고향으로 돌아왔다. 고향에서는 의학을 연구하며 병증을 살피고 저술을 했다. 그가 지은 『證治准繩』은 6種의 子書로 이루어져 있으며 모두 44卷으로 各科의 증상을 치료하는 방제들이 수록되어 있다. 그중 『雜病證治類方』8卷은 雜病 諸證과 관련된 방제 2,925首를 모아두었다. 辨證하여 방제를 설정했으며 각각의 증상 아래에는 먼저 이름난 방제를 나열하고 이어 여러 의가 및 저자 본인의 경험방을 나열해 두었다. 격식이 엄격하고 의론이 공정해서 "博而不雜, 詳而有要, 於寒溫攻補, 無所偏主."한 특징을 지니고 있다(『四庫全書總目』). 王綸은 字가 汝言이고, 號가 節齋며, 浙江 慈溪人이다. 明나라 成化 20년에 進士에 급제하면서 관직이 右副都禦史에까지 이르렀다. 부친이 병을 앓자 의학을 공부하기 시작하였으며, 관직에 있는 동안 다른 사람들의 병을 치료해 좋은 효과를 보았다. 저서로는 『明醫雜著』6卷이 있으며, 製方하고 用藥함에 매번 朱震亨의 가르침을 宗法으로 삼았다. 예를 들어 朱氏가 滋陰을 大法으로 삼으면서 大補陰丸 등의 방제를 만든 것을 따라 王氏는 따로 補陰丸을 만들었다. 朱氏가 鬱症을 치료하는 데 장기를 지니고 있었기에 王氏도 임상에서 痰鬱을 치료하며 化痰丸 등의 방제를 만들었다. 모두 朱氏에게서 法을 취하면서 또한 발휘한 바가 있었으므로 朱氏學說의 부족한 점을 보완했다. 張時徹은 字가 惟靜이고, 鄞縣人(지금의 浙江 寧波)이다. 嘉靖 癸未년에 進士가 되었으며 관직이 南京兵部尚書에까지 이르렀다. "少嬰多疢, 藥餌如膏粱. 或已己病, 或見已人之病, 輒以其方錄而藏之." (『攝生衆妙方』「序」)하였고 이후 그 내용을 정리해 『攝生衆妙方』 11권을 지었다. 비록 의학자의 저작은 아니지만 荊防敗毒散·定喘湯 등 효과가 뛰어난 방제들이 모두 이 책으로부터 나와 사람들로 하여금 상당히 깊이 생각하도록 한다.

明代 방제학의 발전사에 있어 공헌을 세운 인물로 아래 몇 명의 의가들과 그의 저작을 꼽을 수 있다.

施沛는 字가 沛然이고, 號가 笠澤居士이며, 華亭人(지금의 上海市 松江)이다. 『祖劑』4卷을 저술했는데, 收載된 主方이 70여 수, 附方이 700여 수로 총 800여 개가 된다. 『內經』·『湯液』의 방제를 宗으로 삼고, 『傷寒論』·『金匱要略』의 방제를 祖로 삼아, 후세 방제 중에서 用藥이 서로 비슷한 것들을 同類로 묶어 一體로 귀속시켰다. 각 종류별 방제들의 학술 사상 변화를 추론하고 용약 변화의 법도를 탐구했다. 약물 조성이 서로 비슷한 것을 따라 主方을 확정하는 분류 방법이 후세에 미친 영향은 비교적 컸다. 清代의 張璐가 지은 『張氏醫通』은 病因·病證에 따라 방제를 나열한 것 외에 별도로 한 권의 '祖方'을 편찬하여 古方 36개와 附衍化方 391개를 열거했다. 이외에 徐大椿의 『傷寒論類方』, 日本의 吉益爲則의 『類聚方』 등도 모두 이러한 방법에 따라 방제 분류를 진행한 후속 저작들이다.

許宏은 字가 宗道이고, 建安人(지금의 福建 建甌)이다. 어릴 적에 유학을 배웠고 나중에 의학을 공부했다. 『傷寒論』을 학습하면서 상당히 깨달은 것이 있어 『傷寒論』 방제를 전문적으로 注釋하면서 『金鏡內臺方議』를 지었다. 서적은 총 12卷이며 『傷寒論』에 나오는 방제를 '內臺方'이라고 부르면서 장차 仲景의 113方을 湯·散·丸의 세 종류로 귀납시켰고, 방제마다 그 配伍와 辨證論治의 准則을 열거하면서 방제의 意義를 서술했다. 方劑의 임상 가감 변화에 대해서도 자세하게 분석했다. 후세 사람들이 『傷寒論』의 방제를 학습하고 운용하는데 큰 도움을 주었다.

李梴은 字가 健齋이고, 南豊人(지금의 江西 南豊)이다. 저서로는 『醫學入門』 9권이 있다. 이 책은 李氏가 "寓目古今方論, 論其要, 括其詞, 發其隱而類編之, 分注之."한 것으로 4년에 걸쳐 만들어졌다. 전체 서적은 歌賦를 본문으로 삼고, 注文을 달아 보충 논술했다. 그가 편집한 방제의 歌賦는 최초의 湯頭歌에 해당되는데, 초학자들이 방제의 약물 구성과 효능 주치를 背誦하는 데 도움을 주었다. 방제학의 보급을 촉진시키는데 큰 공헌이 있다.

陶華는 字가 尙文이고, 號는 節庵이며, 浙江 餘杭人이다. 『傷寒六書』 6권을 지었다. 이 책은 역대로 사람들의 평가가 분분하여 일치하지 않는다. 그 사람과 서적에 대한 평가 또한 비방과 칭찬이 각각 절반을 차지하고 있어 그 자체 만으로도 陶氏의 이 책이 평범하지 않음을 설명해준다. 陶氏가 만든 柴葛解肌湯·再造散·黃龍湯·回陽救急湯 등은 『傷寒論』의 결함을 보충한 것으로 그 공로를 빠뜨릴 수 없다.

이외에 徐春甫의 『古今醫統大全』, 董宿·方賢의 『奇效良方』, 孫一奎의 『赤水玄珠』, 樓英의 『醫學綱目』 등은 모두 明代에 卷帙이 방대한 의학 저작들이다. 수록된 방제의 양이 방대해 후대 사람들에게 검색 가능한 자료를 제공해주고 있다.

明代의 전문 방제 서적으로는 陳實功의 『外科正宗』이 있다. 외과학의 유명 저작으로 癮疹을 치료하는 消風散, 破傷風을 치료하는 玉眞散, 疔瘡을 치료하는 七星劍 등이 이 책에 처음 실렸다. 모두 세상에 전해지고 있는 名方들이다. 沈之問의 『解圍元藪』는 麻風病과 관계된 전문 저작으로 麻風에 대해 論治했던 모든 방제가 이 중에 수집되어 있다. 이외에 武之望의 『濟陰綱目』은 婦人科, 魯伯嗣의 『嬰童百問』과 萬全의 『幼科發揮』는 小兒科, 薛己의 『口齒類要』는 口齒科, 傅仁宇의 『審視瑤函』은 眼科와 관련하여 각 전문 과목의 證治와 方藥을 논술하며 前朝와 明代의 성취와 경험을 전해주고 있다.

8. 淸代(서기 1644~1911년)

淸代 방제학의 발전은 한편으로는 明代 방제학 연구 방법을 계승한 것으로 方論書와 方劑歌括의 대량 출현으로 두드러진다. 다른 한편으로는 그 스스로가 지니고 있던 특징으로 예를 들어 새롭게 일어난 溫病學이 방제학이 발전할 수 있는 새로운 내용을 가져다 주었으며, 尊經復古하는 氣風은 仲景方의 연구를 촉진시켰다. 또한 經驗方의 채집과 정리를 중시하기도 했다. 淸代 방제학의 발전 성과와 특색을 총결하면 아래 다섯 가지 방면으로 요약된다.

첫째, 方論 전문 저작이 대량으로 나타나면서 방제학 발전이 날이 갈수록 성숙해졌다. 方論은 金代 成無己에서 시작하여 方論 전문 저작인 明代 吳昆의 『醫方考』가 그 시작을 열었다. 淸代에 이르러 대량으로 출현하면서 왕성한 발전 추세를 보였다. 예를 들어 羅美의 『古今名醫方論』, 汪昂의 『醫方集解』, 王子接의 『絳雪園古方選注』, 吳謙 등이 지은 『醫宗金鑒』 「刪補名醫方論」, 吳儀洛의 『成方切用』, 費伯雄의 『醫方論』 등이 등장했다. 이러한 方論 서적의 공통된 특징은 역대의 名方을 정선하여 상세하게 注解하면서도 임상에서 방제를 사용한 證治 분석, 방제 配伍 原理의 논술, 臨證시의 약물 가감의 변통을 열거하여 초학자들이 辨證施治와 組方用藥 하기에 편리하도록 했다는 것이다. 그중 汪昂의 『醫方集解』는 학술적인 가치가 비교적 높아서 널리 확산됐을 뿐 아니라 후세에 미친 영향이 매우 컸다. 현대에 편집된 방제학 교과서에서도 여전히 이 책의 분류 방법을 藍本으로 삼고 있다. 汪昂은 字가 訒庵이고, 安徽 休寧人이다. 어려서는 儒學을 공부하여 邑의 諸生이 되었으나, 30여 세에 科擧를 포기하고 의학에 뜻을 두었다. 40여 년 동안 여러 가지 서적들을 넓게 열람하면서 많은 저술을 하였다. 『醫方集解』는 汪氏가 宋代의 名醫인 陳言이 지은 『三因極一病證方論』과 明代 吳昆이 지은 『醫方考』, 두 서적의 大意를 본떠 분류하고 편집하여 만든 것이다. 책 전체에 "諸書所共取, 人世所常用."하는 中正하고 和平한 방제가 선택 기록되어 있는데, 正方은 300여 개이고, 附方은 그것을 넘어선다. 각각의 主方 마다 그 사용과 관련된 病源·脈候·臟腑·經絡·藥性·服用法 등 기록하지 않은 것이 없다. 方義를 해석하는 것을 중심으로 하면서 역대 의학자들의 碩論이나 名言을 모아 반복적으로 논증하며 임상 실제를 판단하도록 했으며, 治法을 강령으로 삼고 病因과 전문 과목의 특징을 결합함으로써 방제학의 종합 분류 방법을 창안했다. 다만 汪氏가 이 책에서 처음으로 창안한 방제의 歸經學說은 임상적인 의의가 크지 않기 때문에 후세 사람들이 드물게 사용하고 있다.

기타 方論書의 내용은 대략 다음과 같다.

『古今名醫方論』4卷. 저작자는 羅美로 字는 澹生이고 別號는 東逸이며, 본래는 新安人(지금의 安徽 歙縣)이었다가 이후 江蘇省으로 이사했다. 이 책은 역대 名醫들의 方劑와 方論을 선택하여 모아놓았으며, 개별 방제의 病證을 서술하면서도 또한 개별 방제의 配伍에 대해 논의해두었다. 동시에 比類의 방법을 활용해 하나의 방제가 여러 가지 방제들과 소통할 수 있도록 했고, 하나의 병증을 논의하면서도 하나의 병증에만 구속되지 않았다. 하나의 방제에 대해 알 수 있으면서 동시에 여러 방제의 활용법을 알 수 있어 어떤 이들은 이 책이 吳昆의『醫方考』보다 사용하기에 적합하다고 인식하기도 했다.

『絳雪園古方選注』3卷. 저작자는 王子接으로 字는 晉三이고, 長洲人(지금의 江蘇 蘇州)이다. 이 책의 上卷에서는 仲景의 방제를 和·寒·溫·汗·吐·下의 6劑로 분류하여 注釋했고, 中卷과 下卷에서는 內科·女科·外科·幼科·眼科 및 각과의 상용 방제에 대해 해석했다.『四庫全書提要』에서는 "是書所選之方, 雖非秘異, 而其中加減之道, 銖兩之宜, 君臣佐使之義, 皆推闡其所以然."이라고 평가했다. 이 책은 후세 方論의 연구에 대한 영향이 비교적 컸다. 예를 들어 章楠의『醫門棒喝』「傷寒論本旨」卷9에서는 방제를 취합하며 王氏의 논의 대부분을 관련된 방제 뒤에 나열해 두었고, 王士雄의『溫熱經緯』方論 부분에서도 이 책의 논술을 대량으로 인용해 두었다.

『刪補名醫方論』7卷은『醫宗金鑒』의 일부분으로 이 책의 卷26−33까지이다. 저자는 吳謙 등이다. 吳謙은 字가 六吉이고, 安徽 歙縣人이며, 관직이 太醫院 院判에까지 이르렀다.『刪補名醫方論』은 漢·唐·宋·元·明 이래로 상용하던 良方 약 200개를 선택하여 原方의 處方名·主治·構成 및 用法 이외에 각각의 방제마다 역대 의가들의 方論을 인용 기술하고 다시 評議와 方劑의 配伍 意義를 분석해두었다. 持論이 공평하면서도 見解가 깊은 곳도 적지 않아 또 하나의 중요한 方論에 대한 저작이다.

『成方切用』13卷은 작자가 吳儀洛으로 字가 遵程이고, 浙江 海鹽人이다. 이 책은『醫方考』와『醫方集解』의 기초상에서 고금의 成方 1,180여 개를 選錄하고 상세하게 해석한 것이다. 每卷은 각각 상하 두 부분으로 나누어 방제를 제작한 總義 및『內經』의 논의를 방제 첫머리에 배치해 두었다. 방제의 효능과 主治하는 病證의 차이에 근거해 治氣·理血 등 24門으로 나누었다. 각각의 방제마다 먼저 적응 증후를 서술하고, 다음으로 구성 약물 및 가감법에 대해 서술했으며, 그 다음으로는 方劑의 配伍 의의에 대한 분석과 附方을 서술했다. 이 책이 선택한 방제는 실용적이면서도 또한 수록된 방제의 숫자가 일반 方論書 보다 많고, 注釋 또한 상세해 初學者가 방제를 학습할 때 큰 도움이 된다.

『醫方論』4卷은 저자는 費伯雄으로 字는 晉卿이고, 江蘇 武進人이다. 이 책은 汪昂이 지은『醫方集解』의 方劑 순서에 따라 評述하면서 方義를 논술했다. 원 저작의 방제 중에 실린 主治와 注文은 삭제했다. 費氏는 임상 경험이 매우 풍부했기 때문에 諸方을 評述함에 있어 임상에서 긍정적인 효과를 보이는 방제 외에 汪昂의 原書 중에 있는 일부 選用이 부적절한 방제에 대해 개인의 견해를 명확하게 밝혔다. 상당히 취할 내용이 많다.

이외에 張璐의 『千金方衍義』와 葉桂를 가탁한 『本事方釋義』 두 가지 서적은 『備急千金要方』과 『普濟本事方』의 방제를 해석한 보기 드문 고서적이다.

둘째, 方論의 연구와 상응하여 清代에는 방제에 대한 歌括 또한 시대를 풍미하였다. 明代 李梴은 『醫學入門』을 지으면서 방제의 구성과 主治 등으로 七言 歌賦를 편성했다. 이 방법은 清代 의가들에게도 채택되었으며 대대적으로 보급되었다. 예를 들어 汪昂은 『醫方集解』를 지은 지 10년 뒤 그 내용이 많고 휴대하기에 불편한 것을 싫어하여 『湯頭歌訣』이라는 한권의 책을 축약하여 만들었다. 상용 방제 290首를 선택해 七言歌訣 200여 首로 편성한 것으로, 간단하면서 정련된 문장으로 방제의 약물 구성·효능 主治와 증상에 따른 약물 가감 내용을 개괄했으며, 音韻을 잘 잡아서, 초학자들이 背誦을 통해 암기하도록 하는데 도움을 주었다. 각 방제의 方歌 아래에는 간단하게 요약한 注釋을 달아 方義·主治와 임상 응용 방법 등을 설명했다. 『湯頭歌訣』이 후세에 끼친 영향은 매우 커서 清代에 처음 의학을 배우는 자들에게는 반드시 背誦해야 할 의학 서적 중 하나였으며, 후세 사람들도 이 책을 여러 차례 續補·增注·改編하고 쉬운 말로 풀이했다.

『成方便讀』 또한 方劑歌括의 종류에 속한다. 저자는 張秉成으로 字가 兆嘉이고, 江蘇 武進人이다. 총 4卷으로 古今에 상용하던 成方 240여 首와 附方 50여 首를 가려 뽑은 뒤 『醫方集解』의 체례를 모방해 補養·發表에서 經産·小兒 및 解救의 방제까지 모두 22門으로 나누었다. 각각의 방제를 七言歌訣로 편성하면서 그 약물의 구성과 主治의 요점을 정리해 초보자들이 암송하기 편리하게 했다. 방제를 학습하는 입문 단계에 해당한다. 方論은 먼저 병이 생긴 원인 및 증후의 병리 기전을 서술하면서 다시 立方의 의의와 각 약물의 性味·응용시의 주의 사항 등을 서술했다. 특히 君臣佐使의 配伍 이론과 임상에서 運用할 때의 가감 변화를 조목 별로 세밀하면서도 조리 있게 분석해 독자들로 하여금 하나를 보고 열을 알도록 했다. 張氏의 방제에 대한 논의는 말은 간결하지만 뜻은 완벽하며 심오한 내용을 알기 쉽게 표현했으며, 이론과 임상 실천을 긴밀하게 결합시켜 분명하게 통달할 수 있도록 했고 中正하면서도 공평한 태도를 유지해 후학들에게 많은 깨우침을 주며 참고할 만한 가치가 있다. 秦伯未은 이 책을 위해 서문을 지으며 "先生此方, 遴選抉擇, 三政其意, 既不廢古, 復不遺今, 一本切用爲歸, 以備臨床之助."라고 하였다.

이밖에 陳念祖(字는 修園이고, 號는 慎修며, 另字는 良有로, 福建 長樂人이다.)가 지은 『時方歌括』·『長沙方歌括』·『金匱方歌括』, 王泰林(字는 旭高이고, 江蘇 無錫人이다.)이 지은 『退思集類方歌注』·『醫方證治彙編歌訣』·『醫方歌括』·『增訂醫方歌訣』 등이 있다. 모두 方劑歌括류의 서적으로 그 체례는 기본적으로 『湯頭歌訣』과 유사하기 때문에 일일이 장황하게 서술하지 않겠다. 요약하자면 方劑歌括류의 서적과 方論 서적이 상호보완을 이루면서 清代의 방제학으로 하여금 방제 配伍의 의미를 깊이 있게 탐구하고 또 방제학이 광범위하게 전파되도록 촉진했다.

셋째, 清代 溫病學의 발전은 방제학에 새로운 내용을 주입시켰다. 吳瑭은 字가 鞠通이고, 江蘇 淮陰人으로 저서로는 『溫病條辨』6卷이 있다. 이전 사람들의 방제와 醫案에 나오는 처방들을 응용하고 정리해주면서도 新方들이 속속들이 등장해 사람들로 하여금 春風에 머리를 감는 것같은 상쾌함을 준다. 仲景의 炙甘草湯을 응용해 加減復脈湯·一甲復脈湯·二甲復脈湯·三甲復脈湯 및 大定風珠의 계열 방제를 만들었고, 陶節庵의 黃龍湯을 변화시켜서 新加黃龍湯, 『局方』의 香薷散을 변화시켜서 新加香薷飮, 萬全의 牛黃清心丸을 변화시켜서 安宮牛黃丸을 만들었다. 葉桂와 관련된 醫案의 처방들을 총결해 桑菊飮·銀翹散·清營湯 등의 방제를 만들었다. 吳氏가 만들어낸 모든 방제들은 主治가 명확하고 구성이 엄밀하며 효과가 현저하므로 현대 임상에서도 광범위하게 사용되고 있다.

王士雄은 字가 孟英이고, 浙江 錢塘人이다. 저서로는 『溫熱經緯』·『霍亂論』 등의 서적이 있으며, 淸暑益氣湯·甘露消毒丹·連朴飮 등의 名方을 만들었다. 溫病에 食療方劑의 사용을 중시해 雪羹湯(해파리·올방개)·靑龍白虎湯(감람·생 무) 등을 세상에 전했다.

俞根初는 浙江 紹興人으로 셋째였기 때문에 진찰을 받으러 오는 사람들이 모두 俞三先生이라고 불렀다. 매일 백 여 명씩 진료하면서 명성을 크게 일었고 부인에서 아이들까지 모두 그 이름을 알게 됐다. 저서로는 『通俗傷寒論』이 있다. 광의의 傷寒으로 溫病을 논의했으며, 加減葳蕤湯·蒿芩淸膽湯·羚角鉤藤湯 등을 만들어 이전 사람들의 미비한 점을 보완했다.

楊璇은 字는 玉衡이고, 號는 栗山이며, 河南 夏邑人이다. 『傷寒溫疫條辨』을 지었으며, 溫病 치료에 蟬蛻·殭蠶 등의 약물을 잘 사용해 升降散·神解散·淸化湯·加味涼膈散·增損大柴胡湯 등을 구성해냈다. 升降兼施·表裏雙解에 뛰어났다. 임상에서의 단련을 겪어보지 않은 사람은 이런 방제를 만들어내기 쉽지 않다.

余霖은 字가 師愚이고, 安徽 桐城人이다. 『疫疹一得』을 지었으며, 石膏를 대량으로 사용하기를 즐겨했다. 淸瘟敗毒飮을 창제했으며 전방위적으로 다층적으로 淸熱解毒했다. 대담하면서도 식견도 갖추고 있었다.

雷豊은 字가 少逸이며, 浙江 衢縣人이다. 『時病論』을 지었다. 法에 따라 方劑를 명명했으며 溫病을 다스리는 방법으로 방제를 통솔하기에 뛰어났다. 古今에 이런 의가가 없어서 또한 가치가 있다.

넷째, 淸代의 의학은 尊經復古하려는 사조가 매우 높았다. 이러한 사조는 『傷寒論』과 『金匱要略』 두 저작 중의 방제에 대한 심도 있는 연구를 촉진시켰지만, 한편으로 다소 부정적인 영향을 끼치기도 하였다. 仲景의 방제를 '經方'이라고 존중하면서 『傷寒』·『金匱』를 整理하고 注疏한 서적이 대량으로 출현했고, 仲景 방제에 대한 연구도 상세해지면서 나날이 정교해졌다. 영향이 비교적 큰 저작으로는 柯琴(字는 韻伯이고, 號는 似峰이며, 原籍은 浙江 慈溪人으로 이후 江蘇 常熟으로 遷居했다)의 『傷寒來蘇集』, 尤怡(字는 在涇이고, 號는 拙吾이며, 江蘇 吳縣人이다)의 『傷寒貫珠集』·『金匱要略心典』, 黃元御(字는 坤載이고, 號는 研農이며, 山東 昌邑人이다)의 『傷寒懸解』·『金匱懸解』, 徐大椿(字는 靈胎이고, 다른 이름은 大業이며, 江蘇 吳江人이다)의 『傷寒論類方』, 陳念祖의 『傷寒論淺注』·『金匱要略淺注』 등이 있다. 徐大椿과 陳念祖 등의 의가들은 경전을 숭상하는 것이 너무 지나쳐서 後世方을 輕蔑하고 否定하기도 했다. 예를 들어 徐大椿은 『醫貫砭』을 지어 趙獻可의 잘못된 점을 가혹하게 批評했다. 그의 『醫學源流論』 중에도 역시 옛것을 중시하고 현재를 경시한 議論들이 많이 수록되어 있다. 陳念祖는 『景岳新方砭』에서는 근본적으로 景岳新方의 성취를 부정했고, 방제학에 대한 지침으로서의 의미를 지닌 藥學의 大作 『本草綱目』에 대해서조차 불살라 없애버려야만 "方可與言醫道"할 수 있을 것이라고 인식했다. 이것은 모두 편면만을 본 것 저작들이다.

다섯째, 경험방에 대한 채집·정리를 중시해 책으로 저술한 것은 淸代 方劑學의 또 다른 특색이다. 趙學敏(字는 恕軒이고, 號는 依吉이며, 浙江 錢塘人이다)은 민간 경험방의 채집을 중요하게 여겨, 走方醫들의 경험을 정리해 『串雅內編』과 『串雅外編』을 펴냈다. 陶承熹(字는 東亭이고, 浙江 會稽人이다)는 家傳되던 방제와 자신이 20여 년 동안 경험한 효과 있는 방제들을 편집해 『惠直堂經驗方』을 저술했다. 鮑相璈(字는 雲韶, 湖南 善化人이다)는 약물의 가짓수가 적고 가격이 저렴하면서 편리하게 사용할 수 있는 경험방들을 전문적으로 채집하여 『驗方新編』을 만들었다. 華岫雲(字는 南田이고, 江蘇 無錫人이다)은 葉天士가 臨證한 效驗方을 전문적으로 기록하여 『種福堂公選良方』을 편찬했다. 이외에 梅啟照의 『梅氏驗方新編』, 恬素氏의 『拔

萃良方』, 謝元慶의 『良方集腋』 등이 있다.

이상은 淸代 方劑學의 전반적인 성취와 특징을 살펴본 것이다. 부분적으로 방제학에 대한 공헌이 비교적 큰 사람은 다음과 같은 의학자와 저작이 있다. 程國彭(字는 仲齡이고, 安徽 歙縣人이다)은 『醫學心悟』 중에서 유명한 汗·吐·下·和·溫·淸·消·補의 八法을 제출하며 "一法之中, 八法備焉; 八法之中, 百法備焉."이라고 했다. 執簡馭繁한 것으로 방제를 제작하여 질병을 치료한 것으로 그 의미가 깊다. 王淸任(字는 勳臣이고, 河北 玉田人이다)은 『醫林改錯』을 저술해 병을 치료할 때 마땅히 臟腑를 먼저 알아야 한다고 인식했다. 그는 活血化瘀하는 많은 방제들을 제정해, 예를 들어 血府逐瘀湯·通竅活血湯·膈下逐瘀湯·少腹逐瘀湯·身痛逐瘀湯 및 補陽還五湯 등으로 후세 사람들이 頑疾痼症을 치료하는 방법을 계발시켰다. 치료 효과가 또한 매우 높았다. 程鵬程(字는 南穀이고, 浙江 桐鄕人이다)의 『急救廣生集』과 吳樽(字는 安業이고, 또 다른 字는 尙先·杖仙·師機이며, 浙江 錢塘人이다)의 『理瀹駢文』의 두 가지는 최초의 外治 전문 서적으로 방제의 體外 給藥 경로를 연구해 중의학의 치료 방법을 풍부하게 만들면서도 방제의 치료 효과를 제고시켰다는 점에서 중요한 의미를 지닌다. 淸나라 정부가 조직적으로 편찬한 것으로 『古今圖書集成』「醫部全錄」과 『醫宗金鑒』이 있다. 前者는 520권에 달하는 巨作으로 身形·婦人·小兒·外科·痘疹 등 각과 방제를 나열한 것만도 그 숫자가 萬을 넘는다. 단순한 方書는 아니지만 수록된 방제의 풍부함은 淸代 저작 중에서 일등을 차지한다. 後者도 90권에 달하는데 수록된 방제들이 각과를 겸비하고 있으면서도 내용이 풍부하고 실제적인 효과를 중시 했다. 서술이 간단명료할 뿐 아니라 정부에서 편찬한 교과서였기에 영향이 매우 컸다.

淸代에는 전문 과목 方書들도 진일보했다. 외과 방면으로는 王洪緖가 지은 『外科全生集』이 있다. 이 책에 수록된 陽和湯·陽和解凝膏 등은 陰疽를 치료하는 良方이다. 顧世澄이 지은 『瘍醫大全』40卷은 瘍科 古今에 대한 내용을 개비하고 있으며 논리에 근거가 있고 辨證이 상세하며 수록된 방제의 분량도 많아 瘍科의 方藥을 찾아보기 위한 수요를 충분히 갖추고 있다. 부인과 방면으로는 傅山의 『傅靑主女科』와 沈金鼇의 『婦科玉尺』 및 竹林寺 승려의 『竹林寺女科秘書』 등이 있다. 이 중 영향력이 크고 널리 전해진 것으로는 먼저 『傅靑主女科』를 꼽을 수 있다. 이 책은 처방 중의 약물을 고를 때 古書에만 의존하지 않고 여러 가지 측면을 고려했다. 立法이 엄격하고 구성이 합리적이면서도 치료 효과는 확실했다. 易黃湯·完帶湯·生化湯·定經湯·調經湯·兩地湯 등은 모두 임상에서 상용하는 부인과의 良方이다. 소아과 방면으로는 陳復正의 『幼幼集成』과 謝玉瓊의 『痲科活人全書』 등이 있다. 책 중에 실려 있는 方藥들은 소아과의 임상 실제와 부합하지만 創見과 貢獻은 부족했다. 喉科 방면으로는 尤乘의 『尤氏喉科秘書』와 鄭宏綱의 『重樓玉鑰』등이 있다. 그중 『重樓玉鑰』은 후세에 비교적 큰 영향을 미쳤다. 鄭氏는 당시 白喉(디프테리아)가 유행하는 상황에서 陰虛染毒說을 제창하면서 養陰淸肺湯을 만들어 白喉 치료에 효과적인 방제를 제공하였다.

9. 民國 이후(서기 1911년 이후)

先秦으로부터 明·淸代에 이르기까지의 方劑學의 역사를 縱觀하면 기본적으로 내재적인 규율이 지배하는 가운데 발전하는 과정이었다. 晩淸代에 이르러 상황은 근본적으로 변화했다. 주위의 열강들이 엿보는 가운데 국난이 거듭되었으며, 제국주의는 근대의 공업과 군사의 힘을 빌어 중국을 제멋대로 휘저었다. 서양의학 역시 점차 중국 안으로 전파되었다. 돌연히 나타난 새로운 서양의학의 충격 속에서 중의학의 통치 지위는 날로 흔들렸다. 특히 1911년 民國이 수립 이후 중의학은 차별을 받다가 '폐지'될 위기에 몰리기까지 하였다. 당시 정부에서 수행한 중의학 차별 정책의 압력과 근대 서양의학의 객관적인 존재와 그 가치의 도전 앞에서 民國 시기의 중의학계는 변혁을 위한 '中醫科學化'라는 슬로건을 내걸었다. 방제학의 연구 역시 서양과학

(주로 서양의학)의 사상과 방법을 흡수하기 시작하였으며, 이후 방제학의 발전은 새로운 시기로 접어들게 되었다.

張錫純의 『醫學衷中參西錄』은 제일 먼저 서양의학의 이론으로 방제학을 연구하는 시작을 열었다. 이 책은 張氏가 中·西醫學의 思想을 소통할 것을 논술한 것으로 공부와 임상 경험 속에서 체득하여 모아둔 것을 기록한 것이다. 張氏는 "西醫新異之理, 原多在中醫包括之中, 特古籍語言渾含, 有賴於後人闡發耳."라고 인식하고 있었기에 中·西醫學의 이론을 소통하는 것은 어려운 일은 아니었다. 방제학에서 '衷中參西'의 내용을 말할 것 같으면, 먼저 張氏는 방제를 운용함에 있어서 서양의학의 진단을 결합시킬 수 있다고 주장했다. 예를 들어 鎭肝熄風湯을 '腦充血'症 치료에 적용할 수 있다고 여겼으며, 建瓴湯을 제조해 '腦充血'을 예방하려고도 했다. 그 다음으로 張氏는 中·西藥을 함께 사용하는 新方을 창안했다. 예를 들어 "生石膏 2兩(軋細), 아스피린 한 알. 이상 두 가지 약물을 먼저 설탕에 물을 타서 아스피린을 복용하고, 다시 石膏 煎湯 一大碗을 복용하는 데 온몸에 땀이 날 때를 기다렸다가 따뜻하게 石膏湯 ⅔를 마셔서 아스피린의 發表力를 도와준다. 汗出한 후에 2~3시간이 지났는데도 여전히 餘熱이 있는 것이 느껴지는 자는 남아있는 石膏湯을 따뜻하게 마신다."라고 하였다. 이름을 '石膏阿司匹林湯'으로 붙이고는 關節腫痛이 있으면서 實熱을 끼고 있는 경우에 사용했다. 세 번째로 서양의학의 관련 지식을 사용해 방제의 配伍 의미를 해석했다. 예를 들어 玉液湯이 消渴을 주치하는 것에 대해 "서양의학에서 말하는 糖尿病"이라고 명확하게 지적하면서, 방제 중에 雞內金을 사용하는 것은 "이 증상의 소변 중에는 모두 糖質을 함유하고 있기 때문에 이것을 사용하여 脾胃의 强健을 도와서 飮食 중에 있는 糖質을 津液으로 만드는 것이다."고 하였다. 이러한 내용들은 현대의 관점에서 볼 때 아직은 조악하지만 방제학의 이후 발전 추세를 대표한다.

陸淵雷은 民國 時期에 매우 영향력이 큰 의학자였다. 그는 "方藥의 효험은 古今에 차이가 없지만, 방제를 사용한 효능을 證憑할 때 科學이 아니면 그 진실을 얻지 못한다."고 인식하고 『傷寒論今釋』을 지어 "古書의 事實을 취하고 科學의 이해로써 풀이해" 당시에 유행하기도 했다. 이 책은 仲景 方劑의 모든 해석을 서양의학 藥理學에서 출발했으며 상세한 설명을 곁들여 두었다. 이것은 民國 시기에 비교적 유행했던 方解의 한 방법이었다. 예를 들어 陸氏는 調胃承氣湯을 方解에 대해 "大黃은 식물성 下劑로 그 작용은 장점막을 자극해 장의 연동운동을 촉진하는 것이다. 또한 결장 끝부분의 역 연동 운동을 억제하기도 한다. …… 芒硝는 황산나트륨(硫酸钠)의 수분을 함유한 결정체로 염류(鹽類)의 下劑이다. 복용한 이후에는 흡수가 매우 어려워 자극 작용이 있지 않다. 소화기 내부에서 약물의 수분을 용해된 채 있도록 보전할 뿐 아니라 흡수도 되지 않도록 한다. 소장 내용물이 액체 상태를 유지한 채 직장에까지 도달할 수 있도록 해 분변이 묽은 형태를 띄도록 한다. 옛 사람들이 大黃은 蕩滌하고 芒硝은 軟堅한다고 한 것은 허튼 소리가 아니다. 甘草를 더해 急迫한 증상을 치료해 便秘, 便難을 치료하고 食毒을 씻어 내렸다."고 하였다.

葉橘泉이 1935년에 편찬한 『近世內科國藥處方集』은 하나의 당시 方劑學 연구 상황을 잘 보여주는 전문 저작이다. 6集으로 되어 있고 病原·病理·症狀의 설명은 모두 서양의학에 근본하였고, 處方과 藥物은 『傷寒論』·『金匱要略』·『備急千金要方』·『外臺秘要』·『太平惠民和劑局方』·『濟生方』 등 古籍에 있는 방제를 選錄했다. 방제를 선택하는 조건은 "비교적 정확한 효과와 病理·藥理에 부합하는 것"이었으며 方解는 "모두 科學新說에 근본"하였다. 예를 들어 '장티푸스'를 치료하는 小柴胡湯의 方解에서는 "柴胡는 淸涼한 성질의 해열약으로 胸脇苦悶, 寒熱往來, 腹中痛, 脇下痞硬 등의 증상을 치료한다. 淋巴總幹을 소통시키며 消炎 또는 輕瀉 작용을 지니고 있다. 時氣瘟疫·潮熱·煩悶·瘧症·頭疼·目眩·血分熱毒·瘡瘍에 효과가 있다. 黃芩은 살균

소염약으로 淸胃腸·利膽道·解熱排毒의 작용을 지니고 있다. 心下痞·胸脇滿·嘔吐下利·諸熱黃疸·天行時熱·疔瘡腫毒·上部積熱·急性充血目赤腫·吐衄·熱喘煩悶 및 急性胃腸炎으로 인한 구토 설사에 효과가 있다……"고 했다. 이밖에 惲鐵樵의『驗方新按』과 丁福保의『中西醫方彙通』 등도 이와 다르지 않으니 모두 그 시대의 흔적을 깊이 지니고 있다.

이외에 民國 시기에는 서양의학의 교육 제도를 본떠 여러 개의 사립 중의학 학교가 세워졌고 그에 걸맞는 방제학 교재가 있었다. 예를 들면 정성을 다해 編著한『實用方劑學』과 같은 것들이 있다.

中華人民共和國이 수립된 후에 올바른 중의학 정책이 수립되었으며 중의약 사업이 원활하게 진행되어 거대한 성과를 거두었다. 방제학은 새로운 역사적 조건 하에서 왕성한 생명력을 발산하였다. 한편으로는 고서적 方書를 정리하여 출판하고, 방제학 문헌을 연구하며, 방제학 교재를 만드는 등 여러 방면에서 많은 성과를 거두어 전통적인 방제학 이론을 계승했다. 이 방면에서는 南京中醫學院이 주로 편집하여 출판한『中醫方劑大辭典』이 대표적이다. 이 책은 11개 分冊으로 구성되어 있으며, 총 1,800만 글자로 역대의 방제 96,592方을 수록했다. 古今 방제학 연구 성과를 모아 내용이 풍부하고 考訂이 엄격하여 明代 초기『普濟方』이 세상에 알려진 이래 결여되어 있던 대형 方書의 공백을 채웠다. 한편 많은 의약 종사자들의 근면한 노력을 통해 방제학은 전례 없는 새로운 풍부한 성과를 거두었다. 주로 아래의 세 가지 방면으로 설명해볼 수 있다.

첫째, 중서의학이 결합된 임상 연구로 인해 新方의 출현했고 古方의 현대적 사용이 촉진됐다. 연구 과정을 통해 만들어진 현대적인 新方으로, 內科 영역의 烏貝散·甘柴合劑·連翹糖漿·抗白喉合劑·固本丸·冠心Ⅱ號方·速效救心丸·復方丹參滴丸·淸開靈·脈絡寧·胃蘇沖劑·痰飮丸 등, 外科 영역의 復方大承氣湯·復方大柴胡湯·淸胰湯·淸膽湯·膽道排石系列方·錦紅湯·通塞脈片 등, 婦產科 영역의 二仙湯·宮外孕Ⅰ~Ⅱ號方 등, 小兒科 영역의 龍牡壯骨沖劑, 皮膚科 영역의 克銀方 등이 있다. 이러한 새로운 방제의 主治證은 모두 中·西 醫學의 이중 진단에 근거하고 있으며, 어떤 것들은 理化學 검사의 보조를 받고도 있다. 모두 적응증이 명확하고 치료 효과가 재현된다는 특징을 지니고 있다. 古方을 현대에 사용한다는 것은 古方을 현대의 임상 실제에 결합시키는 것 뿐 아니라 관련된 실험 연구를 진행해 古方의 운용 범위를 확장시키는 것이다. 예를 들어 玉屛風散은 원래 體虛自汗을 위해서 설계된 것이지만, 현대에는 이것을 체력이 약한 兒童의 반복되는 呼吸器感染[7]과 隱匿性腎炎[8]의 예방 목적으로 사용해 좋은 효과를 거두고 있다. 攻下法의 대표 방제인 大承氣湯에 대한 임상 치료 효과의 원리에 대한 연구는 이 방제가 急腹症을 치료하는 주요한 기전을 다방면에 걸쳐 제시함으로써 이 방제가 陽明腑實證을 치료하는 제한으로부터 벗어나 다양한 종류의 急腹症에 뛰어난 치료 효과를 거둘 수 있도록 했다. 또 大黃蟅蟲丸에 대한 연구는 이 방제가 관상동맥성 심장 질환 치료에까지 확대될 수 있도록 하는 과학적인 근거를 제공했다.[9]

21세기에 들어 근거중심의학(evidence-based medicine)의 이념과 방법이 점차 중의약 종사자들에게 접수되어 운용되고 있다.[10] 중의약을 활용한 대규모의 전향성 복합 센터 임상 연구의 설계 및 실시가 착수되어 있고[11] 아울러 중의약 임상 평가의 개체화 특징과 추세를 연구해 근거중심의학의 이론과 방법으로 제출해 참고하도록 했다. 목표성취도 평가법(goal attainment scale, GAS)에 기초해 중의약 임상 개체화 평가 방법인 – '근거중심 GAS'의 새로운 사고를 건립하기도 했다.[12]

둘째, 방제학의 기초적인 연구가 급속도로 진전되어 뛰어난 성과를 냈다. 약리(마황탕에 해열·기관지샘의 분비 촉진·진해거담·기관지 확장 등의 작용이 갖춰져 있음[13])·면역(사군자탕이 생쥐의 복강 대식세포의 탐식기능을 높이고, 임파세포의 변화 및 활성화반(活性花斑)의 형성을 촉진하며, IgG 함량의 작용을 높인다는 것

14, 15))·병리(血府逐瘀湯을 쇼크 早期에 운용하면 미세 순환을 개선하여 체내에 존재하는 因素들을 증강시키고, DIC 프로세스의 작용을 막을 수 있다는 것[16])·생화학(六味地黃丸이 생쥐의 세포내에 있는 cAMP 함량의 작용을 높인다는 것[17])·약물화학(白虎湯 煎劑 중에 있는 칼슘 이온의 농도와 退熱 관계 연구[18]) 등의 방면에서 관련된 방제에 대한 깊은 연구를 진행했다. 이를 통해 획득한 성과들은 民國 시기 단순하게 서양의학 지식을 사용하여 방제의 작용을 견강부회한 것과는 비교할 수 없는 것이다. 이외에 방제의 配伍 및 藥量 등에 대해서도 관련 연구를 진행해 상당한 성과를 얻었다. 예를 들어 四逆湯 중의 附子를 乾薑·甘草와 配伍하면 附子의 强心作用을 증강시키면서 그 毒을 감소시킬 수 있고, 單味의 附子와 四逆湯의 두 가지를 口服하였을 때 LD50(약물 독성 치사량 단위)이 서로 4.1배 차이를 보인다는 것[19], 當歸補血湯 약물 용량에 대해 reversed-phase high performance liquid chromatography을 운용해 분석했더니 藥物의 煎出率과 細胞免疫의 藥理活性 측면에서 경전에서 이야기하는 黃芪와 當歸의 비율 5:1이 합리적이었다는 것을 증명했다.[20]

셋째, 中成藥學은 방제학에서 분화하여 새로운 모습을 보여주었다. 丸·散·膏·丹 등의 旣成藥 製劑는 본래 방제학의 연구 범위에 속해있었는데 최근 20~30년 사이 방제학에서 분화하여 中成藥學을 이루었다. 이후 현대의 공업기술을 보다 많이 운용해, 古方 旣成藥의 전통적인 제형에 대해서 개선과 개발을 진행했고, 新方(藥) 製劑에 대한 탐색과 연구를 진행해 中成藥이 科學化·新型化·方便化·高效化를 향해 발전해나가도록 했다. 예를 들어 전통적인 丸劑를 片劑(銀翹解毒片)·口服液(杞菊地黃口服液)·注射劑(醒腦 정맥 주사액)·滴丸劑(蘇冰滴丸) 등으로 바꾸어 제조했으며, 中成藥의 새로운 劑型으로 분무제(寬胸氣霧劑)·중약 대형 수액(養陰鹹)·粉鹹劑(雙黃連粉鹹劑) 및 腸溶膠丸(安粒素腸溶膠丸) 등의 개발에 성공하기도 했다. 한편 中成藥學은 旣成藥의 품질표준 및 검측 방법에 대한 연구를 실시해 과거 감각 경험으로 감별하던 방식을 현미경·이화학 및 thin layer chromatography 등의 감정 방식으로 변화시켰다. 檢測方法으로 볼 때 경전 상의 방법 제외 외에 Gas chromatography·High Performance Liquid Chromatography·Dual wavelength thin layer scanning 등이 이미 많이 사용되고 있으며, 이것들은 中成藥의 품질을 통제하고 치료 효과를 확보해 국제시장에 진입함으로써 세계인들의 건강을 위해 의료 서비스를 제공하며 보장을 제공하고 있다.

최근 10여 년 동안에는 王永炎과 張伯禮는 수석과학자로서 다학과 학자 그룹을 조직해 국가 973 프로젝트를 진행하며 방제와 관련된 중요 문제에 대한 기초적인 연구를 시작했다. 이 프로젝트는 方劑를 하나의 복잡한 시스템으로 간주하고 方劑가 작용하는 인체 또한 하나의 복잡한 시스템으로 인식하는 것이다. 이중복잡시스템을 대면하고 그 현상과 본질을 인식하기 위해서는 반드시 복잡성 과학 이론의 지침 하에 복잡시스템 중에 비선형규율의 부분을 선형규율로 격하시켜 연구를 진행하는 한편, 여러 개의 선형법칙을 종합해 복잡시스템의 인식에 도움을 주어야 한다. 방제 연구는 '복잡-간단-복잡'의 원칙에 따라 현대 화학의 연구 방법을 참고하면서 중의약 이론이 강점을 발휘하고 중약 方劑의 配伍 특징을 유지하며 中藥에 대한 연구와 제조를 혁신하도록 진행됐다. 전체 연구 과정은 일관되게 생물 활성의 지도하에 화학 연구의 사고 기조를 유지했으며 '두 개의 기본을 명확히 하는' 노력을 진행됐다. 즉 약효 물질과 작용 원리의 기본을 분명히 하면서 현대 중약이 제공하는 이론적 근거와 기술적 뒷받침을 그룹별로 배합했던 것이다. 연구 프로젝트 는 중의약 이론의 가르침을 견지하면서도 복잡성 과학의 방법론을 따라 중국 전통 의학과 현대 의학 이론의 결합이 학술사상의 지침이 되도록 했다. 古今의 문헌을 충분히 참고하는 기초 위에 洋·中藥 개발의 경험을 참고했으며 전체 프로젝트 연구 목적에 대해 전문가들의 반복되는 논증을 거쳐 방제의 과학화 문제 연구에 대한 총체적인 가설을 세웠다:"方劑는 病證結合·方證對應·理法方藥이 일치하는 조건에서 여러 그룹이 작용하는 멀티

표적지를 통하여 拮抗·補充·整合·調節 등의 다양한 효능이 융합되어 치료 작용을 일으킨다."는 것이다. 작업 가설을 아우르며 전개되는 Top Level Design은 가설 검증에 충분한 증거를 제공한다. 총체 가설은 현대 중약 구축을 위한 이론적인 근거를 제공할 뿐만 아니라, 방제의 작용 원리와 약효 활성 유도 하에 유효 부위의 추출과 藥化에 대한 연구를 지도한다. "주된 부위를 명확하게 하고, 주된 효능과 반응을 강화하며, 부가적인 효능을 저하시키는 것"이라는 목표를 건립해 '전체적이고도 종합적인 조절'에 도달할 수 있도록 했고, 부위별(그룹별) 配伍를 근거로 구성한 새로운 復方을 구축함으로써, 효과적이고 품질을 통제할 수 있는 中藥 혁신을 위한 연구 및 제작에 이론적인 근거를 제공하는 것이다.[21, 22]

【參考文獻】

1) 中國中醫研究院圖書館.全國中醫圖書聯合目錄[M].北京:中醫古籍出版社, 1991:311.
2) 馬繼興.馬王堆漢墓醫書的藥物學成就[J].中醫雜志, 1986, 27(5):58-61.
3) 賈得道.中國醫學史略[M].太原:山西人民出版社, 1979:86.
4) 洪貫之.『傷寒』·『金匱』二書藥方的再核計[J].中華醫史雜志, 1986, 16(4):254-257.
5) 華浩明.『肘後備急方』的方數統計與認識[J].中國醫藥學報, 1993, 8(4):12-14.
6) 裘沛然.『千金方』的臨床價值[J].中醫雜志, 1984, 25(11):4-6.
7) 方鶴松, 高慧英, 淩筱明, 等.加味玉屛風散預防體弱兒童反復呼吸道感染效果觀察[J].中醫雜志, 1982, 23(1):39-40.
8) 沈壯雷.玉屛風散·維生素E治療隱匿性腎炎[J].中西醫結合雜志, 1983, 3(6):340-342.
9) 鄧文龍, 龔世蓉, 周莉萍, 等.近年來中醫方劑藥理研究進展[J].中國實驗方劑學雜志, 1995, 2(1):4-6.
10) 王永炎, 劉保延, 謝雁鳴.應用循證醫學方法構建中醫臨床評價體系[J].中國中醫基礎醫學雜志, 2003, 9(3):177-183.
11) Shang HC, Dai GH, Hang JH, et al.Myocardial infarction secondary prevention study(MISPS)[J].Journal of Geriatric Cardiology, 2006, 3(2):116-119.
12) 商洪才, 李幼平, 張伯禮, 等.中醫藥臨床療效個體化評價方法初探-循證目標成就量表法的提出[J].中國循證醫學雜志, 2007, 7(7):537-541.
13) 田安民, 蔡遂英, 張玉芝, 等.麻黃湯與桂枝湯藥理作用的比較[J].中醫雜志, 1984, 28(5):63-66.
14) 胡祖光.四君子湯及其配伍對小白鼠腹腔巨噬細胞功能的影響[J].中西醫結合雜志, 1984, 4(6):363-365.
15) 蘇州第三人民醫院中西醫結合病區免疫室.四君子湯·四物湯·六味地黃丸及蔘附湯對細胞免疫功能影響的研究[J].江蘇中醫雜志, 1980, 1(2):32-34.
16) 天津市第一中心醫院"三衰搶救組".運用活血化瘀法則治療急性彌散性血管內凝血22例分析[J].中華內科雜志, 1977, 2(2):79-81.
17) 董廷良, 嚴述常, 王素芬, 等.六味地黃丸防治腫瘤的實驗研究[J].中醫雜志, 1983, 24(6):71-74.
18) 時鈞華, 魏文章.白虎湯退熱作用的研究[J].藥學通報, 1983, 18(11):32-35.
19) 張銀娣.附子毒性的研究[J].藥學學報, 1966, 13(5):350-352.
20) 金芳, 孫小燕.當歸補血湯配伍比例的比較研究[J].中國實驗方劑學雜志, 1995, 1(1):33-37.
21) 張伯禮.推進方劑的現代研究[J].中國天然藥物, 2006, 4(5):321.
22) 張伯禮, 王永炎.方劑關鍵科學問題的基礎研究——以組分配伍研制現代中藥[J].中國天然藥物, 2005, 3(5):258-261.

第三節 방제학과 기타 학문의 관계

방제학은 한의학에서 내용이 독립되어 있고 이론이 완정된 한 분과학문이며, 동시에 또한 한의학의 기초 및 임상 각과와 광범위하고 밀접하게 연계되어 있다. 방제학은 하나의 교과목이 되어 역대 의학자들의 학술사상과 한의학의 질병을 예방하고 치료하는 각종 治法과 방제를 포함하고 있다. 동시에 古今의 의학자들이 방제의 이론과 응용연구에서 얻은 대량의 성과를 통합하였고, 교과목의 지식이 역사와 논리, 이론과 경험의 통일을 반영하였으며, 하나의 한의학의 교과과정이 되어 한의학의 기초이론, 진단학, 韓藥學 및 임상 각과의 지식을 종합하였고, 한의학의 辨證論治에서 풍부한 내용을 충분히 전개하였으며, 임상에서 약물을 선별하고 방제를 조합함에 중요한 선도적인 역할을 발휘하였다. 뿐만 아니라 방제학은 그 독특한 학문의 기능으로써 여러 학문과 소통하고 여러 학문이 발전하는데 교량역할을 발휘하도록 촉진하였다.

1. 기초와 임상의 연계

방제학은 한의학 이론의 중요한 구성부분이고 또한 임상 각과의 기초학문 중의 하나이다. 먼저 방제는 임상에서 辨證論治의 산물이고, 방제학의 이론은 임상경험을 종합하고 정리한 기초 위에서 형성되고 발전되어 온 것이다. 임상의 각과는 각자 특징이 있지만 모두 변증논치와 떨어질 수 없고 방제의 응용을 벗어날 수 없다. 방제학 속에서 관통하고 있는 한의학의 理法方藥의 이론지식은 임상 각과에서 辨證 처방의 기초이다. 또한 방제학은 한의학의 기초이론을 기초로 하고, 방제학의 학술발전도 진일보하게 한의학의 기초이론을 풍부하게 하였다. 예컨대, 방제학에서 方證에 대한 분석은 한의학의 기초이론 중의 病機學說과 분리될 수 없고, 治法의 확립과 실시는 한의학의 기초이론 중의 치료원칙의 이론과 밀접한 연관이 있어서 방제 조합의 配伍에서 "氣血幷治"·"臟腑隔治"·"陰陽互求" 등의 내용은 한의학 기초의 氣血·臟腑·陰陽相關 등의 이론에서 직접적으로 기원하고, 類方 組方配伍의 연구는 직접적으로 治法내용을 풍부하게 하였고, 類證病機에 대한 인식을 촉진하였다. 方劑功效의 현대 약리작용으로부터 관련 병증의 內涵의 啓示를 얻을 수 있었다. 다음으로 방제학은 한의학 기초이론·한의 진단학·임상 한약학 등의 교과목과 함께 한의학의 기초부분을 구성하고, 그중에서 방제학은 한의학 辨證論治의 기반 위에서 기타 각 기초학문의 지식을 융합하였고, 한의학 이론이 임상 실제에 구체적으로 응용되는 사유·방법과 기교를 집중적으로 구현하였다. 그런 까닭에 방제학은 기초와 임상의 이중 속성을 갖고 있다.

2. 韓醫와 韓藥의 연결

醫理와 藥理를 임상에서 질병을 예방하고 치료하는 실제에 완전히 결합한 것은 한의학의 두드러진 학술특징이고, 방제학은 韓醫 이론과 韓藥 이론을 高度로 통일하여 집중적으로 실현한 것이다. 먼저 임상응용을 목표로 하는 임상 한약학은 單味 약물의 藥性·약리작용 및 응용을 연구하는데 치중한 것이고, 방제는 二味 이상의 약물의 配伍 응용에 치중한 것이며, 방제의 조성은 韓醫 學理와 韓藥 藥理를 근거로 한 것이다. 예컨대 證에 임하여 방제를 조합할 때 한약의 性味기능으로 "七情和合"의 한약 配伍지식을 기초로 하여 응용해야 하며, 臟腑의 "陰陽盛衰", 氣血의 "盈虛通滯", 邪正의 "虛實消長" 등의 한의학의 病機와 치료원칙 및 治法 등의 기초이론을 응용해야 한다. 또한 역사적으로 방제와 한약은 서로 영향을 주면서 발전하였고, 방제의 응용은 한약의 효용과 그 응용 원칙에 대한 사람들의 전면적인 인식을 확장하였으며, 새로운 한약 혹은 한약의 새로운 효용의 발견은 방제의 대량 출현을 촉진하였다. 그다음은 한약의 藥性 및 효용의 현대적인 연구는 방제 配伍 원리에 대한 깊은 인식과 임상에서 創方의 수준향상을 촉진시켰으며, 방제의 여러 藥味와 성분에 대한 종합적인 효용기전도 현대 한약학의 특징적인 발전에 대하여 新思考를 제공하였고, 대량의 유효한 옛 방제도 현대 한약개발의 중요한 자원 寶庫이다. 따라서 韓醫藥의 醫와 藥은 밀접하여 분리될 수가 없는 것이다. 韓醫 이론을 벗어난 韓藥도 없고, 韓藥 이론을 벗어난 韓醫도 없다. 방제는 한의 이론의 기초에서 한약을 응용하는 중요한 형식이다.

3. 현대의 여러 학제와 상호교류

상대적으로 病因치료에 치중한 현대의학에서 보면, 한의학의 辨證論治를 기본내용으로 하는 全體 調節觀은 그 독특한 학술가치를 갖고 있다. 방제는 한의학 辨證論治의 구체적인 실현 매체이고, 한의학의 방제는 장기간 한의학 임상의 중요한 수단이었고, 현대의 많은 難治의 복잡한 질병을 치료하는데 매우 우수한 치료효과를 보여주었으며, 韓醫藥 치료의 특색과 우세를 충분히 구현하였다. 방제는 그 여러 藥味와 복잡한 성분 그리고 제형과 용법이 안에 포함된 여러 가지 조절요인이 인체의 복잡한 계통에 작용하여 생명활동에 대한 조절반응을 발휘한다. 방제의 임상 치료효과의 배후에는 독특한 생명조절기전을 내포하고 있어서 우리들은 이를 발견하고 인식할 가치가 있다. 방제학이 발전함에 따라 특히 생명과학이 안에 포함된 현대의 다학제가 방제학에 스며들어 방제는 바로 한의약 현대연구의 최전방 영역이 되었다. 한의학의 方-證 相關원리에 의거하고, 방제의 藥味와 구성성분으로부터, 방제의 작용대상의 전체·器官·組織·세포 및 분자 등의 여러 수준에서 방제의 效用·물질기초 및 작용기전을 탐색하고, 현대적인 의미에서 韓醫藥의 치료원리를 규명하는 것이 가능하게 豫示하며, 현대 생명과학 연구의 영역을 확장하고 또한 한의약 현대화의 진행과정에 속도를 올리게 한다.

이상을 종합하면, 방제학은 한의학의 기초와 임상을 연계하고, 韓醫와 한약을 연결하며, 전통적인 한의학과 현대의 생명과학을 연결하는 종합학문이다.

第四節 방제학의 학습방법과 요구

1. 서로 관련된 학문의 기초지식 갖추기

방제학은 한의 病機學·한의 診斷學과 韓藥學 지식을 기초로 하고, 治法理論을 근거로 하며, 동시에 製方配伍의 단계에서 관련된 학문의 지식이 함께 융합되어 있다. 따라서 방제학을 배우려면 먼저 한의 기초이론·한의 진단학과 한약학에 대한 견실한 기초가 있어야 한다. 방제학을 배우는 과정에서 집중하여 복습해야 하고 관련 학문의 기초지식을 파악해야 한다.

2. 방제학의 학문특징을 명확히 하기

한의 辨證論治에서 證·法·方·藥은 긴밀하게 연계되어 있고 고도로 통일되어 있으며, 방제학의 가장 중요한 학술특징은 방제가 치료하는 病症(약칭하여 方證) 病機와 확립된 治法 및 治法을 구현한 藥物配伍의 삼자 사이에는 밀접하게 서로 관련되어 있는 것이다. 그 중에 方藥의 配伍와 方證의 病機 사이에 高度로 일치하는 것이 그 핵심이다. 따라서 학습중에 특별히 주의해야 하는 것은 방증의 병기를 전체적으로 파악하고, 방중의 약물 사이의 배오관계를 이해하는 기초 위에서 방약의 배오와 방증의 병기 사이에 어떻게하면 고도로 부합하게 해야 하는 지를 깊게 터득해야 한다. 진일보한 학습은 방제 配伍의 특징과 그 임상 응용의 요점을 파악하는 것이다.

3. 章(法)을 綱으로 하고 節(方)을 目으로 하여 綱과 目의 연계

본서의 총론은 방제학의 기초로 방제분야의 몇몇 핵심문제와 기본이론이 관련되어 있고, 각론은 治法을 주 분류로 하는 각장의 방제가 있고 매장의 방제는 또 다시 세부 분류를 하여 같은 부류의 치법의 방제 속의 다른 단계를 반영하였다. 학습에서 학문전체의 구조를 이해하는 기초 위에서 같은 章과 걸쳐 있는 章의 내용을 연계하여 학습해야 한다. 類比方法을 응용하고 관련 방제의 辨證·立法·組方 配伍 등의 같음과 다름을 분석하여 교과과정의 지식에 대한 이해를 깊게 해야 한다.

4. 중점내용과 基本기능 훈련에 주의

방제의 組成·작용과 적응증은 방제의 기본내용이고, 그 組成을 암기하고 그 작용을 이해하며 그 적응증을 파악하는 것은 본 교과과정 학습의 기본적인 요구이다. 반드시 基礎方과 常用方에 중점을 두고 製方原理·配伍와 응용 요점의 파악을 강화해야 한다. 기초방은 몇몇 基源은 이른 시기이고 組方은 간결하며 후세에는 그것을 기초로 하여 많은 副方의 방제가 파생되었다. 상용방은 藥味의 조성이 많은 편이고, 임상의 적응범위가 광범위하며, 약간의 加減으로 많은 병을 通治할 수 있는 방제이다.

5. 일석이조로 提高확대

방제학에 입문하여 학습을 거친 뒤에 임상에서 방제를 능숙하게 응용하는 수준에 도달하려면 끊임없는 실제적인 학습을 거쳐야 하는데, 여기에는 직접 임상을 하고, 의사를 따라 진료에 참여하며, 醫案을 깊이 연구하는 등이 포함된다. 교수는 여러 가지 교육 대상과 목표 단계에 근거하고, 혹은 구체적인 방제의 응용을 결합하며, 혹은 방제사용의 일반적인 사고방식에서 임상의 성공사례를 선별하고 조직적으로 사례를 분석하여 진일보하게 학생들이 문제를 분석하고 해결하는 능력을 높인다.

第五節 방제학의 연구범위

방제는 理法方藥에서 하나의 중요한 조성부분이다. 그러나 구체적인 辨證論治 과정에서 證-法-方-藥의 몇몇 부분은 밀접하게 연계되어 있고 맞물려 있다. 즉 "법은 증에 따라서 세워지고, 방은 법에서 나오며, 방은 약에서 이루어진다(法隨證立, 方隨法出, 方以藥成)". 특정한 病證을 목표로 설정된 구체적인 방제는 藥味·藥量·配伍·劑型·용법 등 여러 내용이 관련되고 방제의 작용은 위에서 서술한 여러 가지 요소가 종합적으로 작용한 것이다. 따라서 방제학의 기본적인 임무는 방제와 病證·治法 사이의 관계를 규명하고, 방제를 구성하는 여러 가지 요소와 작용 사이의 관계를 게시하는 것이다.

교과서에 수재된 방제는 한의 방제학의 일부분이지만 모두 역대 의학자들의 代表方이고 그중에서 다수의 방제는 엄격한 방제조합 법도·정밀한 配伍 및 확실한 임상 치료효과가 있어 방제학의 經典으로 칭송된다. 經典 속의 방제는 한의학 임상에서 기본적인 방제사용과 질병을 예방하고 치료하는 有效한 수단이 되고, 변증논치의 기초에서 한약을 응용하는 일종의 모델이 되며, 거기에 포함된 治法이론·방제조합 사고방식·配伍원리 및 응용 원칙 등 방제학을 구성하는 핵심내용이다.

방제 제조 원리는 病證의 病機에 의학 확립된 治法·방제조합의 사고방식·方劑配伍 및 복용방법 등의 이론을 가리키고, 配伍원리는 한약 배오의 主次관계가 작용과 적응증의 病機와 서로 관련된 원리를 가리키며, 방제응용은 주로 방제의 적응범위·사용요점·加減변화 및 劑型선택의 원칙을 가리킨다. 저명한 방제를 연구하고 규명하는 방제조합의 사고방식·配伍원리 및 그 응용원칙은 한의학술과 임상수준을 높이는데 중요한 의의가 있다. 역대 의학자들은 方名해석·方의 원류탐색·方證비교·配伍특징·응용시 금기사항 등 여러 가지 각도에서 방제의 전문이론을 연구하는 것은 방제학 이론의 기초이다.

현대의 약리학·화학·제제 및 생명과학 등의 여러 학문이 스며들어 방제학의 발전을 촉진시켰다. 실험연구의 수단을 응용하여 실증의 각도에서 방제의 효용과 방제 내 약물 사이의 배오관계를 인식하며 방제 효용의 물질적 기초와 작용기전을 규명하고, 방제의 잠재적인 작용과 새로운 용도를 발견하고 전통적인 제형을 개선하며, 複方新藥 등을 연구하여 방제학 현대연구의 중요한 영역이 되었다.

시대가 발전함에 따라 방제학은 이미 처음에는 임상경험을 근거로 하고 古方으로 분류를 진행하고 방제조합의 配伍로 이론을 말하고 방제를 응용하는 데는 경험에 치중하여 이끌고, 문헌을 정리하여 주요 방법의 이성을 푸는 전통학문 모델로 귀납하였고, 점차로 韓醫藥學 이론을 기초로 하고, 컴퓨터와 실험방법을 중요한 연구수단으로 하며 韓醫 古今 방제의 작용과 配伍의 현대적인 의미를 게시하여 방제 응용 원칙을 탐색하고, 高度의 유효성이 있는 新方을 창제하는 것을 주요한 목표로 하는 현대 방제학문의 모델로 바뀌었다.

第六節 방제학의 연구방법

과학적인 방법은 인간이 자연을 인식하고 자연을 개조하는 사회실천 속에서 형성되고 발전되어 온 것이다. 어느 학문도 그 특유의 사물을 인식하고 해석하는 방법이 있다. 전자는 과학적 이론의 경험적인 사실을 획득하는 길이고, 후자는 경험적인 사실의 과학적인 이론을 반영하는 기초구성이다. 방제학의 연구방법은 한의학술을 기초로 하고, 과학적 방법론을 기본으로 하며, 방제를 주요 연구대상으로 하고, 그 취지는 방제학문 원칙의 연구방법을 明示하는데 있다. 방제학 연구방법은 전통적인 한의 임상관찰과 사유방법의 기초 위에서 현대과학적인 방법을 끌어들이고 흡수하여 발전시킨 것이며, 한의학의 전체·계통·辨證의 기본사상 및 그것이 현대 자연과학적인 방법과의 결합, 방제학 이론과 현대 다학제 기술 수단의 결합을 구체화하였다. 방제학 발전의 원칙에 근거하여 방제학 연구방법은 주로 다음과 같다:임상관찰을 기초로 하는 임상시험방법, 실험을 주요 수단으로 하는 실험연구방법, 문헌을 주요 연구대상으로 하는 문헌정리방법과 이론탐색을 목표로 하는 논리사유방법 등이다.

1. 임상시험

질병을 예방하고 치료하는 약물은 어느 것이나 최종적으로 반드시 인체에서의 진정한 시험을 거쳐 그 유효성과 안전성에서 실증을 얻을 수 있다. 한의학의 有效方과 洋藥의 발견은 다르다. 근대의 洋藥은 먼저 화학약·약효와 독성 등의 실험연구를 거친 뒤에 임상연구를 진행하여 확인된 것이고, 한의학의 복방은 대부분 직접적으로 임상에 기원한 관찰과 경험에서 얻어진 것이다.

한의 방제의 임상시험은 인체(환자 혹은 건강인을 포함함)를 시험대상으로 하고 일정한 조건에서 특정 병증의 예방과 치료에 대한 방제의 유효성과 안전성을 고찰하고 평가하는 과정이다. 한의 방제에는 풍부한 임상시험의 기초가 있다. 方藥의 치료효과와 관련된 임상시험은 일찍이 古代에 기록되어 있다. 역사적으로 神農이 온갖 약초를 맛보았다는 것은 한약이 임상실천에 기원한 가장 이른 증거이다. 역대 方書의 편찬기술에서 보면, 기록되어 전해져 온 역대의 방제는 대부분 製方者 본인이 임상에서 먼저 시험해 보고 혹은 기타 의학자들이 여러 번 다시 검증한 有效方劑이다. 『蘇沈良方』에는 반드시 “目睹其驗, 始著于篇, 聞不予也.”라고 하였고, 『濟生方』에서는 “其方乃平日所嘗試驗者”(『四庫全書』「濟生方提要」)라고 하였다. 『太平惠民和劑局

方』에 수재된 방제는 먼저 太醫局은 민간의 임상에서 실제 효과가 있는 것으로 검증된 방을 광범위하게 모으고, 太醫局에서 진일보한 유효성을 검증한 뒤에 비로서 선별하여 거둬들였다. 『본초강목』에서 많은 方藥 관련 附例·『經方實驗錄』 및 역대 의학자들의 驗案 등은 모두 임상에서 선조들의 경험방을 응용하여 효험을 얻은 진실한 기록이다.

방제의 임상시험은 전통적인 개체 치료의 의미에서 가장 이른 병례관찰이고, 내용은 대부분 치료효과를 중심으로 하고 방제의 加減응용·劑型 및 용법 등의 경험탐색과 관련되며, 임상의 개별 의안 보고를 주된 형식으로 하고 방제의 임상경험 축적의 면에서 중요한 역할을 하였다.

시대가 발전함에 따라서 인간은 대부분의 방제가 임상에서 기원하고 일정한 임상경험의 기초가 있지만 여전히 현대과학적인 시험방법의 논증이 부족하고, 일부 방제의 配伍·제형·용량과 용법은 아직도 완전하지 않으며, 여러 방제의 약효·독성과 부작용은 진일보하게 확인되어야하므로 방제의 임상연구는 특히 중요하다. 한의학 자체의 학술적인 특징에 비추어 볼 때 방제에는 복잡한 구성성분과 그 상호작용의 관계가 내재해 있고, 현재의 기술수단을 응용하여 방제의 약학·약효와 독성의 연구를 깊이있게 진행하는데는 일정한 어려움이 있으므로 한의학의 특징에 맞는 임상 치료효과 평가 지표체계를 세워야 하고, 방제의 配伍·제형·사용방법 등 과학적인 문제를 둘러싼 방제의 임상연구를 전개하여 방제 학술발전을 推動하는데 특수한 역할이 있어야 한다.

현대 한의 임상의 발전은 특히 한약 신약의 연구는 새로운 방제학 분과−임상 방제학의 발흥을 촉진시키는데 있다. 임상 방제학은 현대 임상 약리학을 기초로 하고 한의약 이론을 기본으로 하며, 현대 의학이론을 끌어들이고 한의 특색을 유지하고 두드러지게하는 전제에서 辨病과 辨證을 서로 결합하고, DME (Design, Measurement and Evaluation)의 방법으로 임상연구설계를 하는 것은 한의 방제 및 그 製劑가 인체내의 작용 원칙 및 인체와 方藥 사이에서 상호작용하는 과정의 신흥학문을 연구하는데 그 취지가 있다.

임상관찰의 과학적인 설계를 거치고, 한약복방 및 그 製劑의 임상 치료효과를 연구하고, 그 독성을 평가하며 용량과 약효 및 독성의 관계를 확정하고 그 유효성과 안전성에 대하여 객관적이고 정확하게 재평가함으로써 임상에서 합리적이고 안전하게 그리고 유효한 약물 사용을 이끌게 된다. 임상 방제학은 또한 방제의 치료효과의 객관적인 확인·藥味와 그 용량 配伍의 최적화·방제 加減의 합리성·제형 및 투여경로의 변경과 치료효과의 관계, 방제의 적응범위의 과제를 목표로 연구를 진행한다. 임상 방제학은 방제학의 발전을 촉진하는데 중요한 역할을 발휘할 것이다.

2. 문헌정리

역대 의학자들은 의료실천에서 종합한 방제의 이론과 경험은 주로 각종 의학 문헌의 형식으로 전해 내려왔다. 역대의 方書와 醫籍은 방제학의 중요한 정보자원이다. 방제의 문헌정리는 주로 역대 의학문헌 속에 흩어져 있는 방제와 辨證論治 이론을 전면적이고 계통적으로 정리하여 분류를 하고 종합분석을 하며 방제 학술체계의 진모와 방제의 구체적인 내용을 이해하고 治法과 방제의 이론을 완전하게 하고 방제의 정보자원을 합리적으로 이용하고 개발하는데 중요한 의미가 있다.

문헌정리 연구에서 역대 醫籍에 흩어져 있는 방제에 대하여 찾아내어 정리하고 자료실(resource library)의 기능이 있는 방제사전을 편집하며, 한의 방제를 계통적으로 보존할 수 있고, 또한 방제를 심도있고 깊이 연구하는데 가장 중요한 자료이다. 방제의 고증을 거쳐 源流를 파악하여, 방제의 변천 원리를 인식하는데 도움을 준다. 학술의 원류를 결합하고 여러 의학자들의 학술사상을 정리한 기초 위에서 그 방제의 조합과 약물 선별의 경험을 종합하여 한의의 治法과 방제조합 이론을 풍부히 하는데 도움을 준다. 역대 의학자들의 方論에 대한 수집과 정리는 여러 각도에서 한의 방제와 관련된 製方이론을 드러내어 방제의 조합이론을 학습하고 연구하는데 참고를 제공한다. 현대에는 통계방법을 응용하여 큰 샘플의 醫案 혹은 醫方 속의 약물의 출현빈도·配伍원리·적응증의 범위·方藥과 病證의 대응빈도 및 용량변화 등에 대하여 분석하는 것은 方證과 처방용약의 원리를 인식하는데 새로운 중요한 길을 열었다. 특히 대용량의 정보처리기술을 응용하여 방제 공급업체 라이브러리(vendor library)를 세우고, 동시에 이러한 기초 위에서 여러 각도로 방제 정보에 대하여 분석하고 방제의 신지식을 발견하게 하고 방제이론의 계통화가 가능하도록 촉진하였다. 현재 다학제가 참여한 방제의 전통 사용경험과 현대적인 연구성과를 종합하고 여러 가지 데이터를 이용하여 계통적으로 분석하고 통일된 규격을 세운 방제의 화학성분·약리작용·독성·부작용 등의 복방 연구개발 데이터베이스를 구축해야 한다.

3. 논리분석

논리분석의 방법은 방제학에서 常用하는 방법중의 하나이고, 방제이론을 새로 만들 때에 특수한 역할이 있다. 여기에서는 주로 방제학을 응용하는데 분석과 歸納·演繹과 發揮를 소개하고자 한다.

방대한 대량의 방제에서 그 類屬 관계의 방제분류를 구분하고, 약물배오에서 同類 方劑의 공통성 혹은 원리를 인식하는 것은 오랫동안 줄곧 방제학의 발전에서 중요한 학술적인 문제였다. 歸納방법은 이 문제를 연구하는데 常用하는 방법 중의 하나이다. 예컨대, 『景岳全書』에서는 관련 방제의 “八陣” 歸類, 『醫方集解』에서는 “二十二類”의 방제구분법, 『醫學心悟』에서는 “八法”으로 방제를 통합하는 등 방제의 여러 가지 속성 분석에서 同類 方劑의 약물조성, 혹은 작용과 적응증 등의 여러 면에서 그 공동 속성이 방제분류가 되는 논리 근거를 제시하였다. 현대 연구에서 配伍의 用藥과 적응증의 주요 病機부분의 각도에서 일정 수량의 同類 方劑에 대한 藥味 배오분석을 거쳐서 귀납한 이 방제 조합 배오원리와 그 類屬관계를 개괄하였고, 교육에서 적응증·조성 배오와 작용 등의 면에서 비교분석을 종합하였으며, 상관 혹은 유사 방제 사이에 異同의 방제 분별 등의 방법을 획득하여 논리 귀납법을 채택하였다. 지적해야 할 것은 방제연구에서 채택한 귀납은 대부분 불완전한 귀납방법에 해당되고, 이와 같이 제한 수의 방제를 귀납하는 기초 위에서 세워진 결론은 단지 일종의 蓋然性 추론이며, 그 신뢰성 또한 진일보하게 실천에서 검증을 더해야 한다. 컴퓨터 기술의 발전으로 대용량과 고효율의 정보지능화 처리능력은 방제의 복잡한 정보의 논리분석을 가능하게 하였고, 방제의 이론화 정도를 크게 향상시켰다.

演繹은 일반에서 개별로 가는 추리과정을 가리키고, 發揮는 모 이론에 확대발전과 자세하고 명백하게 논술을 더한 것이다. 추리와 발휘의 방법도 방제연구의 常用방법이고, 학문이론이 생산되고 발전하는데 중요한 역할을 하였다. 예컨대 방제의 축적이 일정한 단계에 이르면, 인간은 이론에서 방제조합의 원리에 대하여 해석을 하기를 요구하고, 製方 및 配伍 원리에 대하여 이론적인 명백한 논술을 하는 전문연구가 있게 되는데, 이것이 바로 방제학에서 “方論”생산의 기초이다. 方論은 원래 있는 한의약의 기초이론을 배경으로 하고, 方證 病機의 명백한 논술과 약물 性能의 분석에 대하여 결합하고 저명한 임상 유효방의 방제 조합 배오원리에 대하여 토론을 진행하고 방제학에서 독특한 “方解” 내용을 형성하였다. 방제이론의 형성과 발전에 중요한 역할을 하였다. 마찬가지로 지적해야 할 것은 연역방법 자체는 근거가 되는 원시이론의 신뢰를 요구하고, 사용한 논리방법은 합당해야 하고, 논증과정은 엄밀하며, 단지 이와 같으면 연역발휘의 이론을 거쳐 비로소 실제에 부합할 수 있고, 실천의 검증을 겪는다. 방제학에서 “方論”의 합리성이 논리의 방법을 거쳐 끊임없이 수정하고 완전하게 해도 그 이론의 진실성과 과학성은 실천이라는 진일보한 검증에 의존하게 된다. 한의 方論과 관련된 내용이 장기간의 임상 검증을 겪는 동시에 현대 실험연구의 검증을 받아야 한다.

귀납은 특수에서 일반으로, 연역은 일반에서 특수로 두 가지 추리형식은 인식과정에서 서로 연계되고 방제의 연구에서 항상 결합하여 응용한다. 예컨대, 저명한 方의 配伍특징의 연구에서 시작하여 同類方劑의 방제조합 원칙으로 확대발전하여 인식하고, 다시 同類方劑의 배오응용의 일반원칙을 기반으로 하고 각 방의 특징에 대한 인식을 촉진시킨다. 방제이론의 연구에서 方論형식에 근원을 두고 각 製方특색을 명백하게 논술하는 것을 목표로 하는 "方解"는 줄곧 핵심역할을 발휘하였다. 최근 전통적인 본질을 찾아 근원을 추적하는 類方연구의 사고방식에 근원을 두고 同類方劑의 방제조합 원리를 분석하고 귀납하는 것을 주요 목표로 하는 현대 類方연구에서 이미 단서가 나타났고, 두 방법은 서로 보완하고 통일하는 추세를 나타냈다.

4. 실험연구

방제의 문헌정리는 기본적인 계승이지 근본적으로 본질을 규명할 수는 없다. 방제의 임상연구는 정도 차이는 있지만 많은 요인의 제약을 받았다. 損傷性 검사와 시험성 치료는 뜻대로 진행할 수 없고 몇몇 조건요인은 연구결과에 대해 간섭을 하여 임상적으로 제어하기가 대단히 어렵다. 실험연구는 객관적이고 엄밀하며 통제할 수 있고 데이터화 등의 특징을 갖고 있다. 연구목적에 근거하여 연구대상과 연구경로를 선택하고, 전망성 설계를 진행하며, 실험조건의 엄격한 통제와 영향요인 배제는 능동적으로 객관적인 자료를 얻을 수 있다. 따라서 한의학 특색이 있는 방제 실험연구를 전개하는 것은 한의 방제의 현대과학적인 내함, 임상에서 방을 선별하고 약물을 사용하는 것을 이끌고, 새로운 한약제제를 개발하고 방제이론의 개선과 발전을 촉진시키는데 중요한 의미가 있다.

동양의 고대에는 이미 동물실험이 있었다. AD 5세기에 劉敬權은 노루의 몸에 입은 상처에 坐藥을 세 차례 반복하여 넣어서 약물의 상처 치유 효과를 시험하였다. AD 8세기에 陳藏器는 기장쌀과 찹쌀을 새끼 고양이에게 먹여 "脚屈不能行"이라고 하여 脚氣病의 원인을 제시하였다. 唐代『本草拾遺』에서는 "赤銅屑主折瘍, 能焊入骨, 及六畜有損者, 細研酒服, 直入骨傷處, 六畜死後, 取骨視之, 猶有焊痕可驗."이라고 하였다. 이들 실험은 직관적이고 소박하지만 오히려 韓醫藥 실험연구의 선례이다.

현대 과학기술이 신속하게 발전하면서 각 전문 분야가 서로 영향을 주고 서로 침투하여 생리학·생물화학·병리생리학·병리형태학·조직화학·세포화학·방사성 동위원소·조직배양·면역학, 전자현미경 및 한약 화학성분 측정의 여러 가지 장비 및 기술은 한의약 영역에 광범위하게 응용되어 방제학 실험연구를 촉진하였다. 방제의 실험연구는 주로 방제의 약리·독성·화학 및 제제 연구의 몇 가지를 포함하고 있다. 방제 약리학 연구는 현대 약리학 실험방법과 지표를 응용하고, 방제의 약효와 작용기전, 특정 약효의 조건에서 약물배오를 연구함으로써 한의 방제 작용의 현대적인 내함 및 방제 배오의 과학적인 합리성을 明示하여 임상에서 합리적인 방제 사용을 이끄는데 근거를 제공한다. 방제 독성학 연구는 현대 독성연구의 방법을 끌어들여 복방의 안전성에 과학적인 평가를 하고 임상에서 합리적이고 안전한 약물사용을 보장해 준다. 방제 화학 연구는 방제의 인체외 화학 조성을 연구하는 기초 위에서 방제의 제조와 인체 내로 들어간 뒤의 화학 구성성분 변화 및 그것과 약효 사이의 관계를 탐색하고, 화학 수준에서 방제와 인체가 서로 작용하는 원리를 인식하여 방제 작용의 물질적 기초를 규명하며, 방제 배오를 최적화하고 제형을 개선하며 신제형을 개발하고, 새로운 유효약물을 발견하고 한약제제의 품질 조절을 높이는데 과학적인 근거를 제공한다. 방제의 제형연구는 방제의 제조공정을 살피고 신제형 기술을 도입하여 한의 임상에 적합한 복방 신제제를 연구제조한다.

방제의 효용·적응증과 현대 약학에서의 작용과 적응증 사이에는 완전히 일치하지 않기 때문에 한약 복방의 화학성분·약리작용은 복잡하고, 방제의 임상 치료효과는 단순히 각 單味藥 및 거기에 함유된 화학성분의 작용이 서로 더해진 것은 아니고, 각종 화학성분이 서로 작용한 종합적인 결과이고, 현대 의학과 약학의 연구사유와 방법을 도입하는 동시에 반드시 한의약의 학술특징을 고려하였다. 따라서 한의약의 특색에 부합하는 한의 방제의 효용 평가체계를 세우고, 한의의 "證" 혹은 "病"과 일치하여 서로 부합되거나 비슷한 동물모델과 시험방법을 세우며, 선진적인 물질변화 분석과 분자생물학 기술수단을 도입하여 복방 성분-생물정보의 이 복잡계통에 적용하는 연구방법을 세우고, 방제의 현대 실험연구를 심도있게 전개하는데 중요한 의미가 있다.

5. 다학제 연구

한의약의 분과학문으로서 방제학은 역대 자연과학과 철학의 성취를 종합하였고, 다학제가 서로 침투한 산물이다. 방제학의 이론과 개념은 임상 관찰·경험 종합과 이론의 抽象化에서 형성된 것이고, 방제학문에는 일정한 인문학 속성이 있고, 방제와 그 작용 대상이 구성한 계통도 지극히 복잡하고, 다중 시스템(multi-system)·다단계(multi-level)·다인자(multi-factor)·多變量(multi-variate)의 종합작용과 관련된다. 방제학의 이러한 특징은 다학제가 제휴하여 협업하고 공동으로 연구에 참여할 필요가 있다.

이를테면, 천문학·기상학·환경생태학·심리학·유전학의 지식과 방법을 응용하여 방제의 證治에 영향을 주는 요인·조건 및 그 상호관계를 연구하고, "三因制宜"의 과학적 내함을 규명하며, 물리와 화학의 지식과 기술을 응용하고, 방제의 인체 내외의 물리화학과정을 연구하며, 방제작용의 물질적 기초를 인식하고, 최고의 효과와 최저의 독성을 가진 복방신약을 연구제조하여 한약산업을 발전시킨다. 생명과학의 분자생물학 지식과 방법을 응용하여 方證 및 방제작용의 현대의 분자적인 기초를 탐구하여 복방의 생명조절원리를 明示한다. 방제의 인체내 화학연구에서 다원 상관분석의 방법을 도입하여 복방의 약물동태(pharmacokinetic)-약효동력학 모델을 세우고, 방제의 복잡한 성분과 약리작용 변화의 원리를 묘사한다. 퍼지 수학(fuzzy mathematics)의 이론과 방법을 응용하여 病證-方藥에 症狀 정보-方藥 조성변화의 수학적 시뮬레이션(mathematical simulation)을 진행하여 "量"의 의미에서 病證에 대한 方藥의 작용원리를 明示한다.

시스템 이론(systems theory)·人工 頭腦學(cybernetics)·정보이론(information theory)의 삼론을 안에 포함한 시스템 과학이론은 현대 과학기술에서 가장 침투성이 있는 종합적 학제간 융합학문(interdisciplinary subject)이다. 일반적인 시스템 과학·정보과학과 지능과학이 발전함에 따라 시스템 과학의 이론과 방법은 이미 광범위하게 현대 많은 학문분야에 응용되고 있다. 방제학에는 풍부한 시스템 사상·지능원리와 정보내용을 포함하고 있다. 최근 시스템 과학의 이론과 방법을 응용하여 한의 처방의 행위·製方원리를 탐구하여 많은 새로운 개념을 제시하였다. 여러 학문이 제휴하고 협력하여 한의 方證의 복잡한 시스템 모델을 세우고, 전체를 제어한다는 의미에서 방제의 다단계(multi-level)·다중 연결(multi-link)·다중 표적(multi-target)의 작용원리를 규명하는 것이 가능해졌다.

이상을 종합하면 문헌정리·임상연구·실험연구와 다학제 연구는 한의 방제학의 기본적인 연구방법이고, 그것들에는 각자 특징이 있으며 서로 보충하고 촉진하여 한의 방제학의 이론이 끊임없이 풍부해지고 완전하게 된다.

【參考文獻】

1) 謝鳴 主編. 『方劑學』. 第1版 第1次印刷. 北京:人民衛生出版社. 2002:1-2, 4-11.

第二章

方劑와 治法

第一節 方劑와 治法의 관계

변증론치는 韓醫學의 큰 특징으로 그것을 완성하는 전 과정은 理·法·方·藥을 통해 실현된다. 方劑와 治法은 중요한 구성 부분으로, 둘 사이는 매우 밀접한 관계를 이루고 있다. 辯證의 일관성 유지를 위해 서로 보완을 이룬다.

治法이란 치료 방법을 말하는 것으로, 질병을 치료하는 과정에서 환자의 임상적인 표현에 근거해 辨證하여 원인을 찾고 그 원인을 살펴서 치료 방법을 논의하고 확정하는 것이다. 治法은 기성 방제를 운용하거나 새로운 방제를 만들어내는 근거가 된다. '方劑'는 辨證을 통해 치료 방법을 확립한 기초 위에 방제를 구성하는 원칙에 따라 약물을 합리적이고도 유기적으로 조합한 것이다. 질병 예방 및 치료에 사용하는 製劑로서 治法을 구현하고 검증하기 위한 주요 수단 중 한 가지다.

1. 治法의 유래는 方劑다.

方劑와 治法이 만들어진 원류를 분석해보면, 治法의 형성과 발전은 오랜 기간 동안의 역사 과정을 거쳤으며 그것은 방제 형성 이후라는 하나의 이론이 있다. 일반적으로 治法은 方劑가 일정 수량 발전한 바탕 위에서 만들어진다. 다량의 방제와 축적된 임상 실천의 결과로 인해 도출된 규율성에 대한 인식이 방제에서 치법으로 이어지며 실천이 이론으로 상승하는 인식론 상의 비약을 완성하고 이어 방제학의 발전을 다시 촉진한다. 이후 치법과 방제의 관계는 새로운 변화를 가져오게 된다.

2. 治法은 方劑를 사용하거나 方劑를 구성하는 근거다.

治法 이론이 형성되면 임상에서 기성 방제를 운용하거나 새로운 방제를 만들어내는 근거가 된다. 질병을 치료할 때는 반드시 먼저 治法을 확정해야 방제를 선정하거나(選方) 방제를 구성할 수 있다(組方). 이 순서는 뒤바뀔 수 없다. 예를 들어 어떤 환자가 面色無華, 四肢無力, 少氣懶言, 不思飮食, 大便溏薄, 舌淡苔白, 脈虛弱無力 등의 증상을 보인다면, 의사는 四診을 모두 동원해 진찰하고 증상을 살펴 그 원인을 찾아냄으로써(審證求因) 脾胃氣虛證으로 확진한다. 먼저 健脾益氣라는 治法을 확정한 뒤에 다시 四君子湯(人蔘·白朮·茯苓·甘草)을 선택하여 치료해야 한다. 이것이 辨證論治의 전체 과정이다. 이것으로 미루어 볼 때 임상에서 진료를 할 때는 먼저 治法을 세운 뒤에야 이후 處方을 할 수 있다. 方劑는 설립한 治法에 근거해 확정해

야 한다. 治法이 설립되어야만 구체적으로 운용할 수 있다. 만약 치료 방법을 세우지 않은 채, 방제를 구상한 뒤 마음대로 일련의 약물을 규합시켜 질병 치료에 투여하면 분명 "머리가 아프면 머리를 치료하고, 발이 아프면 발을 치료하게 되는" 방제는 있지만 치료 방법은 없는 잘못된 길로 접어들게 된다.

治法을 세울 때는 반드시 概念을 분명하게 세워야 한다. 애매모호해서는 안 되며, 서로 모순되어서도 안 된다. 그렇지 않다면 지침으로서의 의미를 상실하게 된다. 다만, 治法이 명확해졌다면 方劑는 고정되지 않아도 된다. 앞서 서술한 병증의 경우 四君子湯을 사용해도 좋고 補中益氣하는 약물을 사용해 스스로 방제를 조합해 치료해도 좋다. 비록 四君子湯이 아니더라도 健脾益氣의 방제에 속하기만 한다면 治法에 완전히 부합하게 될 것이고 마찬가지의 효과를 거둘 수 있을 것이다. 임상 실천 과정 중에 서로 다른 醫師가 서로 다른 方劑를 사용해 같은 질병을 치료하거나 심지어 같은 환자를 치유하는 현상은 흔히 볼 수 있다. 이것을 통해 治法이 확정된 이후라면 方劑는 변환할 수 있음을 설명할 수 있다. 그러나 이러한 변환은 반드시 확정했던 治法에 부합해야 한다. 『醫宗金鑒』「凡例」에서는 "方者一定之法, 法者不定之方也. 古人之方, 即古人之法寓焉. 立一方必有一方之精意存於其中, 不求其精意而徒執其方, 是執方而昧法也."라고 했다.

역대로 수많은 의가들이 탁월한 치료 효과를 보인 여러 方劑를 만들어냈다. 그 경험들은 우리에게 "이미 만들어져 있는 기성 방제는 있지만 이미 만들어져 있는 병증은 없음(有成方無成病)"을 이야기해준다. 동일한 종류의 병이라도 환자의 체질·나이·생활 환경에 따라 병증 기세의 완급, 이환 기간의 장단이 다르기 때문에 임상 진료에 있어서는 마땅히 "그 치법을 따르고 그 방제에 천착하지 말아야 한다(師其法而不泥其方)." 또 반드시 구체적인 病情에 근거해 기성 방제에 加減을 꾀해야 한다. 이러한 加減 또한 반드시 治法을 이론적인 바탕으로 삼아야 한다. 앞서 서술한 병증을 예로 들어, 만약 환자가 面色無華, 四肢乏力, 少氣懶言, 不思飮食, 大便溏薄의 증상을 보일 뿐 아니라 동시에 胸脘痞悶不舒하는 등의 증상을 동반하고 있다고 해보자. 이것은 脾胃虛弱에 氣滯를 겸하고 있는 증상이므로 治法은 健脾益氣를 위주로 하면서 行氣化滯를 겸해야 한다. 四君子湯의 기초 위에 陳皮 등의 약물을 處方한다. 요컨대 方劑는 治法이 변화하면 변화한다. 그래야만 비로소 상술한 治法에 부합하면서 치료 효과를 강화시킬 수 있다. 기성 방제의 加減 변화 역시 治法이 이끄는 방향으로부터 벗어나서는 안 된다.

3. 方劑는 治法을 구현하고 검증하는 주요한 수단이다.

方劑는 治法의 구체적인 구현으로 治法의 정확성 여부를 검증할 수도 있다. 治法만 있고 方劑는 없다면, 治法은 구현되지 않을 뿐 아니라 辨證論治의 전체 과정 역시 완성될 수 없다. 예를 들어 脾胃虛弱證을 지닌 환자의 경우 健脾益氣의 治法을 수립한 뒤 四君子湯을 선택해 치료해야 한다. 이 방제를 구성하는 네 가지 약물, 人蔘(黨參)·白朮·茯苓·甘草는 모두 味甘하고 健脾하는 약물로 그중에 君藥인 人蔘은 益氣補中하는 良藥이다. 白朮은 健脾燥濕하고, 茯苓은 滲濕健脾하며, 甘草는 甘緩和中한다. 이 세 가지 약물은 서로 다른 각도에서 人蔘의 補益作用을 강화시키다. 위의 약물이 配伍되면 서로에게 도움을 주어 健脾益氣하는 常用 方劑가 될 뿐 아니라 수립한 治法과도 완전히 부합하게 된다. 이렇게 할 때 비로소 治法을 충분히 구현할 수 있다. 治法의 정확성 여부는 方劑의 치료 효과를 통해 검증되어야 하며 이로써 辨證論治의 전 과정이 완성된다. 다시 말해 治法은 方劑의 구제적인 운용을 통하여 완성된다고도 말할 수 있다.

정리하자면 方劑와 治法의 관계는 다음과 같다: 治法은 임상에서 기성 방제를 응용하고 새로운 방제를 만들어내는 근거로써 주도적인 지위를 지니고 있다. 方劑는 治法에 종속되어 있으며 治法을 구현하고 검증하는 주요 수단이다. 그래서 "方從法立, 以法統方."으로 개괄된다. 方劑를 통해 治法이 드러나며 方劑를 통해 治法을 검증할 수 있다. 醫師가 임상 진료를 수행할 때 有法無方하다면 완전하지 않은 것이고 有方無法하다면 취할 만한 것이 안되니 이 두 가지 중 어떤 하나라도 결핍 되어서는 안 된다. 오직 有方有法해야만 辨證論治의 規範化·標准化에 도움이 될 수 있다. 요컨대 治法 이론이 완벽해짐에 따라 方劑 이론의 수준과 수량 또한 필연적으로 향상되고 증가하고 있다. 마찬가지로 方劑의 數量이 점점 더 증가함에 따라 治法 이론도 역시 지속적으로 풍부해지고 심화되고 있다. 이 두 가지는 서로를 촉진하며 전체 方劑學의 발전을 반드시 추동시킬 것이다.

第二節 常用 治法

治法은 연혁과 역사가 오래되었을 뿐 아니라 내용 또한 매우 풍부하다. 일찍이 『內經』에서는 治法에 관련된 이론을 기록해 진일보 발전하기 위한 토대를 마련해두었다. 병을 치료하는 근본 취지가 陰陽 盛衰를 바로 잡는 데 있었기 때문에 『內經』에서는 먼저 "陽病治陰, 陰病治陽."이라는 근본적인 치료 원칙을 명확 하게 제시해두었다. 동시에 病位·病性·病情에 대해 "其在皮者, 汗而發之.", "其高者, 因而越之, 其下者, 引而竭之, 中滿者, 瀉之於內.", "寒者熱之, 熱者寒之.", "實者瀉之, 虛者補之.", "結者散之", "逸者行之"라고 논술해두었다. 이러한 치료법 중에는 이미 汗·吐·下·溫· 淸·消·補라는 七法의 의미가 숨어있다. 후대 의학자 들의 부단한 補充과 精鍊을 거쳐 淸代 程國彭은 치료 방법을 '八法'으로 총결했다. 이외에 『內經』에서는 "燥者濡之", "急者緩之", "驚者平之" 등을 언급했는데 현재의 潤燥法·緩急法·安神法과 같은 구체적인 治法의 근거가 된다. 唐代 陳藏器가 말한 '十劑'(宣·通·補· 泄·輕·重·澀·滑·燥·濕) 역시 經典의 논지에 따라 발전한 것이다. 요컨대 『內經』에 이어 역대의 의학자들이 장기적인 의료실천 속에서 여러 가지 治法을 제정했고 점차 체계를 형성하였으며, 내용이 풍부하고 다채로워 임상 각 과에서 효과적으로 활용되고 있다. 그중에 代表性·概括性·系統性을 갖추고 있는 것으로는 程國彭의 '八法'을 꼽을 수 있다. 그는 『醫學心悟』 卷首에서 "論病之原, 以內傷·外感四字括之. 論病之情, 則以寒·熱·虛·實·表·裏·陰·陽, 八字統之. 而論治病之方, 則又以汗·和·下·消·吐·淸·溫· 補, 八法盡之."라고 하였다. '八法'은 후세에 상당한 영향을 미쳐 治療의 大法으로 간주되고 있다. 常用 治法은 현재 다음과 같이 나누어 진다.

1. 汗法

汗法은 解表法이라고도 불리는데, 腠理를 開泄시켜 氣血을 조화시키고, 肺氣를 宣發시킴으로써 發汗을 촉진하여 邪氣가 땀을 따라 풀어지도록 하는 治法이다.

汗法의 주된 작용은 解表다. 發散을 통해 外感 六淫 邪氣를 제거할 것을 목적으로 한다. 이것은 表邪를 제거하는 가장 좋은 치료 방법이다. 張從正은 "風寒暑濕之氣, 入於皮膚之間而未深, 欲速去之, 莫如發汗."(『儒門事親』卷2)이라고 강조했다. 이 治法의 특징은 치료하고자 하는 병증의 작용 부위가 체표에 있는 것이다. 『素問』「熱論」에서 "三陽經絡, 皆受其病, 而未入臟者, 故可用汗而已."라고 묘사한 것이 매우 명확하다. 發汗은 또한 表熱을 풀어주는 중요한 방법으로 일찍이 『內經』에서 이에 대하여 논술한 바 있다. "體若燔炭, 汗出而散."(『素問』「生氣通天論」), "今風寒客於人, 使人毫毛畢直, 皮膚閉而爲熱, 當是之時, 可汗而發也."(『素問』「玉機眞臟論」)라고 했다. 동시에 본 치법은 毒素를 배출할 수도 있다. 『傷寒論今釋』卷1에서는 "太陽病之發汗, 爲排出毒害物質, 其有一汗而熱遂退者, …… 則因毒害性物質, 既大部排除, 其僅存者, 不足爲病故也."라고 했다.

汗法은 각종 表證을 主治해 惡寒發熱, 頭痛身痛, 鼻塞流涕, 苔薄, 脈浮의 모든 증상을 완화시킬 수 있다. 表邪에는 風·寒·暑·濕·燥·火의 구분이 있으나, 그 임상 표현은 주로 表寒·表熱의 차이가 있으며, 汗法 역시 辛溫·辛涼으로 구별된다. 辛溫은 風寒表證·涼燥 등에 사용되며, 麻黃湯·桂枝湯·杏蘇散이 대표 방제다. 辛涼은 風熱表證·溫燥 등에 사용되며, 桑菊飮·銀翹散·桑杏湯이 대표 방제다. 이외에 汗法에는 透邪·祛濕·消腫의 효능이 있다. '透邪'란 發散을 통하여 邪氣를 체외로 내보내는 것이다. 이러한 종류의 질환은 비록 表邪에 의한 것이 아니더라도 邪氣가 밖으로 나가려는 추세가 있으며 汗法을 사용하여 因勢利導함으로써 病勢를 완화시킨다. 예를 들어 麻疹(홍역) 초기, 發疹이 아직 透發하지 않았거나, 透發하였더라도 通暢하지 않을 때, 汗法을 사용하여 透發시킨다. 疹毒이 땀을 따라 배설되면 모든 증상이 절로 풀리게 된다. 透疹시키는 汗法은 일반적으로 辛涼을 사용하면서 辛溫을 조금 사용한다. 또한 대부분 透疹 효능을 갖추고 있는 解表藥을 선택해 구성한다. 升麻葛根湯·竹葉柳蒡湯이 그 예이다. 주의해야 할 것은 麻疹이 熱毒이기에 辛涼淸解시키는 것이 적합하지 만, 초기 단계에서는 苦寒沈降하는 약물의 사용을 해야 한다는 것이다. 疹毒이 서늘해져 잠복되면 透達할 수 없기 때문이다. 瘡瘍·痢疾·瘧疾 초기에는 表證이 많이 나타난다. 發汗을 통하여 邪毒을 透達시키면 효과적인 치료법이 될 것이다. 게다가 汗法의 透表 작용을 일부 피부 질환, 예를 들면 蕁麻疹·濕疹·銀屑病 등을 포함하는 風疹·濕疹·癬類의 치료에 사용할 수 있다. 그 메커니즘을 분석하면 이런 종류의 질환은 발병 부위가 체표이므로 汗法의 發散透達 작용을 이용해 邪毒이 체외로 풀어져나가도록 도와주는 것이다. 汗法의 '祛濕' 작용은 發散을 통하여 祛風除濕의 효능을 거두는 것이다. 대개 風濕이 表에 있는 경우, 外感風寒에 濕을 겸하거나 風濕化熱하거나 風濕痹證으로 인해 서로 다른 정도의 頭身肢體疼痛·沈重 등의 증상이 나타날 경우 모두 汗法을 사용하여 완화시킬 수 있다. 仲景은 일찍이 "風濕相搏, 一身盡疼痛, 法當汗出而解."라고 했고, 더 나아가 發汗은 "微微似欲汗出"해야 "風濕俱去"할 수 있다고 했다(『金匱要略』). 대표 방제로는 羌活勝濕湯·九味羌活湯·麻黃加朮湯·麻杏薏甘湯 등이 있다. 汗法의 '消腫' 효능은 發散을 통해 水液을 체외로 내보내 消腫하거나 또는 宣肺利水함으로써 消腫하는 것이다. 『素問』「湯液醪醴論」에서는 水腫에 대하여 "去宛陳莝"와 "開鬼門, 潔淨府"하는 치법을 언급한 바 있다. 그중 "開鬼門"에 發汗의 의미가 포함되어 있다. 汗法 역시 水腫에 사용할 수 있지만, 水腫의 實證에 表證을 겸하거나 水腫으로 腰 이상이 심하게 부은 경우에 적절하다. 仲景이 말하기를 "腰以上腫, 當發汗乃愈."(『金匱要略』)라고 하였으니 越婢加朮湯 등과 같은 것이다.

임상에서는 환자의 체질과 증상 상의 필요에 따라 汗法은 자주 補法·下法·消法·淸法·溫法 등과 결합하여 운용한다. 程國彭은 『醫學心悟』首卷에서 "凡一切陽虛者, 皆宜補中發汗. 一切陰虛者, 皆宜養陰發汗. 挾熱者, 皆宜淸涼發汗. 挾寒者, 皆宜溫經發汗. 傷食者, 則宜消導發汗."라며 적절하게 분석해두었다. 또 반드시 기억해두어야 할 것은 祛邪하는 방법으로 질병을 치료할 때는 반드시 '邪有出路'할 것을 강조한다는 것이다. 發汗의 주요 목적은 祛邪에 있으며 毛竅가 바로 邪氣의 출구 중의 하나가 된다. 따라서 汗法은 자주 다른 治法, 下法·淸法·消法에 포함되어 활용되며 그렇게 함으로써 회복을 가속화시킬 수 있다.

汗法의 작용 메커니즘에 대해서는 현재 이하 몇 가지 방면으로 탐색이 진행되고 있다: ① 땀샘 분비와 혈관의 이완 반응을 촉진해 病邪 제거에 유리하도록 한다. 그중에는 毒素 배설, 毒素 중화, 細菌과 바이러스의 억제 및 유기체 탐식세포(Phagocyte)의 방어 능력 강화 등이 포함될 수 있다. ② 發汗과 주위 혈관 확장을 통해 체온을 조절함으로써 退熱 작용을 일으킬 수 있다. ③ 전신과 국소의 순환기능을 개선하여 대사산물의 배설과 국소 염증의 흡수를 촉진한다. ④ 發汗과 전신 순환의 강화를 통하여 신장 사구체의 여과 작용 등을 증가시킴으로써 체내에 저류하고 있는 수분 등을 배출한다.[1] 어떤 사람은 다른 각도에서의 연구 검토를 통해 1 mL의 땀이 0.585칼로리의 열량을 소모할 수 있으므로 汗法이 중요한 解熱法이 된다고 지적하였다. 인체 땀샘의 발육 및 숫자의 경우 개체 차이를 고려하더라도 일반적으로 대략 500만 개로 여겨지고 있으므로 發汗 과정에서 땀샘을 통해 대량의 수분을 배출할 수 있음을 알 수 있다. 따라서 汗法은 수분을 배출시키는 중요한 방법이 된다. 땀과 소변은 그 성분이 유사하다. 땀샘으로부터 대량의 노폐물·바이러스·毒物 등이 배출될 수 있기 때문에, 汗法은 위의 물질을 배출하는 중요한 방법이 된다. 땀은 그 성분 중에 Na·Cl·K 등의 염분을 함유하고 있으므로 汗法은 염분을 배출하는 방법이 되기도 한다. 땀의 성분 중에는 또 포도당·단백질·젖산 등의 기타 물질이 포함되어 있어 汗法은 체중을 줄이는 유요한 방법이 되기도 한다. 정리하자면 汗法은 체온·체액·삼투압·노폐물·영양 물질을 조절할 수 있다. 유기체에서 산출해내는 열이 放熱되는 것보다 많을 때에는 汗法을 통해 退熱시킬 수 있다. 水腫·咳·喘息으로 체내에 수분이 정체되고 있을 때에는 汗法을 통해 수분을 배출시킬 수 있다. 체내에 노폐물·발열물질·바이러스 등이 많을 때에는 汗法은 退熱할 뿐만 아니라 유해물질을 배출할 수 있다. 영양과잉으로 비만을 일어났을 경우 汗法은 잉여 영양물질을 배출할 수도 있다. 이상은 모두 汗法이 '損其有餘' 할 수 있음을 설명하는 것이다.[2]

2. 和法

和法은 和解와 調和 작용을 통하여 病邪를 제거하고 臟腑 기능을 조정하는 치료 방법이다. 和解法이라고도 부른다. 이 방법은 비교적 독특하다. 특징으로는 완만하게 작용하고 평화로운 성질을 지니며 여러 가지를 고려하고 있고 포함하고 있는 내용이 풍부하다는 것을 꼽을 수 있다. 응용 범위가 넓으며 적응증이 비교적 복잡한 편이다. 淸代 戴天章의 설명이 매우 좋은데, "寒熱並用之謂和, 補瀉合劑之謂和, 表裏雙解之謂和, 平其亢厲之謂和."(『廣溫疫論』卷4)라고 하였다. 최근 蒲輔周는 여기에 진일보하여 "和解之法, 具有緩和疏解之意. 使表裏寒熱虛實的復雜證候, 臟腑陰陽氣血的偏盛偏衰, 歸於平復. 寒熱並用, 補瀉合劑, 表裏雙解, 苦辛分消, 調和氣血, 皆爲和解."(『蒲輔周醫療經驗』)라고 하였다. 任應秋는 "所謂和法, 實具調理之意, 故亦有稱爲和解者. 凡病邪並不盛, 而正氣卻不强時, 最宜用和解之法."(『中醫各家學說』)이라고 하였다.

和法은 원래 和解少陽하기 위하여 설계한 것으로 주로 少陽病을 치료한다. 그 증상으로는 往來寒熱, 胸脇脹滿, 不欲飮食, 心煩嘔惡, 口苦, 咽乾, 目眩, 苔薄黃, 脈弦 등이 나타난다. 小柴胡湯이 대표방이 된다. 少陽病은 발병 부위가 半表半裏에 있기 때문에 이 증상을 치료할 때에는 半表의 邪氣를 疏泄시킬 뿐 아니라 半裏의 邪氣도 泄下시켜 邪氣가 表裏에서 동시에 分消되도록 해야 한다. 나머지 치법들이 마땅치 않을 때 '和解' 방법을 활용해 치료한다. 『傷寒明理論』卷3에서는 이에 대해 명확하게 "傷寒在表者, 必漬形以爲汗; 邪氣在裏者, 必蕩滌以爲利. 其於不內不外, 半表半裏, 旣非發汗之所宜, 又非吐下之所對, 是當和解則可矣. 小柴胡湯爲和解表裏之劑也."라고 하였다. 『醫學心悟』首卷에서는 다른 각도에서 "少陽膽爲淸淨之府, 無出入之路, 只有和解一法, 柴胡一方, 最爲切當."이라고 분석했다. 和法은 調和하는 효능을 지니고 있어 肝脾·膽胃·腸胃 등 臟腑의 不和證도 치료한다. 이것은 후세의 의가들이 해당 치법을 확장 운용한 것이다. 肝脾不和證은 임상에서 兩脇脹痛, 頭痛目眩, 口乾咽燥, 神疲食少 및 婦女의 月經不調와 乳房作脹, 혹은 腹痛, 泄利後重, 四肢厥冷, 脈弦 등을 보인다. 대표 방제는 逍遙散·四逆散이다. 膽胃不和證은 임상에서 胸脇脹滿, 口苦吐酸, 惡心嘔吐, 或寒熱如瘧, 舌紅苔白或黃而膩, 脈弦數 등을 보인다. 蒿芩淸膽湯이 대표방이다. 腸胃不和證은 임상에서 心下痞滿, 惡心嘔吐, 腸鳴下利 등을 보인다. 대표방은 半夏瀉心湯이다. 足少陽은 膽經에 속하고 또한 肝膽·脾胃가 서로 表裏가 된다. 五行의 生克關系에 근거하면 肝鬱은 매우 쉽게 脾를 克하고 膽熱은 자주 胃를 침범한다. 이 때문에 肝脾不

和·膽胃不和證이 자주 발생하게 된다. 별도로 腸胃不和證은 대부분 寒熱錯雜하여 升降이 정상적으로 이뤄지지 않고 虛實이 겹쳐지기 때문에 발생한다. 이처럼 病因·病機가 비교적 복잡한 병증의 경우 純攻·純補·純溫·純淸만으로는 증상에 대처하기 어렵다. 오로지 調和시키는 방법을 채택해야지만 전면적인 고려가 가능하다.

和法은 祛邪를 위주로 하면서도 겸하여 正氣를 살펴보는 것이다. 疏表하면서도 治裏하고, 開鬱하면서도 降逆한다. 寒熱의 편차가 뚜렷하지 않고 성질이 평화롭고 작용도 완만하다. 이것이 바로 그 운용 범위가 비교적 넓고 비교적 복잡한 병증에도 적용할 수 있는 주요 원인이다. 이 치법은 '和'라는 글자 하나로 개괄되지만 다양한 치료법이 그 속에 숨어 있다. 『讀醫隨筆』卷4에서는 和法이 실제로 어떤 祛邪하는 방법을 포함하고 있는지 다음과 같이 논술했다. "和解者, 合汗下之法, 而緩用之者也. …… 竊思凡用和解之法者, 必其邪氣之極雜者也. 寒者·熱者·燥者·濕者, 結於一處而不得通, 則宜開其結而解之; 升者·降者·斂者·散者, 積於一偏而不相洽, 則宜平積而和之. 故方中往往寒熱並用, 燥濕並用, 升降斂散並用, 非雜亂而無法也, 正法之至妙也. …… 雜合之邪之交紐而不已也, 其氣必鬱而多逆, 故開鬱降逆, 即是和解, 無汗下之用, 而隱寓汗下之旨矣." 張介賓과 程國彭의 인식도 더욱 전면적이고 상세하다. 구별해보자면 張介賓은 "和方之制, 和其不和者也, 凡病兼虛者, 補而和之; 兼滯者, 行而和之; 兼寒者, 溫而和之; 兼熱者, 涼而和之. 和之爲義廣矣, 亦猶土兼四氣, 其於補瀉溫涼之用無所不及, 務在調平元氣."(『景岳全書』「新方八略」卷50)라고 하였고, 程國彭은 "有淸而和者, 有溫而和者, 有消而和者, 有補而和者, 有燥而和者, 有潤而和者, 有兼表而和者, 有兼攻而和者. 和之義則一, 而和之法變化無窮焉."(『醫學心悟』卷首)이라고 하였다.

그렇지만 和法은 운용시에 과도하게 '泛'해서는 안 된다. 蒲輔周는 일찍이 "和法範圍雖廣, 亦當和而有據, 勿使之過泛, 避免當攻邪而用和解之法, 貽誤病機."(『蒲輔周醫療經驗』)라고 했다. 臨證할 때에 辨證은 반드시 病勢에 부합해야 한다. 그렇지 않고 '當和不和'하거나 '不當和而和'하게 되면 모두 사람을 잘못되도록 만들 수 있다.

成都 中醫學院에서는 和法 메커니즘에 대한 연구를 진행한 바 있다. 그 결과 和解少陽 하는 것이 감염성 질환을 잘 치료할 수 있는 것은 興奮 强壯과 解毒 작용을 통하여 인체 면역력 및 항균 작용 증강이라는 두 가지 측면을 달성했기 때문이라고 밝혔다. 그리고 慢性肝炎·月經不調 등에 調和膽胃·調和肝脾를 사용하는 것에 대해 중추신경계통의 진정 작용을 통해 대뇌피질·자율신경기능을 조절하는 목적을 달성했기 때문이며, 그 외에 평활근경련의 해소 및 健胃 작용을 지니고 있기 때문이라고 그 원리를 추측했다. 調和腸胃의 방법으로 腸胃의 기능실조증을 치료할 수 있는 것도 또한 평활근경련을 해소할 수 있었기 때문이다.[3] 또 王氏는 和法은 곧 해독하는 방법임을 지적했다. 간장이 중심이 되어 인체의 해독 능력과 면역 능력을 증강시키는 치료 방법이라는 것이다. 그러므로 和法은 '補其不足'을 통해 유기체의 해독 능력을 증강시키고, 毒物·廢物·病毒 등의 유해 물질을 제거해 '損其有餘'의 목적에 도달하는 補償 메커니즘의 치료 방법이라 할 수 있다.[4]

3. 下法

下法은 瀉下法이라고도 부른다. 瀉下·蕩滌·攻逐 등의 작용으로 宿食·積滯·積水·瘀血·痰結 등 有形의 實邪를 下竅를 통해 체외로 배출하는 치료 방법이다.

下法의 주요 기능은 瀉下通便 하는 것으로 宿食·積滯가 腸胃에 막혀 大便秘結, 脘腹脹滿硬痛 등의 증상이 보이는 것을 主治한다. 實證에 속하며 발병 부위는 裏와 下에 치우쳐 있다. 裏實偏下하고 '六腑以通爲用'이라는 생리적인 특징을 보이는 것을 겨눠해 『素問』「陰陽應象大論」과 『傷寒論』에서는 각각 "其下者, 引而

竭之; 中滿者, 瀉之於內"; "傷寒六七日, 目不了了, 睛不和, 無表裏證, 大便難, 身微熱者, 此爲實. 急下之, 宜大承氣湯"이라고 설명했다. 汗·吐·下 三法을 즐겨 사용한 張從正은 이에 대해 "凡宿食在胃脘, 皆可下之; 則三部脈平, 若心下按之而硬滿者, 猶宜再下之; …… 若雜病腹中滿痛不止者, 此爲內實也. 『金匱要略』說: 痛而腹滿, 按之不痛爲虛, 痛者爲實. 『難經』說: 痛者爲實, 腹中滿痛, 裏壅爲實, 故可下之, 不計雜病傷寒, 皆宜急下之."(『儒門事親』卷1)라며 보다 전면적이면서도 구체적으로 설명했다. 積滯는 寒·熱로 구분되고, 病勢도 急·緩으로 나눠지기 때문에 下法도 寒下·溫下·潤下의 차이를 보인다. 그중에 寒下法은 熱積便秘에 사용하고 대표방으로는 大·小承氣湯 등이 있다. 溫下法은 寒積便秘를 主治하고 대표방으로는 大黃附子湯·溫脾湯 등이 있다. 潤下法은 곧 津液이 부족한 便秘를 치료하기 위해 마련된 것으로 腸胃燥熱로 인한 便秘라면 麻子仁丸을 대표방으로 삼고, 腎虛로 인한 便秘라면 濟川煎을 대표방으로 삼는다. 下法은 주로 便秘를 치료하지만, 痢疾 초기나 痢疾 實證에 속한다면 下痢赤白을 하루에 수차례하고 裏急後重 등의 증상이 나타나더라도 임상에서는 여전히 위의 치료 방법을 배합해 '通因通用'한다. 宋代 嚴用和는 일찍이 명확하게 "今之所謂痢疾者, 即古方所謂滯下是也."라고 지적했고 痢疾을 치료하기 위해서는 "必先導滌腸胃"(『重訂嚴氏濟生方』)해야 한다고 했다. 또 楊士瀛은 "痢出於積滯, …… 不論色之赤白, 脈之大小, 皆通利之."(『仁齋直指方論』卷2)라고 하였으며, 『證治要訣』卷8에서는 간단 명료하게 핵심을 찔러 "凡治痢先逐去積滯."라고 했다. 지금은 痢疾이 대부분 이질균(dysentery bacillus)에 감염되어 발생했음을 알고 있으며, 임상 실천을 통해 이미 瀉下의 방법으로 腸道 내의 세균을 깨끗하게 제거하거나 세균이 만들어내는 毒素를 배출해 병을 일으키는 원인을 제거할 수 있음을 입증한 바 있다. 세균이나 毒素는 전통적으로 이야기되던 '積滯'로서 이해될 수 있다. 熱結旁流의 경우에 下法을 사용하는 이치 또한 여기에 있다. 이밖에 下法에는 逐水하는 효능을 지니고 있다. 胸膜에 積水가 있거나 水腫實證의 경우 이 방법을 사용해 通利二便하면 水飮의 邪氣로 하여금 前·後陰을 통해 구분 제거할 수 있다. 이런 증상에 利尿·發汗을 사용하는 것은 적절치 않으며 오직 攻下를 통해 "急則治其標"해야 한다. 十棗湯이 대표적인 방제다. 積滯·積水는 항상 氣機의 운행을 방해하기 때문에 많은 경우 脘腹脹滿을 보인다. 종종 行氣法을 배합해 相輔相成해야 한다.

강조해야 할 것은 下法을 溫熱病에서 운용한 것은 오랜 역사를 지니고 있고 또 탁월한 효능을 보여왔다는 것이다. 관련된 논술은 『內經』에서 가장 먼저 보인다. 『素問』「熱論」에서는 "其未滿三日者, 可汗而已. 其滿三日者可泄而已."이라고 하였고, 金代 張從正 또한 "如傷寒大汗之後, 重復勞發而爲病者, 蓋下之後熱氣不盡故也, 當再下之", "目黃九疸食勞, 皆屬脾土, 當下之."(『儒門事親』卷2)라고 했다. 明·清代 溫病學派는 下法의 응용을 더욱 중시했다. 吳又可는 "溫病下不厭早"하라는 학설을 제시했다. 그가 溫疫 發黃을 치료할 때 사용한 茵陳湯은 『傷寒論』의 茵陳蒿湯과 비교해보면 藥味는 비록 같지만 大黃을 君藥으로 삼고 있고 그 용량 또한 비교적 많은 편이다. 또한 本病에 대해 "以胃實爲本, 是以大黃專功, 山梔次之, 茵陳又其次也. 設去大黃而服山梔·茵陳, 是忘本治標, 鮮有效矣."(『溫疫論』)라고 강조했다. 이를 통해 吳氏가 溫疫 發黃 치료에 攻下法의 의미를 매우 중시했음을 충분히 확인할 수 있다. 柳寶怡는 "胃爲五臟六腑之海, 位居中土, 最善容納, 邪熱入裏, 則不復他傳, 故溫熱病熱結胃腑, 得攻下而解者, 十居其六七."(『溫熱逢源』卷下)라며 本病에 攻下法을 사용하는 메커니즘을 더욱 명확하게 밝혔다. 뿐만 아니라 溫病 危重證의 경우에도 下法을 활용해 응급 처치를 할 수 있다. 吳瑭은 "在溫疫爲內發伏邪, 脈厥體厥, 乃陽鬱熱極, 氣道壅閉之危候, 自宜大承氣湯急下存陰."(『溫病條辨』「中焦篇」)이라고 소개한 바 있다. 溫熱病에 있어 下法이 지니는 중요한 의미로는 두 가지가 있다. 첫 번째, 瀉下通便하며 동시에 下竅를 통해 熱邪를 체외로 배출시켜 '邪有出路' 하도록 하는 것이다. 두 번째, 熱邪는 매우 쉽게 陰液을 손상시키고 陰液이 고갈되는 것은 늘 사망에 이르도록 하는 원인의 하나가 되니 '急下'의 방법으로 '釜底抽薪' 하여 '存陰'의 목적을 달성하는 것이다. "客垢不除, 眞元難復."이라 하였고, 또 "所謂下者, 乃所謂補也 …… 不補之中有眞補者存焉."(『儒門事親』卷1)이라고 하였다. 다만 溫熱病에 下法을사용할 때에는 淸法과 함께 사용해야 한다. 예를 들어 金代 劉完素는 熱毒이 극심한 병증을 치료하며 大承氣湯과 黃連解毒湯을 합해 운용했고, 淸代 吳瑭은 熱病의 특징에 따라 淸熱攻下하는 白虎承氣湯·犀連承氣湯 등을 創製하기도 했다.

또 다른 측면에 있어 下法을 消法과 配伍하면 下焦瘀血證·頑痰老痰·瘡癰 등에 사용할 수 있다. 그중 瘀血證을 치료하는 대표방으로는 桃核承氣湯·抵當湯·抵當丸이 있다. 『素問』「陰陽應象大論」에서는 일찍이 "血實者宜決之"라고 했고, 張從正은 『儒門事親』卷2에서 비교적 전면적으로 기록했다. "如諸落馬墮井, 打撲閃肭損折, 湯沃火燒, 車碾大傷, 腫發焮痛, 日夜號泣不止者"와 같은 경우에도 설사시켜 내보낼 것이 있으면 모두 내보낼 수 있다고 했다. 礞石滾痰丸이 頑痰證 치료에 사용되는 대표방이다. 下竅는 邪氣의 중요 배출 통로 중 하나이므로 이상의 병증에 瀉下의 방법을 선택적으로 사용할 수 있다. 下焦瘀血證는 "使瘀血從腸腑而出" 할 수 있고, 頑痰老痰는 "開痰火下行之路" 할 수 있다. 下法의 瘡瘍 방면에 있어서의 응용은 腸癰 치료를 잘하던 것에 있다. 『成方便讀』卷4에서는 일찍이 "然腸中既結聚不散, 爲腫爲毒, 非用下法, 不能解散."이라고 했다. "六腑以通爲用"이라는 생리적인 요구에 순응해야 한다는 것이다. 대표방으로 大黃牡丹湯이 있다.

현재 下法의 치료 범위는 더욱 넓어져 납중독·음식중독·농약중독 나아가 尿毒症의 경우에도 항상 下法을 배합한다. 독극물이 腸道를 통해 체외로 배출되도록 해 유기체에 흡수되는 것을 최소화하는 것이다. 예를 들어 농약중독의 경우 예전에는 주로 구토·위장 세척 및 해독약을 사용해 치료했었다. 이 방법도 좋지만 위장관 내에 잔류하고 있는 餘毒을 깨끗하게 제거하기는 어렵다. 흡수된 이후에는 유독 성분이 유기체를 손상시키게 된다. 즉시 瀉下하여 六腑를 소통시키고 毒을 배출시키면 치료 효과 제고에 도움을 줄 수 있다. 下法을 복부 수술 환자에게 사용하면 수술 후 장관 팽창 및 합병증의 발생을 방지하고 위장 기능의 조기 회복을 촉진할 수 있다. 복부 수술 이후의 장관 팽창과 합병증은 대부분 치료 상의 難題들이다. 이외에 下法은 방사선과 진료에 확장 응용되고 있다. 장관의 청결 여부는 복부 사진 및 소화도·비뇨계 조영 선명도 확보에 매우 큰 영향을 준다. 기존의 제제들은 그렇게 좋지 않았는데 瀉下하는 方藥으로 고쳐 사용한 뒤 장관 청소 효과가 증진되어 우수 영상 확보율·진단율을 크게 높이게 되었고 임상적 치료 상의 편의를 제공하게 되었다.

下法의 약리 작용: ① 腸胃의 수축을 강화하고, 장관의 연동운동을 촉진한다. ② 腸液 분비를 증가시키고, 腸胃의 용적을 확대한다. ③ 장관 내 혈관 혈류량을 증가시키고, 腸의 혈액 순환을 개선한다. ④ 血性腹膜炎의 흡수를 촉진시킨다. ⑤ 腸壁의 모세혈관 투과성을 낮춘다. 下法이 다양한 종류의 질환에 대해 우수한 효과를 보이는 메커니즘을 분석해보면, 腸道에 미치는 국소적인 작용을 외에 전신 작용 또한 무시할 수 없다. 그 내용은 다음과 같이 몇 가지로 요약할 수 있다: ① 신진대사를 촉진해 毒素를 배출한다. ② 腸道에 대한 국소 자극(장신경계, ENS)을 통해 전신 반응을 일으킨다. ③ 抗 감염 작용이 있다. 직접적인 抑菌 작용 뿐 아니라 혈류량을 증가시켜 혈액 순환을 개선시킨다. 염증 통제에 유리하다. 모세혈관의 투과성을 경감시켜 감염 통제에 유리하도록 한다. 이외에 체액 순환을 조정하고 진통시키는 등의 효능이 있다. 어떤 이들은 下法이 大便을 통해 食積을 배출하는 치료 방법이라고 제기하기도 한다. 대변은 노폐물·가스·과잉영양·수분 및 무기염으로 구성되어 있다. 下法은 노폐물·독물·발열물질·수분·과잉영양을 배출할 수 있으므로 해독·체온 조절·체액 조절·물질 열량을 유지하는 작용을 지니고 있다. 이 방법은 "損其有餘, 補償機制."하는 치법이므로 폐렴·편도체염·고혈압·뇌졸중·간염·정신병·비

만·불면·부인의 생리 이상·식욕부진 등 陽明腑實證이 나타날 때 사용하는 매우 중요한 치료 방법이다.2)

4. 消法

消法에는 消導·消散·消磨·消除의 의미가 포함되어 있다. 입법의 근거는 『素問』「至眞要大論」의 "堅者消之", "結者散之", "逸者行之"다. 이 방법은 점차적으로 형성되어가는 有形의 實邪에 적용한다. 程國彭의 관점은 다음과 같다. "消者, 去其壅也, 臟腑·經絡·肌肉之間, 本無此物而忽有之, 必爲消散, 乃得其平."(『醫學心悟』卷首) 이에 대해 현대인인 任應秋는 "就其實而言, 凡病邪有所結·有所滯·有所停留·有所瘀鬱, 無論其爲在臟·在腑·在氣·在經絡·在膜原, 用種種方法使其消散於無形, 皆爲消法, 或名爲消導, 亦即導引行散的意思."(『中醫各家學說』)라고 해석했다. 이에 해당하는 邪氣로는 食·氣·血·痰·濕 등이 막히고 정체되어 형성된 積滯痞塊가 있으며, 각각을 구분해 食積·氣滯·血瘀·痰阻·濕聚라고 부른다. 각각의 병증에 대응해 消法은 消食·行氣·活血·化瘀·祛濕의 방법으로 구분된다. 丹波元堅은 "其類有四: 曰磨積, 曰化食, 曰豁痰, 曰利水是也. 蓋此四法, 除利水外, 其藥應病愈, 不似吐下之有形跡, 如內消然, 故名之爲消焉."(『藥治通義』卷8)이라고 했다.

1. 消食法: 주된 작용은 消食導滯로 협의의 消法에 속한다. 모든 食積證에 적용된다. 증상은 納差厭食, 脘腹脹悶, 噯腐嘔惡, 舌苔厚膩 등이며, 대표방은 保和丸·枳實導滯丸이다. 『丹溪心法』卷4에서는 일찍이 "饑餓胃虛, 此爲不足; 飮食停滯, 此爲有餘. 惟其不足, 故宜補益; 惟其有餘, 故宜消導."라고 했다. 食積의 경중에 따라 治法 또한 동일하지 않다. 李杲는 "傷食者, 有形之物也. 輕則消化, 或損其穀, 重則方可吐·下."(『脾胃論』卷下)라고 강조했다.

2. 行氣法: 疏暢氣機의 효능으로 氣滯症에 사용한다. 주로 胸悶·脇脹·脘痛·腹滿 등이 나타난다. 임상에서는 많은 경우 胸中氣滯·脾胃氣滯·肝鬱氣滯·少腹氣滯로 구분되며 대표방은 각각 枳實薤白桂枝湯·厚朴溫中湯·柴胡疏肝散·天台烏藥散이다. 인체의 모든 활동은 氣機의 推動에 의존하지 않는 것이 없으며 氣는 "升降出入, 無器不有."하다. 氣機 운행이 정상적으로 이뤄지지 않으면 여러 가지 질환이 생길 수 있으므로 "百病皆生於氣"라는 학설이 있다. 有形의 實邪, 예를 들어 積滯·瘀血·痰飮·水濕 등의 경우 모두 氣機 운행을 저해시켜 '脹滿'이라는 증상을 동반할 수 있으므로 이 방법은 가장 자주 사용되는 치료 방법 중 하나다. 전문적으로 氣滯證을 치료하는 것 외에도 瀉下·活血·祛瘀·祛濕·消食의 방제 중에 配伍되어 치료 효과를 증강시킨다. 『壽世保元』卷1에서는 氣와 血, 두 가지에 대한 해석을 진행하며 특별히 行氣의 중요성을 강조했다. "蓋氣者血之帥也, 氣行則血行, 氣止則血止, 氣溫則血滑, 氣寒則血凝, 氣有一息之不運, 則血有一息之不行. 病出於血, 調其氣尤可以導達; 病原於氣, 區區調血, 又何加焉? 故人之一身, 調氣爲上, 調血次之, 先陽後陰也."라고 했다. 張介賓 역시 "血必由氣, 氣行則血行, 故凡欲治血, 則或攻或補, 皆當以調氣爲先."(『景岳全書』「雜證謨」卷30)이라고 했다.

3. 活血法: 血行을 촉진하고 瘀血을 제거하는 작용이 있어 瘀血證을 主治한다. 『素問』「鍼解」에서는 "宛陳則除之者, 出惡血也."라고 했다. '惡血'이 곧 瘀血이다. 이 증상은 가벼운 경우에는 血行이 원활하지 않고 심한 경우에는 瘀血이 막혀 정체되므로 이 방법에도 역시 强弱의 구별이 있다. 가벼운 경우에는 活血祛瘀하고 심한 경우에는 破血逐瘀하는 것이 좋다. 瘀血證은 발병 부위가 다르므로 방제의 선택에도 차이가 있다. 청대의 王淸任은 活血하는 일련의 名方들을 만들었는데 通竅活血湯·會厭逐瘀湯·血府逐瘀湯·膈下逐瘀湯·少腹逐瘀湯·身痛逐瘀湯이 있다. 각각 頭面·咽部·胸部·膈下·少腹·肢體의 瘀血證에 구별되게 설계되었다. 瘀血이 임상에서 표현되는 증상의 특징 및 발병의 원인에 근거해 상응하는 방제를 선택할 수 있다. 예를 들어 통증이 주요하다면 失笑散을 대표방으로 삼고, 부인의 月經不調·痛經·經閉 등이 주요하다면 桃紅四物

湯·溫經湯을 대표방으로 삼으며, 부인이 출산 이후 惡露가 나오지 않는 것이 주요하다면 生化湯을 대표방으로 삼고, 外傷의 瘀腫이 주요하다면 復元活血湯·七厘散을 대표방으로 삼고, 痞塊癥瘕가 주요하다면 桂枝茯苓丸·活絡效靈丹을 대표방으로 삼는다. 위에서 말한 바와 같이 氣와 血은 생리적으로 서로를 사용하면서 병리적으로 서로 영향을 미치기 때문에 活血法은 가장 자주 行氣法·補氣法과 함께 사용된다. 대표적인 방제로 전자는 丹參飮이고 후자는 補陽還五湯이다. 최근 이 방법에 대한 대량의 연구가 진행되면서 그 작용 메커니즘과 관련해 다음과 같은 측면이 있다는 것이 발견됐다.① 혈액 순환을 개선해 병리 변화의 회복을 촉진한다. ② 혈액의 이화학적 성질을 개선하고 혈액응고 및 항혈액응고와 관련된 기능을 조정함으로써 혈전 및 동맥경화반(atherosclerotic plaque)의 형성을 방지한다. ③ 모세혈관의 투과성 개선 및 포식세포의 탐식 기능을 증강시켜 염증 반응을 경감시키고 염증성병변(inflammatory lesions)의 제거를 촉진한다. ④ 포식세포의 기능을 증강시키고 혈액 순환 및 신경 영양을 개선시켜 손상된 조직의 회복을 촉진한다. ⑤ 결체조직의 대사작용을 억제함으로써 증식성병변(productive lesion)의 전환과 흡수를 촉진한다. ⑥ 유기체의 반응성을 떨어뜨린다. ⑦ 유기체 면역 계통의 기능 등을 억제한다. 이상이 活血法이 임상 각 과에서 광범위하게 사용되는 것과 많은 난치성 병증에 양호한 효과를 발휘하는 주된 이유이다.

4. 祛濕法: 化濕·燥濕·利濕 효능으로 水濕의 邪氣를 제거함으로써 각종 水濕 병증에 사용한다. 이 병증을 치료할 때는 앞에서 나온 汗法과 下法을 제외하고 많은 경우 이 방법을 채택한다. 임상에서는 水濕證의 부위·病性 및 임상 표현에 맞춰 化之하거나 燥之하거나 利之한다. 만약 濕阻中焦하여 脹滿納呆, 吐瀉肢沈, 苔白膩 등이 나타나면 芳香化濕하거나 苦味燥濕한다. 대표방은 平胃散·藿香正氣散이다. 水蓄下焦하여 小便不利 하거나 水腫으로 인해 하반신 부분의 부종이 심하게 나타나면 淡滲利濕해야 한다. 『金匱要略』에서는 "諸有水者, 腰以下腫, 當利小便."이라고 했다. 五苓散·實脾散·眞武湯이 대표방이 된다. 祛濕法에서 활용되는 가장 보편적인 방법은 淡滲利水法으로 水濕의 邪氣를 前陰을 통해 배출한다. '邪有出路' 하는 것이다. 일찍이 『內經』에서는 "潔淨府"를 水腫을 치료하는 三大治法 중의 하나로 보았다. 『三因極一病證方論』卷5에서는 이를 더욱 강조하여 "治濕, 不利小便, 非其治也."라고 하였고, 『臨證指南醫案』卷5에서는 더욱 상세하게 "若濕阻上焦者, 用開肺氣, 佐淡滲通膀胱, 是即啟上閘, 開支河, 導水氣下行之理也. 若脾陽不運, 濕滯中焦者, 用朮·朴·薑·半之屬, 以溫運之; 以苓·澤·腹皮·滑石等滲泄之. 亦尤低窪深處, 必得烈日曬之, 或以剛燥之土培之, 或開溝渠以泄之耳; 其用藥總以苦辛寒治濕熱, 以苦辛溫治寒濕, 概以淡滲佐之, 或再加風藥, 甘酸膩濁在所不用."이라고 하였다. 뿐만 아니라 水濕證의 발생과 肺·脾·腎·膀胱의 밀접한 관계를 분석해 "腎陽充旺, 脾土健運, 自無寒濕諸證, 肺金淸肅之氣下降, 膀胱之氣化通調, 自無濕火·濕熱·暑濕諸證."라고 했다. 濕邪는 黏膩重濁하여 쉽게 氣機를 막기 때문에 임상에서 자주 痞悶脹滿의 증상을 나타나게 된다. 따라서 祛濕法을 사용하며 行氣法을 配伍하면 증상을 완화시킬 뿐 아니라 祛濕의 효력도 증가시킬 수 있다. 이른바 '氣化濕亦化'하는 것이다. 濕證에는 寒濕·濕熱의 구분이 있기 때문에 본 방법은 항상 溫法·淸法과 결합하여 운용된다.

5. 祛痰法: 이것은 痰涎을 배출하거나 제거하는 치료 방법으로 각종 痰證에 적용된다. 痰은 체내의 진액 수포가 안될 경우 응집되어 만들어지는 것으로, 병리적인 산물일 뿐 아니라 병을 일으키는 요인이기도 하다. 그래서 '痰爲百病之源'이나 '怪病皆由痰生'이라는 말이 있다. 이 증상은 病位·病性·病程이 다르기 때문에 임상 표현 또한 한결같지 않다. 그래서 祛痰法은 化痰·消痰·滌痰의 구별이 있다. 그중 化痰法의 운용이 가장 보편적이며 그 작용이 비교적 평온한 편이다. 주로 痰液을 化解·稀釋·排出한다. 일반적으로 臟腑에 발생한 痰證에 사용한다. 咳嗽吐痰과 胸悶嘔惡 등의 증상이 나타

난다. 임상에서는 濕痰·寒痰·熱痰·燥痰·風痰의 성질이 다르기 때문에 각각에 상응하는 燥濕化痰·溫化寒痰·淸熱化痰·潤燥化痰·治風化痰 등의 치료법을 채택한다. 대표방은 二陳湯·苓甘五味薑辛湯·淸氣化痰丸·貝母瓜蔞散·半夏白朮天麻湯이다. 仲景이 말한 "病痰飮者, 當以溫藥和之."(『金匱要略』)는 寒痰·濕痰의 치료에 대한 것이다. '消痰'은 痰結을 消散·分解·軟化하는 것으로 痰이 經絡·肌腠로 흘러들어가 발생한 瘰癧·癭瘤·結節·痰核 등을 잘 치료한다. 대표방으로는 消瘰丸·海藻玉壺湯이 있다. '滌痰'은 성질이 비교적 준엄하여 頑痰·老痰을 主治한다. 대부분 오래된 積聚가 제거되지 않고 증상이 변화무쌍한 경우 자주 下法과 배합하여 몰아낸다. 대표방은 礞石滾痰丸이다. 祛痰法은 자주 行氣法과 配伍된다. 前賢들이 이 방면에 대해 많은 논술을 하였으니, 예를 들어 "人之一身, 無非血氣周流, 痰亦隨之. 夫痰者, 津液之異名. 流行於上者, 爲痰飮; 散周於下者, 爲淸液. 其所以使流行於上下者, 亦氣使之然耳. 大抵氣滯則痰滯, 氣行則痰行."이라고 하였고, "療痰之法, 理氣爲上, 和胃次之."(『雜病廣要』), "氣道順, 津液流通亦無痰, 故曰: 治痰必理氣."(『雜病源流犀燭』卷16)라고 하였다. 반대로 痰이 막히게 되면 氣滯는 가중된다. 氣滯가 심할수록 痰은 더욱 해소하기 어려우니 이것이 두 가지 방법을 함께 사용하는 이유이다. 痰으로 인해서 濕이 모이게 되고, "脾爲生痰之源"이므로 祛痰法에는 때때로 健脾滲濕法을 함께 사용한다. 약리 연구에서는 이 방법이 鎭咳 작용을 지니고 있으며 호흡기 내의 이상 분비물을 배출하고 자극을 감소시키는 등의 기능을 갖추고 있음을 증명했다.[4)]

이상의 내용으로 볼 때 각기 다른 有形의 實邪들은 그에 상응하는 消法으로 흩어지도록 해야 한다. 필요한 경우 여러 가지 방법을 서로 결합할 수 있으니 癰腫 초기의 치료가 이와 같다. 張山雷는 "治瘍之要, 未成膿者, 必求其消, 治之宜早, 雖有大證, 而可消散於無形."이라고 하였고, "瘍之爲病, 必腫必痛, 其故無他, 氣血壅滯, 窒塞不通而已. 所以消腫止痛, 首推行血行氣爲必要之法. …… 血之壅, 即由於氣之滯, 茍得大氣斡旋, 則氣行而血亦行, 尤爲一擧而兩得."이라고 하였으며, 또 "外發癰瘍亦往多痰" 및 "普通瘍患, 惟濕熱兩者最多. 偏於熱者, 灼癰成膿, 偏於濕熱, 發癢成水."(『瘍科綱要』卷上)라고 하였다. 癰瘍 초기의 국소 부위 腫痛은 주로 氣血痰濕과 같은 여러 가지 邪氣가 막혀서 생긴 것임을 알 수 있다. 따라서 치료할 때는 淸法과 溫法을 사용하는 것 외에 항상 行氣·活血·祛痰·祛濕의 방법을 종합하여 消散·消除해야 한다. 丹波元堅은 이와 다른 측면에서 "消法之爲義廣矣. 凡病實於裏者, 攻而去之, 此正治也. 其兼虛, 則補而行之, 此奇治也. 然更有虛實相半, 攻有所過, 補有所壅者, 於是有消法之設焉."(『藥治通義』卷8)이라고 하였다.

주의해야 할 것은 消法과 下法은 비록 모두 有形의 實邪에 사용되지만 각각의 특징이 있다는 것이다. 前者의 효능은 漸消緩散하여 臟腑·經絡·肌肉의 사이에 점차 쌓여가며 형성된 食積·氣滯·血瘀·濕聚·痰飮을 치료한다. 일반적으로 病勢가 비교적 완만한 편이다. 後者는 작용이 비교적 峻烈하여 대부분 攻下에 속하며 발병이 비교적 급한 腸胃積滯·燥屎·積水 등에 적용된다. 임상에서는 때때로 消·下의 두 가지 방법을 함께 사용한다. 대표방은 木香檳榔丸 등이다.

5. 吐法

吐法은 구토를 통해 上焦에 있는 有形의 實邪를 제거하는 치료 방법으로 湧吐法이라고도 부른다. 이 방법은 고대에 자주 사용하던 祛邪 방법 중 하나다.

吐法은 구토를 유도하거나 촉발시키는 효능이 있어 咽喉·胸膈·胃脘에 정체된 痰涎·宿食과 毒劇物 등의 有形의 實邪에 적용된다. 이와 같은 질환의 특징은 발병 부위가 위쪽으로 치우쳐 있으며 많은 경우 邪氣가 上逆하는 추세를 보이는 것이다. 치료할 때는 병세에 순응해 구토하는 방법으로 구강을 통해 배출시킴으로써 질병 치료의 목적에 도달한다. 이에 대해서는 역대로 많은 기록과 논술이 있다. 『素問』「陰陽應象大論」에서 일찍이 개괄하여 "其高者, 因而越之.라고 했다. 『金匱要略』과 『脈經』卷7에서는 병위에 대한 기술이 구체적이다. 각각 "宿食, 在上脘, 當吐之, 宜瓜蒂散.", "病者手足厥冷, 脈乍緊, 邪結在胸中, 心下滿而煩, 饑不能食, 病在胸中, 當吐之."라고 하였다. 『聖濟總錄』卷63의 분석은 상세하면서 구체적이다. "病在胸中, 上焦氣壅, 必因其高而越之, 所以去邪實而導正氣也. 況上脘之病, 上而未下, 務在速去, 不湧而出之, 則深入腸胃, 傳播諸經, 可勝治哉! 故宿食有可吐者, 未入腸胃者也; 痰症有可吐者, 停蓄於胸膈者也; 食毒忤氣可吐者, 恐其邪久而滋甚也; 肺病酒疸可吐者, 爲其胸滿而心悶也. 大抵胸中邪實, 攻之不能散, 達之不能通, 必以酸苦藥湧之, 故得胃氣不傷, 而病易以愈."라고 하였다. 任應秋는 이를 정리해 "吐法, 是驅使病邪從上湧吐的一種治法, 最適用於中脘以上, 胸膈以下宿食·痰涎·水飮等的壅滯不行者, 以其病邪所在部位較高, 既不同於在表者可汗, 又不能引病邪深入, 經大小腸而下, 因此, 只能因勢利導, 促其湧吐而出."이라고 했다. 이상에서 주로 강조하는 것은 吐法의 적응증은 그 발병 부위가 비교적 높은 곳에 있다는 것이다. 張子和도 病勢에 따라 "如引涎·漉涎·嚏氣·追淚, 凡上行者, 皆吐法也."(『儒門事親』卷2)라고 했다. 실제로 이런 종류의 병증 부위는 위쪽으로 편중되어 있다.

吐法의 수단은 약물로 구토를 끌어내는 것과 사물로 구토를 유도하는 것(外探法)으로 나뉜다. 邪氣의 종류에 따라 약물로 구토를 끌어내는 것 역시 구토를 통해 祛痰하는 것에 치우친 것이 있고, 구토하여 宿食이나 독극물을 배출하는 것에 중점을 둔 것이 있다. 이 외에 病情의 필요와 방제의 특징에 따라 吐法은 峻吐法과 緩吐法으로 구별된다. 임상에서 비교적 자주 사용되는 것은 峻吐法이다. 앞서 언급한 有形의 實邪가 胸膈·胃脘 등에 留著하면 병증 발생이 위급하게 나타나므로 신속하게 몰아내야 한다. 그렇지 않으면 다른 變證이 생기거나 심하면 생명까지도 위급할 수 있다. 『醫學心悟』首卷에서는 전면적이면서도 상세하게 설명했다. "即如纏喉·鎖喉諸症, 皆風痰鬱火壅塞其間, 不急吐之, 則脹閉難忍矣. 又或食停胸膈, 消化弗及, 無由轉輸, 脹滿疼痛者, 必須吐之, 否則胸高滿悶, 變症莫測矣. 又停痰蓄飮, 阻塞淸涎, 日久生變, 或妨礙飮食, 或頭眩心悸, 或呑酸噯腐, 手足麻痹, 種種不齊, 宜用吐法導祛其痰, 諸症如失." 『醫方集解』「湧吐之劑」에서는 "遇當吐者而不行湧越, 使邪氣壅結而不散, 輕病致重, 重病致死者多矣!"라고 강조했다. 최근 蒲輔周 또한 "吐而勿緩"(『蒲輔周醫療經驗』)라는 원칙을 제시했다. 이를 통해 峻吐가 응급 처치의 범주에 속하며 빠른 시간 안에 사용되는 것이 매우 중요하다는 것을 알 수 있다. 대표방으로는 急救稀涎散·瓜蒂散·三聖散 등이 있다. 이 방법은 강력하고 빠르기 때문에 實證에만 사용되어야 하며, 환자의 체질 역시 壯實해야 한다. 만약 中風脫證에 속하는 경우라면 峻吐法은 적합하지 않다. 반면 緩吐法은 그 작용이 비교적 완만하고 吐法 중에 補法이 포함되어 있어 주로 虛證을 치료한다. 虛證에는 본래 吐法을 사용하지 않지만, 痰涎이 壅塞한 것은 吐法이 아니면 제거하기 어렵기 때문에 緩吐시킴으로써 邪氣와 正氣를 함께 돌봐준다. 蔘蘆飮이 대표방이다. 外探法의 경우 거위 깃털이나 손가락 등으로 목구멍을 헤집어서 구토를 유발하거나 구토하려는 기세를 보조하는 것이다. 肺氣를 열고 끌어올려서 癃閉를 통하게 하거나 催吐하는 方藥을 도와 신속하게 嘔吐의 목적에 도달하는 것이다. 환자가 독극물을 잘못 섭취한 경우, 예를 들어 음식 중독·약물 중독 등의 긴급한 상황에서 약물로 구토를 유발하는 것이 준비가 되지 않았다면 시간을 확보하기 위해 먼저 물건으로 구토를 유발시키고 이후 다시 病情에 따라 약물을 배합하여 湧吐시키거나 기타 치료 방법을 사용한다. 중독 상황이 비교적 오래되었다면 吐法을 사용하는 것 외에 下法을 결합시켜 독극물을 上下로 分消시킴으로써 신속히 체외로 배출하여 유기체에 흡수되는 것을 피해야 한다.

吐法의 임상 운용에 대해 前賢들이 많이 밝혀두었지만 그중에서도 得心應手한 사람으로 金·元시대의 張從正을 꼽을 수 있다. 그는 일찍이 吐法을 內·外·婦·兒·

五官科 등과 관련된 여러 질환, 예를 들어 狂證·疼痛·積聚·水腫·淋證·泄瀉·瘡癰·經閉·帶下·目赤·口瘡·口臭 등에 확장 운용했다. 張氏의 대표작인『儒門事親』중에 실려 있는 140여 개의 驗案 중에 吐法을 운용한 것은 70여 개에 달한다. 卷2 '凡在上者皆可吐式'편에서는 "予之用此吐法, 非偶然也. 曾見病之在上者, 諸醫盡其技而不效, 余反思之, 投以湧劑, 少少用之, 頗獲征應, 既久, 乃廣訪多求, 漸臻精妙, 過則能止, 少則能加, 一吐之中, 變態無窮, 屢用屢驗, 以至不疑, 故凡可吐令條達者, 非徒木鬱然, 凡在上者, 皆宜吐之."라고 했다. 경험에서 우러난 말이라 할 수 있다. 張氏는 또한 "諸汗法, 古方亦多有之, 惟以此發汗者, 世罕知之. 故予嘗曰: 吐法兼汗, 良以此夫."(『儒門事親』卷2)라고 했다. 淸代의 程國彭 역시 "吐法之中, 汗法存焉."(『醫學心悟』卷首)이라고 했다. 임상에서는 때때로 환자들이 嘔吐와 동시에 汗出하면서 外感 病證이 그와 함께 풀리는 것을 볼 수 있다. 吐法은 表證의 경우에도 사용할 수 있다.

吐法이 上焦에 있는 有形의 實邪를 口腔으로 배출하는 주된 경로이며 '邪的出路' 중 하나이지만 환자들이 받아들이기 어려워하기 때문에 오늘날에는 비교적 적게 사용되고 있다. 비록 吐法은 긴급하고 위중한 병증에 사용되며 신속한 효과를 거둘 수 있지만 胃氣를 손상시키기 쉽다. 醫學心悟』首卷에는 禁忌證에 대한 규정이 매우 상세하게 실려있다. "或老弱氣衰者, 或體質素弱, 脈息微弱者, 婦人新產者, 自吐不止者, 諸亡血者, 有動氣者, 四肢厥冷, 冷汗自出者, 皆不可吐, 吐之則爲逆候."라고 하였다. 만약 반드시 催吐시켜야 병을 제거할 수 있다면, 外探法·緩吐法을 선택할 수 있다. 또한 催吐시킨 후에는 胃氣의 조리에 주의하면서 糜粥을 섭취해 胃氣가 길러지도록 해야 한다. 油膩煎炸 등 소화시키기 힘든 음식물을 조심하며 다시 胃氣가 손상되는 것을 피해야 한다.

吐法이 병을 치료하는 메커니즘은 주로 다음과 같다: ① 구토를 통해 위장 속에 존재하는 유해하거나 과다한 물질, 예를 들어 宿食·독극물 등을 배출한다. ② 吐法은 약물이나 기계적 자극의 작용을 통해 구토 중추를 흥분시키고 간접적으로 대뇌피질과 기타 중추의 흥분을 일으킨다. 이를 통해 전신에 있는 중요한 조직과 기관의 활동을 증강시킴으로써 조직과 기관의 기능을 회복시키고 조절할 수 있다.[1)]

6. 清法

清法은 清熱·瀉火·解毒·涼血 등의 작용을 통하여 溫熱火毒의 邪氣를 식히고 제거하는 치료 방법으로 清熱法이라고도 부른다. 清法은 오로지 裏熱證을 위하여 설계됐다.『素問』「至眞要大論」에서 말하기를 "熱者寒之", "溫者淸之", "治熱以寒"이 입법의 근거가 된다.『景岳全書』「雜證謨」卷13에서는 "凡治傷寒瘟疫宜清利者非止一端, 蓋火實者宜清火", "傷寒火盛者, 治宜清解."라고 했다. 任應秋는 "凡熱邪之散漫者, 惟有清解一法最合用."(『中醫各家學說』)이라고 총결했다. 裏熱證은 대부분 外邪가 入裏하여 熱로 변하거나 五志가 過極하여 火로 변한 것이다. 일반적으로 發熱, 口渴, 心煩, 苔黃, 脈數 등의 증상을 보인다. 그중에는 이미 풍부하고도 복잡한 내용이 포괄되어 있어 清熱의 응용 범위는 매우 광범위하다. 裏熱證은 溫熱病·火毒證·濕熱證·暑熱證·虛熱證 등을 포함하고 있으며, 이런 질환의 발병 단계·병의 위치·병의 성질에 따라서 清法은 清熱瀉火(清氣分熱)·清熱涼血·清熱解毒·清臟腑熱·清虛熱 등의 여러 가지 치료 방법으로 구분된다.

그중 清熱瀉火는 주로 氣分의 熱邪를 제거하는 것으로 氣分熱盛證을 주로 치료한다. 壯熱面赤, 煩躁, 口渴, 汗出, 舌紅苔黃, 脈洪大의 증상이 나타난다. 만약 煩渴引飮이 동반되면서 津液이 손상됐다면 清熱生津해야 한다. 白虎湯이 대표방이다. 아직 진액이 손상되지 않았다면 瀉火解毒해야 한다. 대표방은 黃連解毒湯이다. 清營涼血은 營血分의 熱邪를 제거할 수 있어 熱이 營分이나 血分에 들어간 증상에 사용된다. 身熱夜甚, 心煩失眠, 神昏譫語, 舌質紅絳, 脈細數의 증상이 나타난다. 邪氣가 처음 營分으로 들어가서 아직 動血하지 않은 것은 病情이 비교적 가벼운 것으로 斑疹이 隱隱하다. 淸營透熱하는 것이 좋다. 대표방은 淸營湯이다. 熱이 血分으로 들어간 것은 病勢가 비교적 위중한 것으로 斑疹이 紫黑하면서 아울러 吐·衄 등의 動血症이 나타나고 舌質深絳하다. 涼血散瘀한다. 대표방은 犀角地黃湯이다. 淸代 葉桂는 溫熱病의 전변 규율에 근거해 "大凡看法, 衛之後, 方言氣, 營之後, 方言血."이라고 지적하며 순응 치료법을 제시했다. "在衛汗之可也, 到氣才可淸氣, 入營尤可透熱轉氣 ……; 入血就恐耗血動血, 直須涼血散血 ……, 否則前後不循緩急之法, 慮其動手便錯, 反倒慌張矣."(『溫熱論』). 최근 姜春華는 溫病의 발병이 급하고 傳變이 빠른 특징에 대응해 '迎面擊之'라며 초기에 병을 차단할 것을 주장했다. 바로 '截斷扭轉'라는 逆向 治法의 관점이다(新醫藥學雜志, 1978, 8:8). 이에 근거해 어떤 사람은 衛分에 있을 때에는 氣分을 식히고 氣分에 있을 때에는 血分을 서늘하게 하여 전변을 막는 한편, 淸熱解毒을 重用하고 苦寒攻下를 早用하여 때에 맞춰 涼血散瘀하고 신속하게 開竅醒神해야 효력을 증강시킬 수 있다는 주장을 제기했다. 이와 같이 대담하게 앞선 이들의 주장을 극복해내는 치료 의식은 溫熱病에 대한 淸法의 운용을 풍부하게 발전시켰다. 淸熱解毒法은 전문적으로 熱毒의 여러 증상, 예를 들어 丹毒·疔瘡·癰腫·喉痹·痄腮 및 각종 疫症·內癰 등을 치료한다. 대표방은 仙方活命飮·五味消毒飮·普濟消毒飮이다. 또한 淸熱解暑는 暑熱證을 잘 다스린다. 증상으로는 發熱多汗, 心煩口渴, 倦怠乏力, 舌紅, 脈數이 나타나며, 대표방은 淸絡飮·淸暑益氣湯이다. 淸臟腑熱法은 각종 臟腑의 火熱證에 사용한다. 서로 다른 臟腑의 火熱에 따라 임상 표현과 대표방은 각각 다르다. 『醫學心悟』首卷에서는 "淸者, 淸氣熱也. 臟腑有熱, 則淸之."라고 했다. 예를 들어 心經의 熱로 인한 口舌生瘡, 肺熱로 인한 咳喘, 胃火로 인한 牙痛, 肝膽實火로 인한 目赤腫痛, 腸胃濕熱로 인한 痢疾은 각각 導赤散·瀉白散·淸胃散·龍膽瀉肝湯·芍藥湯을 대표방으로 삼는다. 熱邪는 傷陰하기 쉬우므로 淸法에는 항상 養陰하는 약물을 적당하게 配伍한다. 淸虛熱의 방법으로 치료하는 虛熱證에 이르러서는 대부분 陰虛를 동반하고 있기 때문에 淸熱과 養陰을 함께 사용해야 한다.

또한 淸法은 구체적으로 운용할 때는 환자의 體質과 病勢 정도를 결합해 치료해야 한다. 程國彭이 일찍이 말하기를 "夫以壯實之人, 而患實熱之病, 淸之稍重, 尙爲無礙. 若本體素虛, 臟腑本寒, 飮食素少, 腸胃虛滑, 或產後·病後·房室之後, 即有熱症, 亦宜少少用之, 寧可不足, 不使有餘. 或餘熱未淸, 即以輕藥代之, 庶幾病去人安. 倘淸劑過多, 則療熱未已而寒生矣. 此淸之貴量其人也."라고 하였고, "夫以大熱之證, 而淸劑太微, 則病不除; 微熱之證, 而淸劑太過, 則寒證即至. 但不及尤可再淸, 太過則將醫藥矣. …… 大抵淸火之藥, 不可久恃, 必歸本於滋陰. 滋陰之法, 又不能開胃扶脾, 以恢復元氣, 則蔘·苓·芪·朮, 亦當酌量而用. …… 此淸之貴量其證也."(『醫學心悟』卷首)라고 하였다.

대량의 임상 실천 결과를 통해 淸法이 모종의 급성 전염병·악성 腫瘤·염증성 질병 등의 치료에 탁월한 효과가 있다고 증명됐다. 그 메커니즘을 분석해보면 이 방법이 다양한 세균 또는 바이러스에 대해 억제 또는 살균 작용을 하고 있으며 消炎·退熱 등의 기능과 밀접하게 관련되어 있다. 그중에 淸營涼血法은 心臟 기능을 강화할 뿐 아니라 血液循環 및 止血 작용을 개선시킨다.

7. 溫法

溫法은 溫裏法이라고도 부른다. 溫裏·散寒·回陽·通脈 등의 작용으로 裏寒證을 제거하는 치료 방법이다.

溫法은 寒邪를 溫散하여 인체의 陽氣를 북돋아주는 한편 裏寒證을 전문적으로 치료한다. 裏寒證의 발병 원인은 평소 체질이 陽虛하여 寒氣가 몸속에서 생겨나거나 寒邪가 몸속에 直中한 것을 벗어나지 않는다.

임상에서의 주요 표현은 畏寒·肢冷·口不渴·面色蒼白·舌淡苔白·脈沈遲 혹은 微弱 등이다. 이와 같은 寒象에 대처하려면 溫法을 선택하여 치료해야 한다. "寒者熱之", "勞者溫之", "治寒以熱", "熱因寒用"(『素問』「至眞要大論」)이 바로 이것을 가리켜 말하는 것이다. 淸代 羅國綱은 "以寒者陰慘肅殺之氣也, 陰盛則陽衰, 所以昔賢皆重救裏, 宜及時而用溫也."라고 했다. 裏寒證의 輕重緩急에 따라 本法에도 强弱緩峻의 구별이 있다. 羅氏는 또한 "但溫有大溫·次溫之殊; 大溫者, 以眞陽將脫, 須回陽以固中元; 次溫者, 正氣猶在, 宜扶陽以顧將來, 庶轉凶爲吉, 而生機勃然矣."(『羅氏會約醫鏡』卷3)라고 했다. 裏寒證의 발병 부위에 따라 溫中祛寒·溫經散寒·回陽救逆의 세 가지로 구분된다. 그중 溫中祛寒은 中焦虛寒證에 사용된다. 증상으로는 吐瀉腹痛, 食欲不振, 四肢不溫 등이 나타나고, 理中丸·吳茱萸湯이 대표방이다. 『景岳全書』「傷寒典」卷8에에는 "凡見下利中虛者, 速當先溫其裏."라고 명확하게 기재되어 있다. 溫經散寒은 寒凝經脈證을 主治하며 대부분 血虛 혹은 陽虛를 동반한다. 만약 四肢厥冷, 脈微欲絕, 혹은 肢體疼痛麻木이 있으면 대표방은 當歸四逆湯이 되고, 만약 陰疽·貼骨疽·鶴膝風 등이 발생하면 대표방은 陽和湯이 된다. 이상 두 가지의 溫法은 次溫의 범위에 속하며 작용도 비교적 완만한 편이다. 그 적응증도 대부분 어떤 臟腑 혹은 經脈이나 肢體에 국한된다. 回陽救逆은 大溫하면서 작용이 峻烈하다. 임상적으로는 구급증에 많이 사용하며 破陰逐寒·攝納浮陽을 통해 衰微하거나 欲絕하려는 陽氣를 만회한다. 陽衰陰盛 혹은 陰盛格(戴)陽類의 危重證에 적용되며, 그 발병 부위는 주로 腎(少陰)이다. 陽衰陰盛證은 惡寒蜷臥, 嘔吐不渴, 腹痛下利, 冷汗不止, 四肢厥逆, 脈微細欲絕을 보인다. 대표방은 四逆湯·白通湯 등이다. 『傷寒貫珠集』卷6에서는 "少陰病, 下利脈微者, 寒邪直中, 陽氣暴虛, 既不能固其內, 復不能通於脈, 故宜薑·附之辛而溫者, 破陰固裏; 蔥白之辛而通者, 入脈引陽也."라고 했다. 陰盛格陽 혹은 戴陽證은 眞寒假熱의 범위에 속한다. 임상적으로는 下利淸穀, 脈微欲絕, 身反不惡寒, 面紅如妝 등을 보이며 通脈四逆湯이 대표방이다.

程國彭은 다른 각도에서 溫法의 강약을 해석해 溫存·溫熱의 두 가지로 구분했다. "然而醫家有溫熱之溫, 有溫存之溫, 蔘·芪·歸·朮, 和平之性, 溫存之溫也, 春日煦煦是也; 附子·薑·桂, 辛辣之性, 溫熱之溫也, 夏日烈烈是也."(『醫學心悟』卷首). 任應秋는 한층 더 분석해 "溫存即溫和之意 ……, 大凡溫和之法, 多用於虛損; 溫熱之法, 多宜於虛寒."라고 했다. 方藥을 결합시키면 이해를 더욱 도울 수 있다. "溫和之藥, 味偏於甘, 人蔘·黃芪·白朮·大棗之類是也. 溫熱之藥, 味偏於辛, 烏頭·附子·肉桂·乾薑之類是也. 甘溫之劑, 宜於益氣血之虛損; 辛熱之劑, 宜於祛陳寒之痼疾. 甘溫之劑, 其性多緩; 辛熱之劑, 其性多急. 故扶正補虛, 培元固本者, 最宜用甘溫法; 散寒祛邪, 急救回陽者, 最多用辛熱法."(『中醫各家學說』)라고 하였으니, 문장 중에 말한 '溫存'은 補法의 범위에 속한다. 또한 程氏는 裏寒證의 발병 부위나 兼夾證 등에 대해 "假如冬令傷寒, 則溫而散之. 冬令傷風, 則溫而解之. 寒痰壅閉, 則溫而開之. 冷食所傷, 則溫而消之. 至若中寒暴痛, 大便反硬, 溫藥不止者, 則以熱劑下之. 時當暑月, 而納涼飮冷, 暴受寒侵者, 亦當溫之. 體虛挾寒者, 溫而補之. 寒客中焦, 理中湯溫之. 寒客下焦, 四逆湯溫之. 又陰盛格陽於外, 溫藥不效者, 則以白通湯加人尿·豬膽汁反佐以取之, 『經』云: 熱因寒用是已. 復有眞虛挾寒, 命門火衰者, 必補其眞陽."(『醫學心悟』卷首)이라고 했다. 그리고 張介賓은 溫法의 특징에 대하여 "用熱之法, 尚有其要, 以散兼溫者, 散寒邪也; 以行兼溫者, 行寒滯也; 以補兼溫者, 補虛寒也."(『景岳全書』「新方八略」卷50)라고 논술했다.

강조할 만한 것은 裏寒證의 발생에 종종 陽虛와 寒邪가 병존하기 때문에 溫法의 많은 경우가 補法과 배합되어 운용된다는 것이다. 그중에서도 補陽法·補氣法은 함께 사용될 기회가 많다.

연구에 따르면 溫法의 藥理 작용은 다음과 같다: ① 흥분 작용. 중추신경을 흥분시키고, 장위를 흥분시켜 연동 운동을 촉진한다. 强心 작용. ② 진정 작용.

③ 항균소염 작용. ④ 기타 止嘔·祛痰·혈관 확장 작용 등. 위에서 언급한 것들은 모두 '寒證' 증상의 개선에 도움이 된다.[4)]

8. 補法

補法은 補益法이라고도 부른다. 인체의 氣血陰陽을 補益하는 것으로 각종 虛證을 主治하는 치료 방법이다.

虛證은 正氣가 虛弱해져 발생한 것으로 臟腑·氣血·陰陽의 부족을 포함한다. 補法은 氣血陰陽의 補益 작용을 통해 유기체의 생리 기능을 증강시키거나 향상시켜 유기체의 虛弱 상태를 개선하는 한편 저항력을 향상시키는 것에 목적을 둔다. 『內經』에서 말한 "虛則補之"(『素問』「三部九候論」), "損者益之", "勞者溫之"(『素問』「至眞要大論」)가 補法의 입법 근거다.

虛證에는 氣·血·陰·陽의 偏虛 및 氣血兩虛·陰陽俱虛의 차이가 있기 때문에 補法은 補氣·補血·補陰·補陽 및 氣血雙補·陰陽並補의 몇 가지로 나뉜다. 病性에 대응해 설계된 것이다. 前賢들은 虛證의 서로 다른 성질에 따라 治法도 구별했다. 『素問』「陰陽應象大論」에서는 "形不足者, 溫之以氣; 精不足者, 補之以味."라고 했고, 張介賓은 더욱 상세하게 "凡氣虛者, 宜補其上, 人蔘·黃芪之屬是也; 精虛者, 宜補其下, 熟地·枸杞之屬是也; 陽虛者, 宜補而兼暖, 桂·附·乾薑之屬是也; 陰虛者, 宜補而兼淸, 門冬·芍藥·生地之屬是也."(『景岳全書』「新方八略」卷50)라고 하였다. 시대가 발전함에 따라 補法의 내용도 날로 완벽해지고 있다. 그중 補氣法은 五臟의 모든 氣 부족을 補益하는 것으로 특히 肺脾氣虛가 많이 나타난다. 증상으로는 面色白, 氣短乏力, 自汗惡風, 食少便溏, 舌淡苔白, 脈弱 등이 있고, 대표방으로는 四君子湯·蔘苓白朮散·補中益氣湯·玉屛風散·生脈散이 있다. 補血法은 血虛證을 主治한다. 心·脾·肝, 세 가지 臟의 기능 상실과 가장 밀접하게 관련되어 있다. 증상으로는 面色萎黃, 唇爪無華, 頭暈目眩, 心悸失眠 및 婦女의 月經量少, 質稀色淡, 或經閉, 舌淡脈細 등이 있고, 四物湯·歸脾湯·當歸補血湯이 대표방이 된다. "氣爲血之帥"이고, "血不獨生, 賴氣以生之"하기 때문에 補血할 때에는 補氣하는 것을 반드시 잊어버려서는 안 된다. 補陰法의 효능은 인체의 陰精津液을 滋養하는 것으로 陰虛證에 적용된다. 陰液 부족을 일으키는 원인은 매우 많지만, 腎·肝·肺 세 臟에서의 陰虛가 비교적 자주 나타난다. 증상으로는 形瘦顴紅, 潮熱骨蒸, 五心煩熱, 腰膝酸軟, 頭暈目眩, 耳鳴耳聾, 盜汗遺精, 咳嗽咯血, 口乾舌燥, 舌紅少苔, 脈細數 등이 있다. 대표방은 六味地黃丸·一貫煎·百合固金湯이다. "陰虛則內熱"하고, "陰根於陽"하기 때문에 補陰法은 항상 淸法·補陽法과 함께 사용한다. 滋陰降火하거나 "陽中求陰"하는 것이 있는데 대표방은 각각 大補陰丸·左歸丸이다. 補陽法은 인체의 陽氣를 보충해 陽虛證을 主治한다. 이 증상은 주로 脾·腎 기능 저하와 관련되는데, 그중에 腎陽不足하게 되면 畏寒肢冷, 腰膝冷痛, 少腹拘急, 小便不利或反多, 陽痿早泄, 久不孕育, 舌淡苔白, 脈沈遲 등이 나타난다. 腎氣丸·右歸丸이 대표방이다. "陽根於陰"하기 때문에 補陽法은 항상 補陰法과 配伍되어 "陰中求陽"한다. 또 "陽虛則外寒"하기 때문에 이 방법은 때로 溫法과 함께 사용된다. 脾陽不足의 치법에 대해서는 溫法 중에 설명해두었다. 氣血雙補法과 陰陽並補法은 氣血兩虛證과 陰陽俱虛證에서 구분되어 사용된다. 대표방으로 前者는 八珍湯·十全大補湯, 後者는 地黃飮子·龜鹿二仙膠 등이 있다. 당대의 名醫였던 任應秋는 氣血陰陽의 補益을 매우 중시하며 일찍이 "補法雖繁, 從精氣寒熱陰陽幾個方面進行分析, 便能抓住綱領, 執簡馭繁, 無論精之與氣, 寒與熱, 都有陰和陽兩個方面的關系. '以精氣分陰陽, 則陰陽不可離'者, 蓋氣能生精, 精以化氣, 視其精氣虛損之所在而補之, 則補得其本. '以寒熱分陰陽, 則陰陽不可混'者, 蓋陽虛則寒, 陰虛則熱, 視其寒熱之所在, 即知其陰陽虧損之所在而補之, 則補得其源. 明乎此, 可謂已得補法之大綱."(『中醫各家學說』)이라고 하였다.

補法은 虛證이라는 病性에 근거하여 上述한 치료법을 채택할 뿐만 아니라 그 발병 부위 臟腑의 차이에 따라 五臟分補法을 설계하였다. 五臟分補法은 直接補(正補法)할 수도 있고, 또한 間接補(隔補法)를 할 수도 있다. 直補法는 어떤 臟腑의 虛弱함을 직접적으로 補益하는 것을 말한다. 이에 대해 『難經』「十四難」에서는 "損其肺者, 益其氣; 損其心者, 調其營衛; 損其脾者, 調其飮食, 適其寒溫; 損其肝者, 緩其中; 損其腎者, 益其精."이라고 했다. 이 설명은 모두 그러한 것은 아니지만 임상에서 분명한 의미가 있다. 間補法은 五行의 相生理論에 따른 것으로 子臟이 虛損하면 그 母臟을 補함으로써 치료의 목적에 도달한다. "虛則補其母"하는 것으로 相生補益法이라고도 부른다. 상용하는 것으로는 '培土生金法'과 '滋水涵木法' 등이 있다. 前者는 肺虛에 補脾하는 것이고 後者는 肝虛에 補腎하는 것이다. 대표방으로는 玉屛風散·麥門冬湯·大定風珠 등이다. 이외에 脾陽虛한 경우 命門(腎陽)을 補하는 "補火生土"法이 있는데, 脾腎은 母子關系는 아니지만 이 방법 역시 間補法의 범주에 속한다. 대표방은 四神丸이다. 程國彭이 말한 "肺虛者補脾, 土生金也; 脾虛者補命門, 火生土也; 心虛者補肝, 木生火也; 肝虛者補腎, 水生木也; 腎虛者補肺, 金生水也. 此相生而補之也."(『醫學心悟』卷首)라고 한 것과 같다. 이외에도 平補法과 峻補法이 있다. 이것은 虛證 病勢의 輕重緩急에 따라 만든 것이다. 平補法은 작용이 평온하고 완만하여 病勢가 비교적 완만하고 病程이 긴 虛弱證에 적용한다. 峻補法은 효력이 강력하면서 빠르기 때문에 病勢가 비교적 급하고 病情이 危重한 경우 구급하는 효과가 있다. 程國彭은 자기의 임상 실천 중에 峻補·平補 두 가지 방법을 운용한 경험을 소개하며 "更有當峻補者, 有當緩補者, 有當平補者. 如極虛之人, 垂危之病, 非大劑湯液不能挽回. 予嘗用蔘·附煎膏, 日服數兩, 而救陽微將脫之證. 亦有無力服蔘, 而以芪·朮代之者, 隨時處治, 往往有功. 至於病邪未盡, 元氣雖虛, 不任重補, 則從容和緩以補之, 相其機宜, 循序漸進, 脈症相安, 漸爲減藥, 穀肉果菜, 食養盡之, 以底於平康. 其有體質素虛, 別無大寒·大熱之證, 欲服丸散以葆眞元者, 則用平和之藥, 調理氣血, 不敢妄使偏僻之方, 久而爭勝, 反有傷也. 此開合·緩急之意也."(『醫學心悟』卷首)라고 하였다.

앞서 서술한 바와 같이 補法을 운용할 때는 일반적으로 氣·血·陰·陽을 나누어 補하는 것을 綱으로 삼고, 五臟을 나누어 補하는 것을 目으로 삼는다. 예를 들면 補陰方을 사용해 陰虛證을 전문적으로 치료할 경우, 臟腑마다 陰虛가 다르기 때문에 선택하는 구체적인 치료법도 한결같지 않다. 肺陰虛라면 潤肺養陰해야 하고, 腎陰不足이라면 滋腎益精해야 한다. 두 종류의 補益 형식을 배합하여 사용해야만 핵심이 파악되고 나머지는 확장되어 臨證 치료에서의 표적성과 정확성을 제고될 수 있으며 다시 病勢의 필요에 따라 平補하거나 峻補해야만 더욱 전면적이 될 수 있다. 이상은 주로 藥補 측면에서 논술을 진행했다. 이외에 前賢들에게는 "藥補不如食補"라는 학설이 있다. 程國彭은 "食補不如精補, 精補不如神補."라고 강조하며, 오직 "節飮食, 惜精神, 用藥得宜, 病有不痊焉者寡矣."(『醫學心悟』卷首)함이 있다고 했다. 이로 보건대 의사는 臨證할 때 '藥補' 외에 '食補'·'精補'·'神補' 또한 홀시해서는 안 된다.

補法은 주로 虛證을 치료하지만, 虛實兼夾證의 경우, 특히 正虛하여 祛邪할 수 없을 때, 이 방법은 자주 다른 치료법과 결합하여 응용된다. 扶正을 통해 祛邪의 목적에 도달하는 것이다. 이것이 補法의 또 다른 작용이다.

강조해 두어야 할 것은 本法은 운용 범위가 매우 넓지만 虛證이 없는 인체에 망령되게 補를 해서는 안 된다. 망령되게 補를 하면 無益할 뿐 아니라 도리어 해로움이 생긴다. 실천 과정에서 확인되듯이 임상에서는 일부 환자들의 경우에 종종 '虛不受補'의 현상이 출현하기도 한다. 그 원인을 살펴보면 脾胃의 受納과 運化 기능에 장애가 있을 뿐 아니라 陳若虛가 인식한 것처럼 "受補者, 自無痰火內毒之相雜; 不受補者, 乃有陰火濕熱之兼攻."(『外科正宗』卷1)하기 때문이다. 의사들은 마땅히 상응하는 치료 방법을 채택하여 치료해야 한다. 이외에 맹목적으로 환자들의 畏虛喜補하는 심리에 부응해 補法을 남발하는 것도 禁忌에 속한다. 정리하자면 이 방법을 임상에서 사용할 경우 妄補·强補해서는 안 된다는 것과 또 補法을 남용해서도 안 된다는 것을 주의해야 한다. 이것은 의사들이 마땅히 따라야 할 내용이다. 또한 臨證할 때에는 虛實의 眞假를 변별해야 한다. 張介賓은 "大實之病, 反有羸狀, 至虛之病, 反有盛勢."(『景岳全書』「傳忠錄」卷2)라고 하였다. 前者는 眞實假虛에 補法을 잘못 사용해서는 안 된다는 것이고, 後者는 眞虛假實에 攻法을 잘못 사용해서는 안 된다는 것이다. 그렇지 않으면 쉽사리 "虛虛實實"의 경계를 어기게 된다. 本法의 작용 메커니즘을 분석해보면 이하 몇 가지 방면과 관련되어 있다: 인체의 기능 상태를 증강시키거나 개선하며, 에너지 공급을 증강시키고, 신진대사를 개선한다. 비타민 류의 물질을 보충한다. 내분비 기능을 조절하여 면역기능을 향상시킴으로써 인체 저항력 등을 증가시킨다.

앞서 서술한 내용을 종합하면 이상의 팔법이 포함하고 있는 내용은 풍부할 뿐 아니라 각각 심오한 의미가 담고 있고 또 서로서로 연계되어 있다. 구체적인 운용에 있어서는 이하 세 가지 방면을 주의해야 한다. 첫 번째, 病情의 필요에 맞춰 여러 가지 방법을 함께 사용한다. 예를 들어 汗補를 병용하거나, 淸下를 配伍하거나, 消補를 함께 시행하거나, 溫開를 서로 합하는 것 등이다. 두 번째, 治法 중에 다시 治法이 있으니, 하나의 大法이 그중에 여러 가지 小法을 포함하고 있다. 예를 들면 和法 중에 和解少陽·調和肝脾·調和腸胃의 여러 가지 방법을 포함되어 있으며, 각각의 방제게 구현하고 있는 치료법 역시 각각 다르다. 그중에 調和肝脾法의 대표방으로는 四逆散·逍遙散이 있다. 두 가지 방제의 치료법을 분별해보면 透邪解鬱·疏肝理脾와 疏肝解鬱·養血健脾로 구분된다. 뿐만 아니라 "吐法之中, 汗法存焉"하고, 瀉下하는 것이 補法이 되기도 하며, 補하는 것이 消가 되기도 하는 등 무궁무진하다. 『醫學心悟』首卷의 "一法之中, 八法備焉. 八法之中, 百法備焉. 病變雖多, 而法歸於一."이 바로 그것이다. 세 번째, 각 방법을 운용할 때는 적절한 정도를 유지해야 한다. 일찍이 蒲輔周는 우리에게 "以我數十年臨床體會, 逐步認識到中醫的治療大法: '汗·吐·下·和·溫·淸·消·補' 均需掌握分寸, 太過或不及, 用之不當, 皆能傷正. 因此, 汗而勿傷·下而勿損·溫而勿燥·寒而勿凝·消而勿伐·補而勿滯·和而勿泛·吐而勿緩, 諸法的運用, 都包含著對立統一的治療原則."[5]라고 충고한 바 있다.

【參考文獻】

1) 邱德文, 張榮川.中醫治法十論[M]貴州: 貴州人民出版社, 1981: 13, 5, 132.

2)王本正.補償作用漢方在中醫學中應用[J]漢方研究(日), 1982, (2): 24–26.

3) 成都中醫學院方劑教硏組.中醫治法與方劑[M]第2版.北京: 人民衛生出版社, 1982: 12, 21, 9, 15.

4) 王琦.王琦醫學論文集[M]北京: 中國大百科全書出版社, 1993: 528.

5) 北京醫學院基礎部.活血化瘀法及基礎硏究進展(二)[J]北京醫學院學報, 1977, (3): 177.

第三章

方劑의 분류

方劑의 분류 방법은 역대 의학 서적마다 다르다. 요약하자면 주로 '七方'說·'十劑'說이 있으며, 그 외에도 病證에 따라 분류하거나, 類方에 따라 분류하거나, 治法에 따라 분류하거나, 綜合的으로 분류하는 등의 방법이 있다.

'七方'說은 『內經』에서 시작되었다. 『素問』「至眞要大論」에서 말하기를 "君一臣二, 制之小也. 君一臣三佐五, 制之中也. 君一臣三佐九, 制之大也."라고 하였고, "君一臣二, 奇之制也. 君二臣四, 偶之制也. 君二臣三, 奇之制也. 君三臣六, 偶之制也."라고 하였으며, "補上治上制以緩, 補下治下制以急, 急則氣味厚, 緩則氣味薄."이라고 하였고, "近而奇偶, 制小其服也. 遠而奇偶, 制大其服也. 大則數少, 小則數多, 多則九之, 少則二之. 奇之不去則偶之, 是謂重方."이라고 하였는데, 이것이 '七方'에 대한 최초의 기록이다. 金代 成無己는 『傷寒明理藥方論』「序」에서 "制方之用, 大·小·緩·急·奇·偶·復, 是也."라고 하여, 명확하게 '七方'의 명칭을 제시하였으며, 『內經』에 나오는 '重'자를 '復'자로 고쳤다. 그리 하여 후세 사람들은 '七方'을 인용하여 최초의 方劑 분류 방법으로 삼았다.

'七方'의 實質은 病情의 輕重, 病位의 上下, 病勢의 緩急, 病邪의 微甚, 藥性의 緩急, 藥味의 奇偶 및 體質의 强弱 등을 분류의 근거로 삼아서, 方劑를 大·小·緩·急·奇·偶·復(重)의 7종류로 나눈 것이다. 7類 중에 復方을 제외하면 모두 상대적으로 말한 것인데, 이른바 大方은 藥味가 많거나 혹은 藥量이 많은 것으로 邪氣가 왕성하여 重劑로 치료하는 方劑이고, 小方은 藥味가 적거나 혹은 藥量이 작은 것으로 病邪가 비교적 가벼워서 輕劑로 치료하는 方劑이고, 緩方은 藥性이 緩和하고 氣味가 비교적 薄하여 일반적으로 慢性 虛弱病證에 사용하면서 장기적인 복용을 필요로 할 때 효과를 얻을 수 있는 方劑이고, 急方은 藥性이 峻猛하고 氣味가 비교적 厚하여 病勢가 위급할 때 사용하여 신속하게 치료하여 급하게 효과를 취하는 方劑이고, 奇方은 單味藥 혹은 구성 약물의 합계가 單數인 方劑이고, 偶方은 兩味藥 혹은 구성 약물의 합계가 雙數인 方劑이며, 復方은 두 가지 처방 혹은 여러 개의 처방을 함께 사용하여 비교적 복잡한 病勢를 치료하는 方劑이다.

'十劑'說은 唐代 陳藏器의 『本草拾遺』에서 시작되었는데, 원래는 약물을 작용에 따라 귀납시킨 일종의 분류 방법이었다. 『重修政和經史證類備用本草』卷1에서 인용한 『本草拾遺』에서 말하기를 "諸藥有宣·通·補·泄·輕·重·澀·滑·燥·濕, 此十種者, 是藥之大體. 而『本經』都不言之, 後人亦所未述, 遂令調合湯丸, 有昧於此者. 至如宣可去壅, 即薑·橘之屬是也; 通可去滯, 即通草·防己之屬是也; 補可去弱, 即人蔘·羊肉之屬是也;

泄可去閉, 即葶藶·大黃之屬是也; 輕可去實, 即麻黃·葛根之屬是也; 重可去怯, 即磁石·鐵粉之屬是也; 澀可去脫, 即牡蠣·龍骨之屬是也; 滑可去著, 即桑白皮·赤小豆之屬是也; 濕可去枯, 即紫石英·白石英之屬是也. 只如此體, 皆有所屬, 凡用藥者, 審而詳之, 則靡所遺失矣."라고 하였다.

上述한 약물의 작용에 따라 귀납시킨 분류방법은 후대에 다음과 같이 발전하게 되었다. 日本 丹波元堅은『藥治通義』卷11에서 말하기를 "按陳氏所說, 乃藥之大體, 而不是合和之義, 故列於斯. 至『聖濟經』, 添以劑字, 而成聊攝『明理論』稱爲十劑, 河間·戴人並宗其義. 於是七方·十劑, 遂印定後人眼目矣."라고 하였는데, 宋代 趙佶의『聖濟經』卷10에서는 宣·通·補·泄·輕·重·澀·滑·燥·濕의 글자 뒤에 '劑'字를 붙였으며, "故鬱而不散爲壅, 必宣劑以散之, 如痞滿不通之類是也. 留而不行爲滯, 必通劑以行之, 如水病痰癖之類是也. 不足爲弱, 必補劑以扶之, 如氣弱形羸之類是也. 有餘爲閉, 必泄劑以逐之, 如脹脾約之類是也. 實則氣壅, 欲其揚也, 如汗不發而腠密, 邪氣散而中蘊, 輕劑所以揚之. 怯則氣浮, 欲其鎭也, 如神失守而驚悸氣上厥而癲疾, 重劑所以鎭之. 滑則氣脫, 欲其收也, 如開腸洞泄, 便溺遺失, 澀劑所以收之. 澀則氣著, 欲其利也, 如乳難內秘, 滑劑所以利之. 濕氣淫勝, 重滿脾濕, 燥劑所以除之. 津耗爲枯, 五臟痿弱, 榮衛涸流, 濕劑所以潤之. 擧此成法, 變而通之, 所以爲治病之要."라고 하였다. 즉, 金代의 成無己가『傷寒明理藥方論』에 최초로 治法에 따른 분류방법으로서 '十劑'를 제안한 것이다. 『傷寒明理藥方論』「序」에서 말하기를 "制方之體, 宣·通·補·瀉·輕·重·澀·滑·燥·濕, 十劑是也."라고 하였으며, 그 이후에 劉完素가『素問病機氣宜保命集』卷上에서 곧 "十劑者, 宣·通·補·瀉·輕·重·澀·滑·燥·濕."라고 標題로 삼아 '十劑'에 대해서 상세하게 논술하였으며, 아울러 總結하면서 歸納하여 말하기를 "是以治病之本, 須明氣味之厚薄, 七方·十劑之法也. 方有七, 劑有十, 故方不七, 不足以盡方之變也; 劑不十, 不足以盡劑之用也."라고 하였고, 張從正은『儒門事親』卷1에서 또한 말하기를 "方有七, 劑有十, 舊矣. 方不七, 不足以盡方之變, 劑不十, 不足以盡劑之用. …… 十劑者, 宣· 通·補·瀉·輕·重·滑·澀·燥·濕也."라고 하였으니, 그로부터 '十劑'의 학설은 널리 전파되었고, 후세에 方劑를 말하는 자들은 이것을 일종의 方劑 분류 방법으로 삼은 것이다.

그러나 '十劑'로는 아직 임상에서 상용하는 方劑를 개괄하기에 부족하였기 때문에 결국 후대에 增益이 필요했다. 丹波元堅이 "寇宗奭, 補寒·熱二劑, 曰: 如寒可去熱, 大黃·朴硝之屬是也; 如熱可去寒, 附子·桂之屬是也. 繆仲淳, 增升·降二劑, 曰: 寒·熱二劑, 攝在補瀉, 義不重; 升·降者, 治法之大機也. 又徐思鶴, 增爲二十四劑."(『藥治通義』卷11)라고 한 것이 그 예이다. 결국 淸代 陳念祖가『時方歌括』에 실려 있는 108方을 宣·通·補·泄·輕·重·燥·澀·滑·寒·熱의 12劑로 분류한 것을 제외하면 10劑로 분류한 서적은 없다.

病證에 따라 분류한 方書는 1973년 말에 湖南省 長沙市 馬王堆 3號 漢墓에서 출토된『五十二病方』이 最初인 것으로 추정된다.『五十二病方』은 諸傷·傷痙·嬰兒索痙·嬰兒病癇·諸食病·牡痔·疽病 등 52종의 병증을 綱으로 삼고, 각각의 병증 아래에는 각종 치료 方劑를 나누어서 記載하였는데, 적게는 1~2方에서 많게는 20~30方까지 기록되어 있다.『漢書』「藝文志」에는 "經方十一家"라고 기록되어 있는데, 그중『五藏六府痹十二病方』·『五藏六府疝十六病方』·『五藏六府疸十二病方』·『風寒熱十六病方』·『五藏傷中十一病方』등의 서적은 비록 이미 失傳되었지만, 書名으로 판단할 때 病證에 따라 方劑를 분류한 方書으로 볼 수 있다. 그 이후에『金匱要略』·『肘後備急方』·『太平聖惠方』·『普濟方』·『證治准繩』「類方」·『醫方考』등은 모두 이와 같이 病證에 따라 분류한 대표적인 方書이다. 病證에 따라 분류한 것은 病에 따라 方劑를 검색하기가 편리하여 임상적으로 사용하기가 매우 편리하기 때문에 현대에 출판되는 다양한 經驗方을 모아놓은 책들이 여전히 이러한 방법을 채택하고 있으니, 病證에 따라 분류하는 것은 가장 오래되면서 현대까지도 상용하는 분류 방법인 것이다.

그러나 일부 方書는 病證에 따라 분류를 하는 동시에 여전히 病因分類·臟腑分類와 醫學分支分類 등의 방법과 결합하고 있다. 病因分類와 病證分類를 결합한 方書에는 『三因極一病證方論』과 『儒門事親』 등이 있다. 前書는 관련된 병증을 內因·外因과 不內外因의 세 가지 원인으로 분류하면서 治方을 열거하였고, 後書는 病證으로 분류하는 동시에 다시 관련된 方劑를 風·寒·暑·濕·燥·火의 6門으로 열거하였다. 臟腑分類와 病證分類를 결합한 方書로는 『備急千金要方』과 『古今圖書集成醫部全錄』 등이 있는데, 『備急千金要方』은 卷11에서 卷21에 이르기까지 肝臟·膽腑·心臟·小腸腑·脾臟·胃腑·肺臟·大腸腑·腎臟·膀胱腑의 아래에 모든 병증을 열거하면서 다시 치료하는 諸方을 나열하였고, 『古今圖書集成醫部全錄』은 卷93에서 卷216의 '臟腑身形'에 이르기까지 方劑가 치료하는 병증을 나열하면서, 臟腑에 나누어 소속시킨 것 이외에 다시 頭·面·耳·目·齒·舌·咽喉·須發·頸項·肩·腋·脇·背脊·胸腹·腰·四肢·前陰·後陰·皮·肉·筋·骨髓 등의 身形으로 나누어 소속시켰다. 『世醫得效方』은 醫學 分科에 따른 분류와 病證에 따른 분류를 서로 결합한 대표적인 것으로 이 책은 大方脈雜醫科·小方科·風科·產科兼婦人雜病科·眼科·口齒兼咽喉科·正骨兼金鏃科와 瘡腫科 등 임상적으로 나누어지는 學科 아래에 각종 병증들을 열거하여 치료하는 方劑를 병증에 따라 만들었다.

類似方으로 분류하는 것은 또한 祖方 혹은 主方에 따른 분류라고 부르는데, 明代 施沛의 『祖劑』에서 처음 창안된 것이다. 이른바 '類方'이란 方劑의 구성 이 서로 비슷하여 동일한 구체적인 치료법을 구현하는 같은 종류의 方劑이다. 같은 조에 있는 類方 중에 서 일반적으로 製方된 것이 비교적 빠른 1개의 基礎 方劑가 있는데 이것을 '祖方'이라고 부르고, 기타 方劑는 모두 이 祖方에서 파생된 처방으로 인식한다. 施沛는 『祖劑』「小敘」에서 말하기를 "仲景의 方은 모든 方劑의 祖인 것이다. 仲景은 伊尹의 法에 根本을 두고 있고, 伊尹은 神農의 經에 根本을 두고 있다. 軒轅과 岐伯은 『靈』『素』를 만들었고, 『素』『靈』의 方劑를 후에 伊尹이 『湯液』에서 宗으로 삼았으며, 이후에 仲景이 그것을 祖로 삼았다. 『局方』의 二陳湯, 四物湯, 四君子湯 등을 類方으로 추가하였다."하였고, 李杲의 補中益氣湯과 朱震亨의 越鞠丸 등은 "誠發前人所未發, 雖曰自我作古, 可也."라고 하였으니 역시 同類 方劑의 祖方이 되는 것이고, 결국 "上溯軒農, 其於方劑之道, 庶幾近之矣."의 의미를 갖게 된다. 淸代 張璐의 『張氏醫通』卷16에 있는 '祖方'도 역시 類方에 따른 분류에 속하는데, "字有字母, 方有方祖. 自伊尹湯液, 一脈相傳, 與釋氏傳燈無異. 苟能推源於此, 自然心手合轍."이라고 하여 총 34종의 方劑들을 桂枝湯·麻黃湯·續命湯 등의 뒤에 열거하였다. 『張氏醫通』「祖方」과 明代 施沛의 『祖劑』는 결국 일맥상통 하는 것으로 단지 내용에 있어서 변동과 첨삭이 있을 뿐이다. 그 외에도 淸代 徐大椿은 『傷寒論類方』에서 張仲景의 方劑를 12類로 나누었고, 淸代 王泰林은 『退思集類方歌注』는 張仲景의 方劑를 26組의 類方으로 나누었다. 日本 吉益東洞의 『類聚方』 등도 역시 모두 類方에 따라 분류한 方書에 속한다. 類方에 따라 분류 하는 것은 方劑의 源流를 검토함으로써 藥物 구성의 유사성을 연구하거나 같은 치료법의 方劑를 구현하는 데 있어서 중요한 의미를 가지고 있다.

治法에 따른 분류는 作用에 따른 분류라고도 부르는데, '十劑'說이 곧 治法에 따른 분류에 속하지만, 치법에 따른 분류를 명확하면서 체계적으로 제시한 것은 明代 張介賓의 『景岳全書』卷50에서 卷60에 있는 '新方八陣'과 '古方八陣'에서 시작되었다. 이른바 '新方八陣'은 張介賓이 그가 스스로 만든 新方 186개를 補·和·攻·散·寒·熱·固·因의 八陣에 따라 배열하면서, 아울러 諸方의 앞에 먼저 '新方八略引'을 열거하였다. 그가 말하기를 "一補略: 補方之制, 補其虛也."라고 하였고, "二和略: 和方之制, 和其不和者也."라고 하였으며, "三攻略: 攻方之制, 攻其實也."라고 하였고, "四散略: 用散者, 散表證也."라고 하였고, "五寒略: 寒方之制, 爲淸火也, 爲除熱也."라고 하였고, "六熱略: 熱方之制, 爲除寒也."라고 하였고, "七固略: 固方之制, 固其泄也."라고 하였고, "八因略: 因方之制, 因其可因者也. 凡病有相同者, 皆按證而用之, 是謂因方."(『景岳全書』卷50)라고 하였다. '古方八陣'은 張介賓이 "古方에 대해 諸家들이 분류하는 방식이 복잡하여, 각각의 내용을 검토하여보니 서로 중복되는 경우도 있고, 서로 사용하는 방식이 通하는 바도 있으나, 여전히 함께 검토하기가 곤란하였다. 그래서 우선 그것들을 모두 수집하고자 하였으나 도저히 불가능하다고 판단하였다. 이제 그 요체만 모아서 팔진으로 분류하였으니, 바로 補·和·攻·散·寒·熱·固·因이다."(『景岳全書』卷52)에 따라 한 것인데, '古方八陣'은 모두 古方 1,516개를 채록하였다. 이외에 張氏는 八陣이 결코 일체의 古方을 개괄할 수 없기 때문에 또한 '婦人規'·'小兒則'·'痘疹詮'과 '外科鈐'의 4門에 기타 方劑를 나열하였다. 張氏는 八陣의 治法으로 方劑를 분류하여 수많은 方劑를 治法의 아래에 統括하면서 '以法統方'하였는데, 方劑學 연구에 있어서 治法의 위상을 부각시킨 것으로 의미가 매우 중요하다. 그 후에 清代 程國彭은 『醫學心悟』卷1에서 '醫門八法'을 열거하면서 말하기를 "論病之原, 以內傷·外感四字以括之. 論病之情, 則以寒·熱·虛·實·表·裏·陰·陽八字以統之. 而論治病之方, 則又以汗·和·下·消·吐·清·溫·補八法盡之."라고 하였는데, 程氏의 八法은 "一法之中, 八法備焉; 八法之中, 百法備焉."한 것으로 융통성과 포용성이 뛰어나기 때문에 후세 사람들에게 꽤 추앙을 받았지만, 『醫學心悟』은 진정으로 '八法'에 따라 方劑를 분류한 것은 아니었다.

綜合分類法은 제일 처음 清代 汪昂의 『醫方集解』에서 볼 수 있다. 이 책은 "『醫方考』因病分門, 病分二十門, 凡方七百首. 然每證不過數方, 嫌於方少; 一方而二·三見, 又覺解多."(『醫方集解』「凡例」)라고 한 것에 비추어보면 綜合分類法을 創案한 것이다. 이 분류법은 治法에 따라 분류하였을 뿐만 아니라, 病證·病因에 따라 분류하면서 아울러 전문 과목의 특징을 고루 고려하였는데, 全書를 諸方에 나열하면서 補養·發表·湧吐·攻裏·表裏·和解·理氣·理血·祛風·祛寒·清暑·利濕·潤燥·瀉火·除痰·消導·收澀·殺蟲·明目·癰瘍·經產·救急 등의 22종류로 분류하였다. 이러한 분류 방법은 治法을 위주로 하면서 또한 기타 측면을 두루 고려하여 임상에서 실용하기에 적합하게 하였다. 따라서 그 후의 吳儀洛의 『成方切用』과 張秉成의 『成方便讀』은 모두 汪氏의 방법을 모방하면서 구체적인 내용은 약간 수정하였다.

위에서 서술한 것들을 종합하면 역대 方劑에 대한 분류는 복잡함과 간결함이 한결같지 않지만 각각 의미가 있다. 本書는 '以法統方'의 원칙에 근거하여 下篇의 各論을 解表·瀉下·和解·清熱·祛暑·溫裏·表裏雙解·補益·固澀·安神·開竅·理氣·理血·治風·治燥·祛濕·祛痰·消食·驅蟲·湧吐·癰瘍·四象體質方劑· 천연물 및 건강기능보조제 등의 20章으로 나누었으며, 그중 내용이 비교적 많은 大章에 대해서는 다시 약간의 小節로 나누어 綱目을 간명하게 하여 학습과 파악을 편리하게 하였다.

【參考文獻】

1) 許占民.談方劑學的類方分類法.山西中醫. 1985;1:48-50.

第四章

方劑의 조성과 변화

方劑는 약물을 配伍하여 조성된다. "配"는 '배합하다(搭配)'와 '고루 섞다(調配)'의 뜻이고, "伍"는 隊伍와 序列을 의미한다. 따라서 配伍는 治法과 약물의 性能에 기본을 두고 유효성과 안전성을 목적으로 하며, 두 가지 혹은 두 가지 이상의 약물을 선별하여 함께 사용하는 것을 말한다. 藥物配伍의 가장 기본적인 형식은 藥對 혹은 藥組이다. 藥對는 글자 그대로의 의미를 생각해 보면 두 가지 약물이 짝을 이루어 配伍하여 사용한 형식이다. 예를 들면 荊芥에 防風을 配伍하면 發散風寒하고, 半夏와 生薑을 配伍하면 降逆止嘔하며, 黃連에 肉桂를 配伍하면 心腎交通하는 등이다. 藥組는 두 가지 이상의 약물을 配伍하여 사용하는 형식이다. 예를 들면, 乾薑·細辛에 五味子를 配伍하면 溫肺化飮하고, 熟地黃·山茱萸에 山藥을 配伍하면 三陰幷補하는 등이다. 어느 경우에는 藥對 자체가 하나의 方劑인 경우도 있다. 예를 들면, 川楝子에 延胡索이 配伍된 金鈴子散, 蒲黃에 五靈脂가 配伍된 失笑散 등이다. 그리고 하나의 方劑에는 종종 일부의 藥對 혹은 藥組가 들어 있다. 예를 들면, 桂枝湯은 桂枝·芍藥·生薑·大棗와 炙甘草의 5味로 조성되어 있다. 方劑 중에 들어있는 藥對를 보면, 桂枝에 芍藥을 配伍하면 調和營衛하고, 生薑에 大棗를 配伍하면 溫養脾胃·調和營衛하고, 桂枝에 炙甘草를 配伍하면 辛甘化陽하며, 芍藥에 炙甘草를 配伍하면 酸甘化陰 하는 등이다. 『神農本草經』「序例」에 기록된 "七情和合"은 單行·相須·相使·相畏·相惡·相反과 相殺을 가르킨다. 그중에 單行은 單方을 말하는 것으로 약물의 配伍 관계가 존재하지 않는다. 相惡와 相反은 配伍를 피해서 응용해야 하는 것으로 配伍禁忌에 속한다. 相須·相使·相畏와 相殺의 配伍 관계는 藥對 혹은 藥組에서 모두 구현될 수 있다.

方劑(특히 약물 조성 수가 많은 경우)는 약물 配伍의 발전이고 약물 配伍의 더욱 높은 형식이다. 약물이 합리적인 配伍를 거쳐 조성된 方劑는 원래의 약리작용을 증강시키거나 변화시켜주고, 동시에 그 偏勝을 조정하고 그 독성을 억제하며 인체에 대한 불량반응을 제거하거나 완해하여 약물 사이의 相輔相成 혹은 相反相成 등의 종합적인 작용을 발휘하게 하며 각각의 특성을 가진 약물의 조합이 하나의 전체를 이루게함으로써 더 나은 질병의 예방과 치료 작용을 발휘하게 한다. 徐大椿(1693~1771, 原名大業, 字靈胎, 晩號洄溪老人, 江蘇吳江松陵鎭人)은 『醫學源流論』「方藥離合論」에서 "藥有個性之專長, 方有合群之妙用"이라고 하였고, 또한 "方之與藥, 似合而實離也, 得天地之氣, 成一物之性, 各有功能, 可以變易氣血, 以除疾病, 此藥之力也. 然草木之性與人殊體, 人人腸胃, 何以能如人所欲, 以致其效? 聖人爲之制方, 以調劑之, 或用以專攻, 或用以兼治, 或以相輔者, 或以相反者, 或以相用者, 或以相制者, 故方之旣成, 能使藥各全其性, 亦能使藥各失其性. 操縱之法, 有大權焉, 此方之妙也."[1]라고 하였다. 이것은 徐大椿이 약물을 配伍하여 方劑를 조성하는 의의를 설명한 것이다.

구체적으로 말하면 한약을 配伍하여 方劑를 조성하는 의의는 다음과 같다:

첫째는 약물의 작용을 강화시킨다. 약물을 조합하여 방제를 조성하는 가장 주된 목적은 약물 사이에 협동작용을 발휘함으로써 약물의 작용과 치료효과를 증강시키는 것이다. 예를 들면 白虎湯의 적응증은 陽明氣分 熱盛證이다. 方劑 중에 石膏와 知母는 모두 寒涼清熱藥으로 淸熱瀉火의 작용이 있고, 서로 配伍하면 陽明氣分의 熱을 내리는 작용이 더욱 커진다. 四逆湯의 적응증은 少陰病 陽氣衰微證이다. 方劑 중에 性味가 大辛大熱한 生附子는 性味가 辛熱한 乾薑과 配伍하면 先天之本과 後天之本을 함께 溫하게 하고, 附子의 "走而不守"와 乾薑의 "守而不走"가 서로 배합하면 回陽救逆의 효과를 증강시키게 된다. 옛사람들이 말하기를 附子의 回陽은 반드시 乾薑을 얻어야만 그 효과가 두드러지게 되고, 심지어는 "附子無薑則不熱"의 說까지 있다.

둘째는 치료범위를 확대하여 비교적 복잡한 병세에 적응하게 한다. 약물을 합리적으로 配伍하여 조성된 방제는 그 종합작용을 이용하고 전면적으로 돌아보며 치료범위를 확대하여 비교적 복잡한 병증에 적응하게 하는 것이 목적이다. 예를 들면 大黃附子湯은 溫下의 대표적인 방제로 寒積裏實證을 치료한다. 裏實은 下法이 아니면 제거되지 않고 寒邪는 溫法이 아니면 없어지지 않는다. 그러므로 瀉下攻實의 大黃에 溫裏散寒의 附子와 細辛을 配伍한 方劑이다. 더 한 예를 들면 蔘蘇飮은 扶正解表劑로 氣虛外寒風寒證을 치료한다. 방제 중에 蘇葉 및 葛根에 人蔘을 配伍하였는데, 蘇葉과 葛根은 發汗解表하고 人蔘은 益氣扶正한다. 蘇葉과 葛根이 人蔘의 도움을 받으면 發散하면서도 正氣를 다칠 염려가 없게 된다. 즉, 문을 열어 적을 축출하는 功을 거두게 된다. 치료범위를 확대하여 복잡한 병증을 치료하고, 또한 "類方"의 配伍 변화 측면에서도 구체화하였다. 예를 들면 四君子湯을 "主方"으로 삼아 益氣健脾시켜 脾胃氣虛證을 치료한다. 理氣和中의 陳皮를 더 配伍하면 異功散이 되어 脾胃氣虛에 氣滯를 兼한 證을 치료한다. 燥濕化痰의 半夏와 陳皮를 더 配伍하면 六君子湯이 되고 脾胃氣虛에 痰濕을 兼한 證을 치료한다. 六君子湯에 理氣和中의 木香과 砂仁을 더 配伍하면 香砂六君子湯이 되고 脾胃氣虛에 氣滯痰濕을 兼한 證을 치료한다. 이밖에도 이른바 "合方"의 상황이 있는데, 실질적으로는 方劑와 方劑의 配伍이다. 예를 들면 四君子湯은 補氣함으로써 氣虛證을 치료하고, 四物湯은 補血함으로써 血虛證을 치료한다. 두 方劑를 서로 合하면 八珍湯이 되어 氣血雙補함으로써 氣血兩虛證을 치료한다. 平胃散은 燥濕에 치중함으로써 濕滯를 치료하고, 五苓散은 利水에 치중함으로써 畜水를 치료한다. 두 方劑를 合하면 胃苓湯이 되고 燥濕과 利水를 병행함으로써 여름철과 가을철의 飮食生冷으로 인한 水濕內停證을 치료한다.

셋째는 작용이 다양한 單味藥의 작용방향을 인도한다. 한 가지 한약인 單味藥에는 여러 가지 작용을 갖고 있지만 방제 중에서 어느 작용을 결국 발휘할 것 인지는 방제 중에 기타 약물과의 配伍에서 항상 결정된다. 즉, 약물의 配伍는 약물 작용의 작용방향을 유도하게 된다. 예를 들면 柴胡의 한 가지 약물은 性味가 苦辛升浮하여 發散解表, 疏肝解鬱과 升擧陽氣 등의 작용이 있다. 柴葛解肌湯에서 柴胡는 葛根·羌活·白芷 및 生薑의 여러 가지 解表藥과 配伍하면 柴胡는 方劑 중에서 疏散解表의 작용을 발휘하게 된다. 거기에 다시 黃芩과 石膏의 淸熱을 보태면 함께 解肌淸熱의 작용을 이루게 된다. 逍遙散에서 柴胡는 白芍藥과 當歸의 養血柔肝藥을 配伍하면 柴胡가 疏肝解鬱의 작용을 발휘하도록 유도한다. 세 가지 약물을 配伍하면 肝의 用을 돕고 肝의 體를 補한다. 여기에 다시 健脾益氣의 白朮과 茯苓 등을 配伍하면 바로 疏肝解鬱과 養血健脾의 方劑가 된다. 補中益氣湯에서 소량의 柴胡와 升麻는 대량의 黃芪 및 炙甘草와 配伍하고 여기에 다시

人蔘과 白朮을 더 넣으면 방제 전체는 補中益氣에 치중하게 된다. 특히, 방제 중에 黃芪의 용량을 重用하여 君藥으로 삼아 補氣升陽의 주도하에 柴胡가 방제 중에서 升擧陽氣의 작용을 발휘할 수 있도록 하였다.

넷째는 약물의 불량반응을 輕減시키거나 없앤다. 일부 한약에는 일정한 毒性과 副作用이 있어서 단독으로 복용하면 쉽게 불량반응을 일으킬 수 있다. 한약을 서로 配伍한 약물제조를 통하여 일부 약물의 불량반응을 방지하거나 輕減시킬 수 있다. 예를 들면 小半夏湯은 止嘔의 聖劑로 胃中의 停飮으로 생긴 嘔吐 등을 잘 치료한다. 방제 중의 半夏는 비교적 양호한 降逆止嘔와 燥濕化痰의 작용이 있지만 독성이 있다. 여기에 和胃止嘔의 生薑을 配伍하면 半夏의 降逆止嘔 및 化痰蠲飮의 작용을 늘릴 뿐만 아니라 半夏의 毒도 해결할 수 있어서 안전성과 유효성을 확보한 약물사용 목적에 이르게 된다. 또한 예를 들면 四逆湯에서 附子는 乾薑과 配伍하여 回陽破陰하지만 乾薑과 附子는 性味가 辛燥峻烈하고 附子에는 또한 독성이 있어 방제 중에 炙甘草를 配伍하여 甘草의 甘緩한 性으로 乾薑과 附子의 峻烈을 緩和시키고 동시에 甘草는 附子의 毒을 풀어준다. 이와 같이 配伍하여 약물사용의 안전성을 확보하게 된다.

다섯째는 새로운 작용을 형성한다. 藥物配伍에서 어느 때에는 새로운 작용이 형성되기도 한다. 이것이 바로 방제 配伍에서 정교하고 아름다운 부분이다. 예를 들면, 小柴胡湯은 少陽病을 치료한다. 그 配伍의 정신은 柴胡에 黃芩을 配伍하는데에 있다. 柴胡는 解表藥이고 黃芩은 清熱藥이다. 相加 原理로 이해하자면 두 약물의 配伍는 반드시 辛涼解表에 해당되어야 한다. 그러나 실제로는 두 약물을 配伍하면 解表도 아니고 清熱도 아니며 새로운 작용인 和解少陽을 형성한다. 따라서 小柴胡湯은 和解少陽의 要方이다. 한의학에는 본디 "有和方, 無和藥"는 설이 있다. 한약의 분류에는 和解의 약물이 없지만 配伍를 거치면 도리어 和解의 方劑를 조성할 수 있음을 시사한다. 이와 같은 까닭에 약물의 配伍를 거치면 새로운 작용이 만들어진다. 또한 예를 들면, 交泰丸은 黃連과 肉桂로 조성되었다. 黃連을 重用하여 清心瀉火하고, 肉桂는 輕用하여 溫煦腎陽과 化氣升津한다. 두 약물 중에서 하나는 寒하고 다른 하나는 熱하며, 하나는 重하고 다른 하나는 輕한데, 둘을 조합하여 方劑가 되면 交通心腎의 새로운 작용을 거두게 된다.

분명히 약물의 配伍로 조성한 방제는 몇가지 약물을 임의로 혹은 우연히 한 곳에 모은 것이 아니고 특유한 방제 조성 원칙 및 조성변화의 형식이 있는 것이다.

第一節 약물 配伍

1. 配伍의 개념

배오(Compatibility of medicines)는 병상태의 요구와 한약의 性能에 근거하여 선택한 2가지 혹은 2가지 이상의 한약을 함께 배합하여 사용하는 것을 가리킨다. 한약의 藥性은 각각 치우친 것이 있고 그 작용에는 각각 장점이 있으며, 여러 가지 한약들 사이에는 다양한 상호작용이 있다. 『神農本草經』에서는 그것들을 相須·相使·相畏·相殺·相惡·相反의 6가지 유형으로 요약하였다. 이는 한약들을 같이 쓸때에 치료효과를 증강시킬 수도 있고, 몸에 불리한 영향을 줄 수도 있음을 반영한 것이다. 한약들을 합리적으로 배오하여 응용하면 치료효과를 증강시킬 수도 있고 몸에 대한 몇가지 한약들의 불리한 영향을 없애거나 완화시킬 수 있으며, 치료범위를 확대하여 복잡하고 변화가 많은 병상태(病情)에 알맞게 된다. 배오는 한의학 임상에서 한약을 쓰는 주된 형식이고 방제조성의 기초이기도 하다.

2. 흔히 보는 약물 배오형식

(1) 同類相須

性能作用이 서로 유사한 한약들을 배합하여 임상에서 활용하는 것을 말한다. 한약들사이에 몇가지 특수한 협동작용을 거쳐 치료효과를 증강시킨다. 이와같은 협동작용은 한편으로는 각 한약들에 효능을 추가하는 것이고, 다른 한편으로는 한약들 작용의 서로 다른 특징을 이용하여 치료효과를 강화하는 것이다. 예를 들면, 마황과 계지는 모두 性味가 辛溫하고 發汗散寒의 작용을 갖고 있다. 이 중 마황은 衛分의 鬱을 푸는데 장점이 있고, 계지는 營分의 막힘을 뚫는데 장점이 있다. 두 한약을 배오하면 發汗解表의 藥力을 뚜렷하게 증강시킬 수 있다. 대황과 망초는 모두 그 性이 寒凉하여 攻下瀉熱의 작용이 있다. 이중 대황은 蕩滌腸腑에 장점이 있고 망초는 軟堅潤燥에 장점이 있다. 두 한약을 배오하면 瀉熱攻積의 작용을 증강시킬 수 있다. 인삼과 황기는 性味가 甘溫하여 益氣補脾의 작용이 있다. 이 중 인삼은 補氣에 장점이 있고 黃芪는 升陽에 장점이 있다. 두 한약을 배오하면 健脾益氣의 작용을 증강시킬 수 있다. 이밖에, 임상에서 흔히 쓰는 羌活을 獨活과 배오하면 祛風勝濕의 작용이 있고, 石膏를 知母와 배오하면 淸熱瀉火의 작용이 있고, 金銀花를 連翹와 배오하면 淸熱解毒의 작용이 있고, 熟地黃을 白芍藥과 배오하면 養血補虛의 작용이 있고, 桃仁을 紅花와 배오하면 活血祛瘀의 작용이 있고, 附子를 乾薑과 배오하면 溫裏祛寒의 작용이 있고, 山楂肉을 麥芽와 배오하면 消食和胃의 작용이 있으며, 全蝎을 蜈蚣과 배오하면 止痙定搐의 작용이 있다. 이들 모두는 同類相須의 배오이다.

(2) 異類相使

주된 작용은 다르지만 작용부분과 관련된 한약들을 배합하여 응용한 것을 가리킨다. 그중에 한 한약은 主가 되고, 다른 한약은 輔가 된다. 主藥에 대한 輔藥의 협동이나 서로 補하는 작용을 거쳐서 치료효과를 높이고, 혹은 새로운 작용을 만든다. 배오에 따라 효과증대의 기전이 다른데, 다음의 몇가지 주된 유형이 있다.

① 性能作用에 몇가지 공통성이 있는 한약들을 배오하여 같이 사용하고, 그 공통성을 빌려 협동하여 그 치료효과를 증강시키며, 輔藥의 개별적인 장점을 이용하여 主藥의 치료효과를 증강시킨다. 예를 들면, 燥濕化痰의 半夏를 行氣化痰의 橘皮와 배합 할 경우, 두 한약은 모두 化痰작용이 있고, 橘皮는 行氣하여 "氣順痰消"한다. 두 한약을 같이 쓰면 燥濕化痰의 작용을 증강시킬 수 있다. 補氣利水의 황기를 利水健脾의 복령과 배합할 경우, 두 한약은 모두 利水작용이 있고, 복령은 健脾하여 脾의 運化기능을 돕는다. 두 한약을 같이 쓰면 健脾利水의 작용을 증강시킬 수 있다. 行氣疏肝의 川楝子를 活血行氣의 玄胡索과 배오할 경우, 두 한약은 모두 行氣작용이 있고, 현호색은 活血止痛한다. 두 한약을 같이 쓰면 行氣止痛의 작용을 증강시킬 수 있다.

② 陰陽氣血 및 臟腑와 관련된 이론에 근거하고 한약작용상의 소통과 보충을 이용하여, 주된 작용이 다른 한약들을 배오하여 같이 써서 치료효과를 증강시킨다. 예를 들면, 補血의 當歸를 補氣의 黃芪와 배오할 경우, 補氣生血하여 補血작용을 강화시키는데 도움을 준다. 滋陰益髓의 熟地黃을 補腎溫陽의 菟絲子와 배오할 경우, "陽中求陰"하여 補陰작용을 강화시키는데 도움을 준다. 溫補元陽의 附子를 滋腎塡精의 熟地黃과 배오할 경우, "陰中求陽"하여 補陽작용을 강화시키는데 도움을 준다. 五臟虛損證에 대하여는 흔히 "子虛補母"法을 배합한다. 예를 들면, 肺陰不足證을 치료할 때, 滋陰潤肺의 麥門冬을 益氣補脾의 人蔘과 배오하여 "培土生金"함으로써 補益肺陰의 작용을 증강시킬 수 있다. 肝陰不足證을 치료할 때, 滋陰養血의 枸杞子를 滋陰補腎의 生地黃과 배오하여 "滋水涵木"함으로써 補益肝陰의 작용을 강화시킬 수 있다. 이밖에, 精과 血은 원류가 같고 氣와 陽은 서로 함양한다는 이론에 따라, 塡精益髓의 숙지황을 養血活血의 當歸와 배오하고, 溫陽補火의 附子를 補氣의 인삼과 배오하는

등은 精과 血이 서로 만들어지는 것과 氣와 陽이 서로 생기는데 도움을 주어 치료효과를 향상시킨다.

③ 病機 중의 병세특징과 治法중의 導邪外出의 이론에 따라 主因을 목표로 한 한약을 通利透散類藥과 배오함으로써 病邪를 밖으로 나가게 하여 病程을 줄이고 치료효과를 높인다. 흔히 邪氣壅盛證이 있을 경우, 瀉下藥을 배오하여 邪氣下行의 길을 열어준다. 예를 들면, 淸熱의 黃連을 위주로 하고 大黃을 배오하여 熱이 아래로 내려가는 것을 유도함으로써 淸熱泄火의 작용을 강화시킬 수 있다. 이른바 "泄로 淸을 대신하는(以泄代淸)"것을 말한다. 活血祛瘀의 桃仁을 위주로 하고 여기에 大黃을 배오하면 瘀血이 아래로 내려가는 것을 유도함으로써 活血祛瘀의 작용을 강화시킬 수 있다. 墜痰下氣의 礞石을 위주로 하고 大黃을 배오하여 痰火가 밑으로 내려가는 길을 열어줌으로써 泄火逐痰의 작용을 강화시킬 수 있다. 逐水의 牽牛子를 대황과 배오하여 通利分消함으로써 攻逐水飮의 작용을 강화시킬 수 있다. 혹은 邪氣를 목표로 外達기전이 있어서 疏散輕透한약을 배오하여 邪氣를 밖으로 완전히 뽑아낸다. 예를 들면, 淸營解毒의 犀角을 위주로 하고 透散의 金銀花·連翹를 배오함으로써 淸營透熱의 藥力을 늘린다. 滋陰淸熱의 鱉甲을 위주로 하고 芳香透絡의 靑蒿를 배오하여 陰分의 邪熱이 밖으로 나가게 도와준다. 淸熱泄火의 石膏를 疏風透表의 薄荷와 배오하면 氣熱을 밖으로 내보내는데 유리하다. 혹은 臟腑相合의 이론에 따라 臟病通腑의 배오를 채택하여 病邪를 밖으로 내보낸다. 예를 들면, 淸瀉肺熱의 石膏 혹은 淸肺化痰의 瓜蔞皮를 위주로 하고 瀉下通腑의 대황을 배오하여 肺臟의 痰熱을 밑으로 나가게 유도함으로써 淸肺泄濁의 작용을 강화시킬 수 있다. 淸心泄火의 黃連을 위주로 하고 利水通淋의 木通을 배오하여 心熱을 밑으로 내보냄으로써 淸心泄火의 작용을 강화시킬 수 있다.

이밖에, 證候病機의 특징에 따라 性能作用이 서로 다른 몇가지 한약들을 배오하여 각각의 한가지 한약이 갖추지 못한 독특한 종합적인 작용을 만들 수 있다. 예를 들면, 傷寒少陽膽鬱蘊熱의 病機특징을 목표로 하여 辛凉疏散의 柴胡를 苦寒淸泄의 黃芩과 같이 쓰면 和解少陽의 특수한 작용이 있게 된다. 몇가지 한약의 氣味를 배합하여 된 특성을 이용하고 적당한 배오를 거쳐도 일부 새로운 작용을 만들 수 있다. 예컨대, 辛甘化陽·酸甘化陰·酸苦涌泄·苦辛通降·酸苦辛安蛔 등이다.

(3) 相反相成

性能이 서로 반대되는 한약이 寒熱溫凉·升降浮沈·開闔補瀉 등 여러 가지 의미에서의 배오를 가리킨다. 서로 반대되는 배오중에 한약의 쌍방향이 있게 된다. 하나는 서로 견제하여 한약의 몇가지 偏性을 제약하는 것을 말하고, 다른 하나는 서로 보완하거나 도와서 그 치료효과를 증강시키거나 새로운 작용을 만드는 것을 말한다.

① 寒熱幷用:寒凉藥과 溫熱藥을 같이 배오하여 사용하는 것을 말한다. 예를 들면, 肝經鬱火犯胃의 脇痛呑酸을 치료할 경우, 火熱은 식혀야 하고(淸) 鬱結은 열어야(開) 하기 때문에 苦寒한 黃連은 淸肝胃火하고 辛熱한 吳茱萸를 少佐하여 開鬱降逆한다. 두 한약을 배합하면, 淸肝和胃의 작용을 강화시킬 뿐만 아니라 凉遏의 치우침도 없앨 수 있다. 寒實冷積의 변비를 치료할 경우, 附子와 大黃을 배오한다. 대황의 寒性은 부자의 辛熱로 제약을 받아 瀉下의 작용만이 남게 된다. 두 한약을 배합하면 溫下寒積의 작용을 거두게 된다.

② 補瀉同施:補益藥과 祛邪藥을 같이 배오하여 사용하는 것을 말한다. 예를 들면, 腎陰不足證을 치료할 경우, 熟地黃의 益髓塡精·滋陰補腎을 위주로 하고 澤瀉를 佐로 하여 降泄腎濁하고 동시에 숙지황의 滋膩를 제약함으로써 補益작용을 증강시키고 膩滯의 폐단을 없앤다. 濕熱下注의 淋證을 치료할 경우, 淸熱利水의 木通을 淸熱滋陰의 生地黃과 배오하여 淸熱利水의 작용을 증강시키며 滲利傷陰의 치우침을 없애게 한다.

③ 升降相隨:升浮上行藥과 沈降下行藥을 같이 배오하여 사용하는 것을 말한다. 예를 들면, 腸失傳化의 변비증을 치료할 경우, 肉蓯蓉이나 大黃으로 降泄下行하고 升麻나 桔梗을 佐로 하여 升發陽明하며 開提肺氣하여 腸腑傳導의 藥力을 증강시킨다. 脾胃虛弱·中氣下陷의 脫肛을 치료할 경우, 黃芪·柴胡로 健脾補氣升陽하고 枳殼의 寬腸下氣를 佐로 하여 濁은 내려보내고 淸은 올려보내어 升陽擧陷의 작용을 강화시킨다. 기타 柴胡의 升을 枳實의 降과 배오하여 肝脾氣機를 조리하고, 桔梗의 升을 枳殼의 降과 배오하여 胸脇氣機를 疏暢하며, 麻黃의 宣肺를 杏仁의 降肺와 배오하여 肺氣宣降을 협조하는 등은 모두 升降배오이다.

④ 散收同用:收斂固表藥과 辛散宣發藥을 같이 배오하여 사용하는 것을 말한다. 예를 들면, 溫散化飮의 乾薑·細辛을 收斂肺氣의 五味子와 배오하여 止咳平喘의 작용을 강화하고 肺氣소모의 치우침을 없애준다. 宣肺平喘의 麻黃을 斂肺定喘의 白果와 배오하여 宣肺平喘의 藥力을 증강시키고 마황의 辛散이 지나쳐 肺氣를 손상시키는 것을 막아준다. 또한 예를 들면, 解肌散邪의 桂枝를 養血斂陰의 白芍藥과 배오하여 調和營衛의 작용에 주효하고 發散을 해도 傷陰하지 않고 斂陰을 해도 邪氣의 장애를 일으키지 않는다. 益氣固表의 黃芪를 疏風散邪의 防風과 배오하여 固表御風의 작용을 강화하고 또한 固表를 해도 邪氣를 머무르게 하지 않으며 發散을 해도 正氣를 다치지 않게 한다.

⑤ 剛柔相濟:柔潤藥과 剛燥藥을 배오하여 같이 사용하는 것을 말한다. 예를 들면, 辛熱燥烈의 附子를 酸斂陰柔의 白芍藥과 배오하여 溫陽和營하며, 溫陽散寒해도 營을 다치지 않게하고 益陰和裏를 해도 陽에 방해를 주지 않는다. 甘溫柔潤의 熟地黃을 辛溫燥散의 細辛과 배오하여 補腎散寒强腰를 하며, 塡精을 해도 呆膩하지 않고 溫通을 해도 燥烈하지 않는다. 甘寒滋養의 麥門冬을 辛溫하고 燥한 半夏와 배오하여 養陰和胃하며, 滋陰을 해도 膩滯하지 않고 降胃를 해도 津을 다치지 않게 한다. 辛溫苦燥의 蒼朮을 甘凉柔潤의 生地黃과 배오하여 滋腎健脾를 하며, 燥濕을 해도 脾陰을 다치지 않게하고 益陰을 해도 祛濕에 장애를 일으키지 않는다.

⑥ 通澁幷行:通利藥과 固澁藥을 같이 배오하여 사용하는 것을 말한다. 예를 들면, 收澁止血의 側柏炭을 活血散瘀의 牡丹皮와 배오하여 凉血止血하며, 止血을 해도 留瘀의 폐단이 없다. 利濕分淸化濁의 萆薢를 固精縮尿의 益智仁과 배오하여 化濁分淸을 하며, 滲利泄精의 잘못이 없게 된다.

(4) 制毒糾偏

몇몇 藥性이 峻猛하거나 毒이 있는 한약을 사용할 때, 알맞은 한약을 배오하여 그 독이 猛烈하고 性이 지우친 것을 제약함으로써 몸에 생길 수 있는 좋지 못한 영향을 줄이거나 없앨 수 있다. 예를 들면, 毒性을 제약하는 배오에는 半夏와 生薑·芫花와 大棗·常山과 檳榔·烏頭와 白蜜 등이 있다. 맹열한 성질을 누그러트리는 배오에는 大黃과 甘草·附子와 甘草 등이 있다. 그 밖에, 寒凉藥을 지나치게 사용하면 陽을 다치고, 溫熱藥을 지나치게 사용하면 陰을 다치고, 滋補藥을 지나치게 사용하면 氣가 막히고 攻伐藥을 지나치게 사용하면 正氣를 다치는 등 이러한 것들을 피하기 위하여 흔히 藥性이나 작용이 서로 반대되는 한약을 배오하여 한약의 偏性을 누그러트리거나 없애므로써 방제와 한약이 가장 좋은 효용을 거두게 한다.

(5) 引經報使

한약의 "歸經" 특성을 이용하고, 主治證候의 病位를 목표로 알맞은 한약을 배오하여 기타 다른 한약들이 病所로 직접 이르도록 유도하며, 藥力이 선택적으로 작용함으로써 치료효과를 강화시킨다. 예를 들면, 脾胃질병을 치료하는 방제 중에 升麻를 배오하여 引經藥으로 하고, 肝膽질병을 치료하는 방제 중에 柴胡를 배오하여 引經藥으로 하며, 上部病變을 치료하는 방제중에 桔梗을 배오하여 한약을 위로 이르도록하며, 下部病變을 치료하는 방제중에 牛膝을 배오하여 한약을 밑으로 내려가게 한다.

이상 여러 각도에서 임상에서 흔히 사용하는 한약의 배오방법을 열거했지만 이들 각종의 배오형식은 방제중에서 서로 연계되고 교차한다. 임상에서는 반드시 치료의 요구에 따라 각종 배오방법을 종합적으로 변통하여 활용해야 한다.[2)]

第二節 방제 조성의 원칙

하나의 방제를 조성한다는 것은 風寒表證을 치료하는데 한 무더기의 辛溫解表藥을 골라 방제를 조성하는 것과 같이 일부 작용이 유사한 약물을 모아 놓은 것이 아니다. 또한 단순히 "머리가 아픈데 머리를 치료하고(頭痛醫頭)" "다리가 아픈데 다리를 치료하는(腳痛醫腳)" 식의 번호대로 지정석에 앉는 것이 아니다. 일정한 원칙을 따라야 하는데, 그 원칙이 바로 君臣佐使이다.

君臣佐使는 처음으로 『神農本草經』에 나온다. 그러나 藥性 분류에 사용되었다. 이 의서에 수재된 약물을 上中下의 三品으로 나누었다. 즉 上品은 君이고, 中品은 臣이며, 下品은 佐使이다. 方劑學의 영역에서 사용된 "君臣佐使"는 가장 먼저 『內經』에서 보인다. 『素問』「至眞要大論」에서 "主病之謂君, 佐君之謂臣, 應臣之謂使, 非上中下三品之謂也."[3)]라고 하였다. 이는 『神農本草經』에서 藥性 분류에 사용하여 서술한 것과는 다르다는 것을 명확하게 제시한 것이다. 『素問』의 이 문구는 君臣佐使藥과 관련된 가장 이른 논술이고, 방제 중에서 약물의 主次와 從屬의 역할을 제시한 것이며, 약물을 고르고 방제를 조성하는데 중요한 指導의의가 있다. 그밖에도 "君藥 하나 臣藥 둘(君一臣二)", "君藥 하나 臣藥 셋 佐藥 다섯(君一臣三佐五)", "君藥 하나 臣藥 셋 佐藥 아홉(君一臣三佐九)"[3)]이라는 기록도 있는데, 이는 임상에서 요구되는 방제 작성의 규모에 따라서 약물사용의 多寡를 규정한 것이다. 후세 의학자들은 위에 서술된 기초위에서 다방면에서 보충하였다. 그중에 明代 何瑭(字粹夫, 號柏齋, 1474~1543)은 "大抵藥之治病, 各有所主. 主治者, 君也; 輔治者, 臣也; 與君相反而相助者, 佐也; 引經及引治病之藥至于病所者, 使也."(『醫學管見』)라고 하여 君臣佐使의 개념을 더욱 구체적으로 하였다. 이밖에도 藥量과 藥力에서 밝힌 것도 있다. 일정 부분 이치에 맞긴하지만 전체적이지는 못하다. 예를 들면 "君藥分兩最多, 臣藥次之, 使藥又次之, 不可令臣過于君.(『脾胃論』卷上)"[4)], "爲君者最多, 爲臣者次之, 佐者又次之, 藥之與證所主同者, 則等分."(『湯液本草』卷2)[5)], "吳茭山曰:凡用藥銖分, 主病爲君, 以十分爲率, 臣用七八分, 輔佐五六分, 使以三四分"(『活人心統』)[6)], "力大者爲君"[4)](『脾胃論』卷上) 등이다. 淸代의 吳義洛은 『成方切用』卷首에서 분담, 藥量과 藥物數에서 비교적 전체적으로 해석하였다:"主病者, 對證之要藥也, 故謂之君. 君者, 味數少而分兩重, 賴之以爲主也. 佐君者謂之臣, 味數稍多, 而分兩稍輕, 所以匡君之不迨也. 應臣者謂之使, 數可出入, 而分兩更輕, 所以備通行向導之使也. 此則君臣佐使之義也."[7)] 시대가 발전함에 따라 君臣佐使에 대한 인식은 날로 완전해지고 동시에 방제학 기본이론의 중요한 조성부분으로 보게 되었다. 이러한 방제 조성 원칙은 古今의 有效한 旣成方을 연구하고 분석하는데 기초가 되고 있고, 임상에서 創方의 근거가 되고 있다.

君藥은 主病이나 主證에 대하여 주된 치료 작용을 하는 약물이다. 여기에는 실제로 두 가지 의미가 포함되어 있다:이른바 主病이나 主證은 치료대상을 말한다. 즉, 方劑를 조성할 때는 먼저 환자의 질병의 病因과 病機를 명확히 해야 한다. 몇가지 질환을 동시에 앓고 있다면 그중에 가장 주된 병증에 맞는 약물을 선택하여 君藥으로 삼아 주된 모순을 해결한다. 주된 치료 작용을 일으킨다는 것은 君藥이 方劑 중의 기타 약물과의 사이에 있는 관계를 말하는 것이다. 조성된 方劑의 몇 가지 약물 중에서 君藥은 반드시 각 약물의 종합작용의 중심이라 가장 주된 치료작용을 일으킨다. 예를 들면 한 환자가 진찰받으러 왔을 때 惡寒發熱, 頭痛身痛, 汗出而喘, 苔薄白, 脈浮緊 등의 風寒表實證이 보인다면 風寒이 體表를 속박하여 衛陽이 鬱滯되고 腠理가 閉塞되어 肺氣가 宣發기능을 잃어버렸기 때문에 생긴 것이다. 과거에 冠狀動脈疾病과 류마티스 관절염의 병력이 있다고 하더라도, 주된 病證에 맞추어서 麻黃湯을 선택하여 치료해야 한다. 方劑 중의 麻黃은 性味가 辛溫하면서 峻烈하여 腠理를 열고 毛竅를 통과하며 비교적 강한 發汗解表와 祛風散寒의 작용이 있어서 表邪를 몰아내고 동시에 宣肺平喘하여 咳喘을 緩解시킨다. 이는 病因과 病機에 맞게 한 것으로 君藥이 되는 조건 중의 하나이다. 게다가 臣藥, 佐藥 및 使藥의 桂枝, 杏仁 및 甘草와 비교하면 작용이 가장 강하고, 고려하는 것 또한 비교적 전면적이다. 그러므로 麻黃은 본 方劑의 君藥으로 매우 적합하게 된다. 君藥은 방제 중에서 결정적인 작용을 하고 주도적인 역할을 하여 반드시 필요하다는 것을 알 수 있다.

君藥의 중요성은 또한 그 性能의 규정과 모든 방제의 性能에 영향을 준다는데 있다. 당연히 그 자체 및 그 配伍와 용량 심지어는 煎湯法과 복용법에 변화가 있을 때에 방제 전체의 성능은 종종 여기에 따라서 변한다. 桂枝湯과 小建中湯을 예로 들어보자. 두 방제의 조성약물은 모두 桂枝·芍藥·生薑·大棗와 甘草의 五味로 되어 있다. 전자는 解肌發表와 溫經散寒의 桂枝가 君藥이고, 斂陰和營의 芍藥은 臣藥이 되어 함께 調和營衛하여 發熱頭痛과 汗出惡風 등의 風寒表虛證을 치료한다. 후자는 甘溫益氣와 緩急止痛의 飴餹을 늘리고 동시에 이를 君藥으로 하였으며, 養陰緩急의 芍藥(桂枝湯과 비교하여 용량을 배로 늘림)과 溫陽散寒의 桂枝를 配伍하고 함께 臣藥으로 하여 腹中時痛하는 中焦虛寒證에 사용하였다. 두 방제 중에서 하나는 治表에 치중하고 다른 하나는 治裏에 중점을 두었다. 그 열쇠는 君藥이 다르고 配伍도 다르다는데 있다. 君藥의 용량을 늘리고 줄이는 것은 방제의 치료효과에 직접적으로 영향을 줄 수 있다. 예를 들면 痰熱哮喘을 전적으로 치료하는 定喘湯은 그 平喘작용은 君藥 중의 하나인 白果의 용량의 많고 적음에 의해서 결정된다. 약리연구에 의하면 白果를 重用하면 본방의 平喘효과가 가장 좋고 거의 아미노필린(aminophylline) 다음이며, 또한 매우 안전하다. 白果를 사용하지 않으면 효과는 가장 떨어지고 조금 사용하면 이도 저도 아닌 것으로 밝혀졌다.[8] 蛔厥(膽道蛔蟲 등)에 사용하는 烏梅丸에는 담낭수축 작용이 있으며, 이 작용은 君藥인 烏梅의 용량의 크기에 따라 增强되는 것이 이미 실증되었다.[9] 君藥의 용량이 방제 전체에 중대한 영향을 끼친다는 것을 알 수 있다. 일부 방제에서 君藥의 煎湯法이 합당한지의 여부와 해당 방제의 유효성분의 溶解度는 바로 방제 전체의 작용과 밀접하게 관련된다. 예를 들면 大承氣湯에서 君藥인 大黃은 瀉下通便 시킬 때 우선적으로 선택하게 되는 약물이다. 煎湯 시에 이 약물은 生用하여 後下하는데 본 방제의 峻下熱結의 작용을 확보하기 위해서이다. 大黃 單味藥의 연구에 의하면 그 瀉下작용은 매우 현저하지만 加熱시간이 늘어남에 따라 그 瀉下작용은 줄어드는 것으로 밝혀졌다.[10] 어떤 학자가 複方의 각도에서 연구한 바에 의하면, 박층 크로마토그래피(thin layer chromato graphy, TLC)를 이용하여 大承氣湯의 세 가지 煎湯法에서 레인(rhein)과 안트라퀴논(anthraquinones)의 용출량을 대조하여 측정하였다. 經典의 煎湯法(먼저 枳實과 厚朴을 煎湯하고 뒤에 大黃을 넣고 다시 芒硝를 溶解하는 법)으로 만든 제제에서는 위의 성분 함량이 최고였으며 대부분 11~14%에 이르렀다. 약리실험 결과, 經典의 煎湯法으로 전탕한 제제는 마우스의 설사작용과 腸의 추진작용 및 랫드에서 분리한 체외 대장의 연동 촉진 작용은 모두 最强이었다.[11]

그렇기 때문에 방제마다 君藥의 선정은 지극히 중요하다. 일반적으로 표적성이 비교적 강하고 작용이 전체적이며 藥力이 비교적 큰 약물을 골라 방제 중의 君藥으로 하는 것이 필요하다고 본다. 선현들이 君藥으로 흔히 사용한 大黃·附子·人蔘·黃芪·柴胡·桂枝 및 麻黃 등은 대부분 이상의 조건을 갖추고 있다. 藥力의 분산을 피하고 君藥의 主導작용을 집중적으로 발휘할 수 있도록 하기위해서는 藥味 선택이 지나치게 많아서는 안되고 거기에 상응하는 용량은 반드시 커야 한다. 沈括(1031~1095, 字存中, 號夢溪丈人, 浙江杭州錢塘縣人)은 "用藥有一君二臣三佐五使之說, 其意以謂藥雖衆, 主病者在一物, 其他則節節相爲用, 大略相統制, 如此爲宜."(『夢溪筆談』卷26)라고 하였다. 예를 들면 麻黃湯·桂枝湯·小柴胡湯·生化湯·補陽還五湯 및 九味羌活湯 등의 여러 방제들은 모두 君藥이 1味이고 그 용량도 비교적 두드러진다. 그러나 병세의 요구에 따라 어떤 때는 君藥을 2~3味로 선택할 수도 있다. 肺熱咳喘을 치료하는 麻杏石甘湯을 예로 들어 보자. 방제 중의 石膏는 性味가 辛甘大寒하고 淸透肺熱의 작용이 매우 좋아 病因을 제거할 수 있지만, 平喘작용이 없기 때문에 반드시 宣肺平喘의 麻黃을 配伍하여 咳喘이라는 이 한 主症을 緩解시킬 수 있으며, 石膏의 용량이 많으면 그 溫燥한 성질을 제약할 수 있다. 이것으로 볼 때 몇몇 상황에서는 오직 2味가 함께 君藥이 되어 서로 단점은 보완하고 장점은 발전시켜야 病因과 主證에 적합할 수 있다는 것을 알 수 있다.

臣藥은 방제 중의 지위가 君藥 다음으로 높으며 소수의 單方을 제외하고는 절대 다수의 방제에서 모두 配伍되고 있다. 그 의의에는 두 가지가 있다:하나는 君藥이 主病이나 主證을 치료하는 것을 강화시킨다. 즉, 君藥을 보조하여 주요한 모순을 해결하는 약물이다. 다른 하나는 兼病이나 兼證을 치료하는 약물을 가르키는 것으로서 부차적인 모순을 해결한다. 앞서 서술한 麻黃湯 중의 臣藥인 桂枝는 解肌發汗하여 君藥인 麻黃의 發表散寒의 작용을 증강시킨다. 또한 溫經通陽하여 환자의 기타 증후를 함께 고려함으로써 一擧兩得이 된다.

臣藥의 君藥에 대한 輔助는 대부분 같은 류의 약물의 相須 配伍가 주된 형식이 된다. 예컨대 麻黃湯 중의 桂枝, 大承氣湯 중의 芒硝와 白虎湯 중의 知母 같은 것이다. 이 중에서 氣分熱盛證을 치료하는 白虎湯은 현저한 退熱 효과가 있다. 어떤 학자는 장티푸스(typhoid)와 파라티푸스(paratyphoid)의 혼합 백신(vaccine), 맥주 효모균으로 생긴 發熱原의 동물실험에서, 君藥인 石膏는 退熱은 빠르지만 비교적 약하고 짧으며, 臣藥인 知母는 退熱이 완만하지만 비교적 강하면서 오래 지속되었다. 두 약물을 配伍하면 작용이 빠르고 강하며 또한 오래 지속되어 서로 보완하고 도와서 退熱의 작용이 현저하였음을 발견하였다. 이것은 전통적인 이론과 서로 부합되는 것이다. 당연히 또한 병세의 요구에 따라 君藥의 작용과는 완전히 다른 약물을 선택하여 臣藥으로 할 수 있다. 예를 들면 小柴胡湯은 少陽病을 치료하는 대표적인 방제이다. 방제 중의 君藥인 柴胡는 疏邪透表하고, 여기에 黃芩의 內淸膽熱을 臣藥으로 하여 配伍하였다. 두 약물을 함께 사용하면 하나는 散하고 다른 하나는 淸하여 함께 和解少陽의 작용을 거두게 된다. 기타 예로는 桂枝湯 중의 芍藥, 理中丸 중의 人蔘 등이 있다.

佐藥은 그 의의에 세 가지가 있다. 첫째는 佐助藥이다. 즉 君藥과 臣藥의 치료작용을 강화하거나 2차적인 증상을 직접적으로 치료하는 것이다. 그럼으로써 2차적인 모순을 해결한다. 麻黃湯 중의 佐藥인 杏仁은 宣降肺氣와 止咳平喘의 작용이 있어 麻黃의 止咳平喘의 藥力을 강화시키고, 또한 表邪의 發散을 이롭게 해서 麻黃과 桂枝의 解表의 작용을 돕는다. 그밖에 五苓散은 水濕內停하여 氣化不利한 것에다가 表證이 풀리지 않아 생긴 小便不利 혹은 水腫 혹은 吐瀉를 兼한 것에 대하여 모두 양호한 효과가 있다. 본 방제는 四苓散의 기초위에서 桂枝 1味를 도와 溫陽化氣하고 인체의 氣化機能을 회복시키며, 四苓散의 利水滲濕 작용을 증강시키고 동시에 여전히 解表散寒 할 수 있는 것이다. 만약 환자에게 表證이 없으면 그 앞의 한 작용만을 취하게 된다. 따라서 임상에서 가령 表證이 없는 위에 서술한 병증에서도 대부분 五苓散을 선택하여 사용하거나 배합하여 사용함으로써 健脾滲濕과 化

氣利水 하는 것이다. 약리실험에 의하면 四苓散에는 利尿 작용이 있으나 충분히 강하지 않았고 여기에 溫陽化氣의 桂枝 1味를 더 넣으면 利尿 작용이 크게 강화되었으며, 單味인 桂枝 자체의 利尿 작용은 도리어 매우 미약하지만, 桂枝는 여기에서 氣化를 도와서 滲濕利尿 작용을 더욱 훌륭하게 발휘하도록 해준다[12]는 것이 밝혀졌다. 일반적으로 적응증이 비교적 복잡한 방제는 佐助藥을 많이 配伍한다.

둘째는 佐制藥이다. 즉, 君藥과 臣藥이 가지고 있는 毒性과 峻烈한 성질을 輕減시키거나 제거한다. 예를 들면 四逆湯은 陽衰陰盛의 危重證을 급히 救濟하는 名方이다. 방제 중의 君藥과 臣藥인 附子와 乾薑을 배합하면 回陽救逆의 작용이 현저하여 일순간 사람을 구할 수 있으나 두 약물의 性味는 大辛大熱하면서 제법 燥烈하고, 附子에는 여전히 毒性이 있어 단독으로 응용하면 正氣가 갑자기 흩어질 우려가 있다. 甘草를 佐藥으로 한 뒤에는 附子의 독성을 풀고 두 약물의 燥烈을 완화시키며 별도로 補氣 작용도 있어 回陽작용을 강화시킨다. 따라서 四逆湯의 毒性과 燥烈한 성질은 낮추어진다. 동물실험에 의하면 附子는 乾薑 및 甘草와 配伍하여 함께 煎湯하면 强心 작용이 현저히 증강되고 毒性도 크게 낮아지며 單味 附子와 複方 양자를 內服한 반수치사량이 4.1배 차이가 나는 것으로[13] 입증되었다.

셋째는 反佐藥이다. 즉, 병세의 요구에 따라서 방제 중에 配伍한 소량이 君藥의 性味 혹은 작용과 相反되고 또한 치료 중에 相成 작용을 일으키는 약물이다. 예를 들면 溫熱劑 중에 소량의 寒凉藥을 넣거나 寒凉劑 중에 소량의 溫熱藥을 넣는 것이다. 이와 같은 配伍는 두 가지 상황에서 많이 나타난다:하나는 병이 重하고 邪도 심하여 복약 시에 거부 반응이 나타나 반드시 從治를 더하는 것이다. 예를 들면 陰盛陽脫證을 급히 구제하는 白通加猪膽汁湯은 大劑의 辛熱한 回陽救逆藥 중에 性味가 苦寒한 猪膽汁과 鹹寒한 人尿를 넣어 "乾薑과 附子의 溫을 끌어당겨 배격하는 寒에 넣어 그 逆을 고르게(引薑附之溫入格拒之寒而調其逆)"[14] 한다. 같은 이치로 熱結裏實과 氣陰兩傷의 陽明溫病證을 치료하는 新加黃龍湯은 그 性이 寒한 芒硝와 大黃의 瀉熱通便을 주로 하고 여기에 益氣養陰藥을 配伍한 것인데, 그 妙는 溫熱의 薑汁을 넣어 溫胃止嘔하게 하고 병세로 인한 약물거부를 방지하며 약물 복용 시에 약물이 들어가지 못하는 현상을 극복하게 해준다는데 있다. 그 다음은 몇몇 방제 중에서 지나치게 寒하거나 熱한 약물을 제약하는 것이다. 芍藥湯을 예로 들어보자. 본 방제는 濕熱痢疾을 치료한다. 방제 중의 性味가 辛熱한 肉桂와 苦寒藥(黃芩·黃連 및 大黃)을 서로 配伍하면 이것이 反佐이다. 그 목적은 腹痛을 멈추고 苦寒藥의 中氣 손상을 방지하는데 있다. 또한 虛寒性 出血證에 사용하는 黃土湯은 방제 중에 性味가 苦寒한 黃芩을 응용하여 止血작용뿐만 아니라 附子 및 白朮의 溫燥를 제약하여 動血의 폐단을 벗어나게 하는데 여기에도 反佐의 의미가 들어 있다. 그러나 反佐藥은 응용 시에 반드시 두 가지 점을 주의해야 한다:하나는 항상 1味를 사용해야 한다. 다른 하나는 용량을 반드시 적게하여 방제 전체의 성질에 영향을 주어서는 안 된다. 이것은 몇몇 寒熱錯雜證을 치료하는 방제가 약물선택에 있어서 溫淸幷用 예컨대 半夏瀉心湯의 黃芩 및 黃連이 乾薑 및 半夏와 서로 配伍하는 것과는 다르다. 양자는 혼동해서는 안 된다.

그밖에 통상 말하는 反佐는 대부분 약물의 配伍가 反佐인 것을 말한다. 이밖에 복용법의 反佐와 炮製의 反佐도 있다. 전자는 熱藥을 冷服하거나 寒藥을 熱服하는 것을 말한다. 즉『素問』「五常政大論篇第七十」의 "寒藥으로 熱證을 치료하되 溫藥을 넣어 치료하거나 따뜻하게 복용하고, 熱藥으로 寒證을 치료하되 凉藥을 넣어 치료하거나 서늘하게 복용한다(治熱以寒, 溫而行之; 治寒以熱, 凉而行之)"[15]는 의미이다. 후자는 性味 혹은 作用이 相反되는 약물을 君藥과 함께 炮製하거나 炮製한 후에 단지 君藥만을 약물로 넣어 약물의 性能을 더욱 잘 발휘하게 하여 치료효과를 높이는 것을 말한다. 예를 들면 香連丸 중의 性味가 辛熱한

吳茱萸와 苦寒한 黃連을 함께 炒한 뒤에 吳茱萸는 버리고 黃連만을 약으로 사용하는 것이 그 예에 해당된다. 配伍의 反佐는 그 일상적인 것을 말하는 것이고, 복용법의 反佐와 炮製法의 反佐는 그 변화를 말하는 것이다.[16]

이상을 종합하면 佐藥은 方劑 중에서 차지하는 지위가 臣藥 다음이며 비록 이렇다 할지라도 그 함의는 넓은 편이고 작용도 다방면에 영향을 주는 것이 그 특징이다. 이것이 방제의 配伍에서 중요한 의미를 갖는 것이다.

使藥은 引經藥과 調和藥의 두 가지 의의를 갖고 있다. 그중에 引經藥은 다른 약물을 직접 病所에 도달하도록 인도하는 약물이다. 몇몇 약물은 어느 臟과 經에 강한 치료작용이 있다. 즉, 요즘의 어느 조직과 기관에 친화력이 있는 것을 말한다. 따라서 의사는 방제를 조성할 때에는 반드시 질병의 부위에 맞는 합당한 약물을 선택하여야만 치료효과를 높이는데 도움이 된다. 방제 중에 기타의 약물이 이미 臟腑와 經絡을 치료하는데에 직접 작용하는 특성이 있다면 일반적으로 다시 사용할 필요는 없다. 전통적으로 柴胡는 肝經에 들어가고 疏肝解鬱의 작용이 있다고 인식하고 있어서 肝膽病을 치료하는 방제 중에 혹은 柴胡를 君藥으로 하고 혹은 柴胡를 引經藥으로 응용한다. 보고에 의하면, 柴胡의 유효성분인 사이코사포닌(saikosaponin)은 肝 내의 단백질의 합성을 증가시켜 글리코겐(gluco gen)량을 높이고, 동시에 포도당-C4를 경유하는 脂肪肝과 콜레스테롤(cholesterol)의 형성을 증가시켜 랫드에게 콜레스테롤을 먹이고 높아진 혈장 콜레스테롤, 중성지방과 인지질(phospholipid)의 수준을 낮추고, 복강주사한 콜레스테롤의 혈중 제거율을 가속화시킨다.[17] 따라서 柴胡는 肝病을 치료하는 引經藥이 되기에 매우 일리가 있다. 桔梗의 유효성분인 플라티코딘(platycodin)은 소량 내복하면 咽部 점막과 胃 점막을 자극하고 反射性으로 호흡기 점막의 분비를 촉진시켜 기관지에 있는 痰液을 묽게하여 배출시키니, 祛痰鎭咳의 작용이 있다.[18] 이것은 한의학에서 桔梗은 宣肺祛痰이 있고 肺經으로 들어가는 등의 작용이 있다는 인식과 서로 부합되는 것이다. 따라서 桔梗은 肺部질환의 引經藥이라는 과학적인 근거를 보여준 것이다. 이상의 연구결과는 引經藥의 일부 약리학적인 기초를 초보적으로 제시한 것이다.

이른바 調和藥은 모든 약물의 작용을 조화시키는 약물을 말한다. 절대 다수의 방제 중에 특히 性味가 大寒·大熱·大辛·大苦하고 혹은 藥力이 비교적 맹렬한 약물을 사용할 때에는 종종 1味의 甘緩한 약물을 配伍하여 이들 약물을 調和시킴으로써 방제 중에 각 약물을 배합한 뒤에 생기는 불량반응을 輕減시키거나 제거한다. 甘草의 一味가 위에서 서술한 조건을 갖추고 있으므로 대부분의 방제 중에 항상 이를 使藥으로 사용하게 된다. 李杲(1180~1251, 字明之, 晩年自號東垣老人, 眞定(今河北省正定)人)는 "其性能緩急, 而又能協和諸藥, 使之不爭. 故熱藥得之緩其熱, 寒藥得之緩其寒, 寒熱相雜者用之得其平."[19](『本草綱目』卷12에서 발췌)라고 평가하였다. 그밖에 甘草에는 解毒 작용이 있어서 방제 중에 配伍하면 더욱 깊은 뜻을 갖게 된다. 실험연구에 의하면, 본 약의 작용기전은 글루쿠론산(glucuronic acid)의 해독 기능, 글리시르레틴산(glycyrrhetinic acid)의 부신겉질호르몬(adrenal cortical hormone) 유사 작용 및 글리시리진(glycyrrhizin)의 흡착작용 등을 포함하는 것으로 밝혀졌다.[18] 上海 모 제약회사는 스트렙토마이신(streptomycin)의 구조에 감초의 유효성분인 글리시리진(glycyrrhizic acid)을 넣는 연구를 하여 글리시리진산 스트렙토마이신(streptomycin glycyrrhizinate)을 제조하였다.[20] 이와 같은 스트렙토마이신은 독성이 비교적 낮아졌으며 원래 스트렙토마이신의 부작용으로 사용할 수 없는 환자의 80%에서 이 약을 사용할 수 있었다. 이는 甘草의 調和와 解毒 작용을 한걸음 더 나아가 입증한 것이다.

이로써 살펴보건데, 君臣佐使의 방제 조성 원칙은 한편으로는 방제는 반드시 君藥이 핵심이고 臣藥, 佐

藥과 使藥은 종속되어 있음을 강조한 것이다. 다른 한편으로는 君藥의 작용은 臣藥, 佐藥과 使藥의 협조와 제약을 받아야 그 치료효과가 비로소 증강되고, 毒性과 副作用은 輕減되거나 제거될 수 있음을 설명한 것이다. 그밖에 기타 약물 또한 반드시 君藥의 主導하에 더욱 잘 그 기능을 발휘하게 된다. 그런 뒤에 煎湯, 복용과 조리 등의 기타 방법을 거쳐 마지막으로 방제 전체의 작용이 나타나는 것이다. 君臣佐使의 방제 조성 원칙은 그 실질을 살펴보면 고대 동양문화에서 전체는 개체보다 높다는 것을 강조한 것이고, 상호 협력에 중점을 두었으며, 和而不同 등의 이념에서 나온 산물이다.

이상을 종합하여 보면, 방제의 조성이 君臣佐使의 네 면으로 나뉘지만 각각의 약물은 고립되어 있는 것이 아니고, 합리적으로 조합과 배열을 거쳐 그것들 사이에는 필연적인 動態의 內在連繫가 있으며 동시에 彼此가 상호영향을 끼치고 상호작용하는 종합적인 반응의 결과이다. 白虎加人蔘湯의 실험연구를 예로 들어보자. 알록산(alloxan) 유발 당뇨병 마우스에 대하여 본 탕제는 血糖降下作用이 있다. 조성 약물 중에 知母와 人蔘은 단독으로 응용해도 혈당강하작용이 있고 그 나머지 세 약물에는 혈당강하작용이 뚜렷하지 않다. 만약 知母와 人蔘을 일정한 비율로 혼합하여 동물에게 투여할 때 그 혈당강하작용은 같은 량의 人蔘과 知母를 단독으로 투여할 때보다 약해야 한다. 知母와 人蔘을 5:9로 했을 때는 혈당강하작용이 거의 소실되었고, 이 혼합물에 다시 혈당강하작용이 없는 石膏를 넣었을 때는 혈당강하작용을 회복하였다. 동시에 일정한 범위 안에서 혈당강하작용은 石膏量의 증가에 따라서 증강된다. 이 세 약물에다 다시 甘草와 粳米를 차례대로 넣으면 相加作用이 있게 된다. 이는 방제 중에 知母와 人蔘의 사이에는 길항작용이 있고, 石膏의 협조와 甘草 및 粳米의 도움을 얻으면 함께 혈당강하작용을 발휘하는 것임을 설명하는 것이며 정상동물에서는 혈당에 영향을 주지 않았다.[21] 당연히 어떤 방제는 그 전탕하는 단계의 복합적인 작용과도 관련이 있다. 白虎湯 중의 石膏는 본래 물에 잘 용해되지 않는다. 단독으로 煎湯할 경우 그 용액 중의 농도는 매우 낮다. 그러나 知母·甘草 및 粳米 등과 혼합하여 같이 煎湯하면 이들 약물 속에 함유된 糖類와 酸性物質 등이 그 용해도를 늘리고 치료효과를 높이게 된다.[22]

제기하고 싶은 것은 의사가 방제를 조성할 때에 君藥을 잘 선별하고 두드러지게 한다는 전제아래 반드시 한 약물로 쓰임을 다양하게 하고 혹은 여러 역할을 겸하게 하며, 가능한 한 방제 중의 모든 약물이 가장 경제적이고 유효하게 작용을 발휘하도록 해야 한다. 예를 들면 龍膽瀉肝湯은 肝膽實火 혹은 肝膽濕熱證을 치료한다. 방제 중에서 養血益陰의 生地黃과 當歸를 配伍한 의미는 다양하다:첫째는 肝은 血을 저장하는 臟器로 肝熱은 肝陰을 쉽게 손상시키는데, 두 약물은 여기에서 熱邪의 陰 손상을 방지한다. 둘째는 방제 중에 주된 조성약물인 龍膽草, 黃芩 및 梔子는 모두 苦燥滲利藥으로 瀉肝火와 淸濕熱을 함과 동시에 陰 손상의 폐단이 있는데, 여기에 當歸와 生地黃을 배합하면 이러한 우려는 없게 된다. 셋째는 두 약물은 肝 자체(肝體)를 補하여 肝의 작용(肝用)을 도움으로써 肝의 생리적인 요구를 순조롭게 하여 肝火(濕熱)의 淸瀉에 유리하게 된다. 기타 麻黃湯과 桂枝湯 등의 방제도 그 조성된 각 약물의 작용 또한 한 가지가 아니다. 방제 중의 각 약물의 작용을 전체적이고 충분하게 발휘하게 하고, 약물은 간단하면서 효과는 크도록 힘써 노력하는 것은 반드시 방제 조성에서 추구하는 목표 중의 하나임을 알 수 있다. 이밖에 방제 조성의 원칙인 "君臣佐使"의 네 면이 절대적인 것은 아니고 병세의 요구에 따라 유연하게 파악해야 한다. 가령 병세가 비교적 가볍고 단순하며 혹은 잠시 증상을 緩和하는데 사용하는 간단한 작은 방제는 그 君臣佐使를 모두 갖출 필요는 없다. 예를 들면 金鈴子散은 肝鬱化火로 생긴 모든 통증을 전적으로 치료한다. 방제 중의 疏肝氣와 泄肝火의 金鈴子는 君藥이 되고, 行氣活血의 延胡索은 臣藥이 된다. 두 약물은 모두 우수한 止痛작용이 있고 서로 配伍하여 공동으로 氣行·血暢·火泄 및 止痛의 작용을 거두게 된다. 또한 예를 들면 失笑散·六一

散·左金丸·丹参飮·生脈散 및 茵陳蒿湯 등의 단지 2~3味의 약물로 조성된 이치도 여기에 있다. 또한 몇몇 방제 중의 약물에서 "君臣佐使"의 主次 지위는 병세의 요구에 따라 상응한 변화가 만들어진다. 越鞠丸을 예로 들어보자. 방제 중의 香附子·川芎·蒼朮·神麯 및 梔子는 각각 氣·血·濕·食·火 및 痰의 六鬱을 목표로 설정된 것이다. 방제는 行氣解鬱의 香附子가 君藥이지만 원서에 각 약물을 等量으로 규정한 목적은 임상에서 의사가 각 鬱의 輕重의 차이에 따라 그 주된 약물을 바꿀 수 있게 하기 위해서이다.『醫宗金鑑』「刪補名醫方論」卷5에 "用香附以開氣鬱, 蒼朮以除濕鬱, 撫芎以行血鬱, 山梔以淸火鬱, 神麯消食鬱 …… 五藥相須, 共收五鬱之效. 然當問何鬱病甚, 便當以何藥爲主"[23]라고 하였는데, 그 용량도 반드시 치중한 바가 있어야 한다.

第三節 방제의 조성 변화

방제의 조성은 일정한 원칙에 따라야 하고 또한 病勢의 요구에 근거하여 약물을 선택하고, 炮製방법을 채택하며 용량을 배정하고 劑型과 用法을 확정하는 등에는 반드시 환자의 체질의 强弱, 성별의 차이, 연령의 많고 적음, 계절 및 기후의 변화, 토질과 方位의 차이를 참고하여 이를 결합하고 융통성있게 재단하고 加減하여 응용해야 한다. 이상의 요인들은 치료효과에 영향을 주기 때문에 또한 밀접하게 서로 관련된다. 이른바 이미 만들어진 방제는 있지만 이미 만들어진 병은 없다. 따라서 방제를 조성하고 약물을 선택하는데는 반드시 병의 원인, 환자의 체질, 시기와 토지 환경에 따라 적절하게 대응해야 한다. 원칙이 엄격하고 최대한 탄력적으로 통일되게 응용하여 方藥과 病證이 매우 세밀하고 조리가 있게 맞아들어가면 비로소 "그 법을 본받되 그 방에 빠지지 않는다(師其法而不泥其方)"에 이를 수 있고, 예상한 효과에 도달하게 된다.

방제의 조성변화 방식은 각 교재와 참고서의 서술이 일치하지 않는다. 高等醫藥院校에서 편찬한 교재『方劑學』에서 보면, 1964년의 2판 교재[24]는 藥味加減의 변화, 藥物配伍의 변화, 藥量加減의 변화 및 劑型更換의 변화의 4종으로 구분하였고, 1979년의 4판 교재[25]는 藥味增減의 변화, 藥量增減의 변화 및 劑型更換의 변화의 3종으로 구분하였고, 1985년의 5판 교재[26]와 1995년의 계획교재[27]는 모두 위와 같다. 1988년의 全國 中醫院校 방송통신교재[28]에서는 위의 3종 이외에도 "여러 방제를 서로 合하는 변화(數方相合的變化)"를 추가하였다. 이로써 조성변화의 형식에는 5종이 있는데, 藥味加減의 변화, 藥量加減의 변화와 劑型更換의 변화 이외에 藥物配伍의 변화와 여러 방제의 合의 변화가 있음을 알 수 있다. 그러나 변화의 실질에서 보면 마지막 두 가지 변화의 방식은 藥味加減과 藥量加減의 변화를 거쳐서 이루어진 것이다.[29]

1. 藥味加減의 변화 :藥味加減의 변화는 君藥이 변하지 않는 전제하에 방제 중의 기타 약물을 加減하여 병세변화의 요구에 적절하게 대응하는 것이다. 이러한 변화에는 어느 경우에는 약물을 넣기도 하고 약물을 빼기도하며 넣고 빼는 것을 동시에 진행하기도 한다. 藥味加減의 변화에는 일반적으로 두 가지 상황이 있다. 하나는 主證은 변하지 않고 兼證과 挾證의 차이에 따라 그 조성에 변화를 주는 것이다. 桂枝湯을 예로 들어보자. 본 방제는 外感風寒 表虛證을 치료하는데, 그 증상은 發熱頭痛, 汗出惡風, 鼻塞乾嘔, 苔薄白, 脈浮緩 등이다. 만약에 兼證으로 咳喘이 있으면 厚朴과 杏仁을 넣고(桂枝加厚朴杏子湯), 잘못하여 下法을 써서 陽이 손상되어 脈促과 胸滿이 있으면 芍藥을 빼고(桂枝去芍藥湯), 환자의 衛陽이 부족하여 微惡寒의 한 증상이 나타나면 위의 방제에 附子를 더 넣는다(桂枝去芍藥加附子湯). 이런 류의 변화는 임상에서 흔히 보이는 것으로 證에 따라 넣고 빼는 '隨證加減'이라고 한다. 다른 하나는 방제조성의 增減을 거쳐 주요 약물의 配伍관계를 바꾸어 그 작용과 적응증을 서로

완전히 다르게 하는 것이다. 麻黃湯을 예로 들어보자. 본 방제는 惡寒發熱, 頭身疼痛, 無汗而喘, 苔薄白, 脈浮緊 등 外感風寒 表實證에 적합하고 發汗解表와 宣肺平喘의 작용이 있다. 후세에 桂枝를 빼고 麻黃·杏仁 및 甘草의 3味를 남겨 三拗湯이라고 이름짓고 解表藥力은 줄이고 宣肺散寒과 止咳平喘의 작용을 전적으로 하게 하여 風寒犯肺의 鼻塞聲重, 語音不出 및 咳嗽胸悶을 치료하는 기초 방제가 되었다. 또한, 麻黃加朮湯은 麻黃湯의 원 방제에 蒼朮을 넣은 것으로 蒼朮의 용량을 많이 하여 發汗解表 및 散寒祛濕의 방제가 되었고, 風寒濕痺로 생긴 身體煩疼과 無汗 등에 적용하였다.

위에서 서술한 桂枝湯과 麻黃湯 중의 일부 약물을 더 넣거나 줄여서 만들어진 桂枝加厚朴杏子湯, 桂枝去芍藥加附子湯, 三拗湯 및 麻黃加朮湯 등은 그 성질은 桂枝湯 및 麻黃湯과 서로 같지만 모두 辛溫解表劑의 범주에 해당한다. 따라서 이와 같은 加減은 量의 변화에 해당된다. 麻黃湯과 麻黃杏仁甘草石膏湯을 연계하여 분석하면 두 방제는 모두 麻黃·杏仁 및 甘草의 3味로 되어 있고, 단 전자는 麻黃과 性味가 辛溫한 桂枝와 서로 配伍되어 發汗解表가 主가 되고, 후자는 麻黃과 性味가 辛甘大寒한 石膏와 서로 配伍되었고 동시에 石膏의 量은 麻黃의 倍로 淸肺平喘이 主가 된다. 그러므로 하나는 辛溫解表劑에 해당되고, 다른 하나는 辛涼解表劑에 해당된다. 양자의 성질은 寒(涼)과 溫으로 구별되고 이와 같은 加減은 質의 변화에 해당된다.

이밖에 방제의 藥味加減의 변화는 의사가 아무 생각없이 자기의 뜻대로 하는 것이 아니고 원 방제의 취지를 철저하게 이해하고 항상 사용하는 藥性을 숙지한 기초 위에서 다시 실제 임상과 결합하면 바야흐로 常을 알고 變에 대응할 수 있게 된다. 淸代 魏桂岩은 小兒痘瘡을 치료함에 있어서 陽虛로 頂陷하고 血虛로 漿淸하고 皮薄發痒하고 化膿하기도 어렵고 상처가 아물기도 어려운 때를 발견했는데, 四君子湯에 黃芪와 紫草를 넣어 痘瘡을 충분히 發疹하여 풀어지게 하였지만, 매우 發疹하여 化膿될 수 없어서 말라 비틀어져 죽음에 이르는 자도 있었다. 그 요인을 깊이 따져보면 白朮의 燥濕과 茯苓의 滲濕은 氣血不足의 체질에는 불리하다는 것을 알게 되고, 이 두 약물을 빼면 바로 효과가 나고, 또한 그 藥性이 지나치게 완만하고 發疹이 빠르지 않을 것을 우려하면 바로 肉桂를 넣어 돕게 함으로서 치료효과가 더욱 현저하고 드디어 발전변화하여 保元湯이 되는 것이다. 시대가 발전함에 따라 오늘날의 辨病을 참조하여 加減을 진행하는 것도 그 예가 적지 않다. 예를 들어 보자. 陽明腑實證을 치료하는 대표 방제는 大承氣湯인데, 급성 장폐색에서 腹脹이 심한 경우에는 萊菔子를 넣어 枳實과 厚朴의 消除脹滿의 藥力을 강화시키고, 桃仁과 赤芍藥을 늘려 活血祛瘀에 潤腸을 兼하여 局部瘀血로 인하여 생긴 조직괴사를 방지한다. 이름하여 複方大承氣湯이다. 일부 위급한 痼疾病 혹은 病勢가 복잡한 경우에는 병증에 따라 合方하는데, 이는 藥味加減의 또 하나의 형식이다. 예를 들어보자. 熱毒이 가득차서 생긴 氣血兩燔證을 치료하는 淸瘟敗毒飮은 白虎湯, 黃連解毒湯과 犀角地黃湯의 세 방제를 재단하고 合方하여 만들어진 것이다. 요즘의 焦樹德(1922~)은 三合湯(良附丸·百合湯·丹參飮)과 四合湯(三合湯에 다시 失笑散을 넣음)을 자주 사용하여 난치의 胃脘痛을 치료하였고, 40여 년간의 임상에서 입증하였듯이 이 방제들은 확실히 우수한 효과가 있다.[30] 싱가포르 학자가 제시한 "包圍式處方"은 바로 몇 개의 고정된 방제 (대부분 추출한 中成藥 조제약임)를 환자에게 복용시켰다. 傷風感冒가 여러 날이 되어 頭痛發熱, 欲嘔口渴, 尿黃便秘, 燥咳不爽, 咽痛, 舌苔乾燥, 脈浮大而數이 나타난 환자에게 銀翹散·藿香正氣散 및 調胃承氣湯의 세 방제를 합방하여 투여하니[31] 그 효과가 매우 좋았다.

그밖에 방제 조성약물의 加減은 역시 因時制宜의 원칙을 구체화한 것이다. 李杲는 "봄철에 병에 걸리면 방제 중에 淸涼藥을 넣고, 여름철에는 大寒藥을 넣고, 가을철에는 溫氣藥을 넣고, 겨울철에는 大熱藥을 넣을 것(春天患病可於方中加淸涼藥, 夏天加大寒藥, 秋天加溫氣藥, 冬天加大熱藥.)"을 제시하였다. 『素問病機氣宜保命集』卷中의 愈風湯은 바로 이와 같았는데, "봄이 오기 전, 대한 후에 복용할 때는 반드시 반하, 시호와 인삼을 넣고, 초여름에 복용할 때는 반드시 석고, 황금과 지모를 넣고, 늦은 여름에 복용할 때는 방기, 백출과 복령을 넣으며, 초가을, 대서 후에 복용할 때는 후박, 곽향과 계지를 넣고, 상강 후 겨울이 오기 전에는 반드시 부자, 육계와 당귀를 넣는다(望春大寒後服用, 宜加半夏·柴胡·人蔘; 初夏之月服用, 宜加石膏·黃芩·知母; 季夏之月服用, 可加防己·白朮·茯苓; 初秋大暑後服之, 則加厚朴·藿香·桂枝; 霜降之後望冬用之, 宜加附子·肉桂·當歸.)"[32]라고 하였다.

2. 藥量加減의 변화:藥量加減의 변화는 방제 중의 조성약물은 변화지 않고 단지 그 약물의 용량을 加減한 것이다. 약물 마다 용량의 輕重은 그 藥力의 大小 및 작용의 强弱과 밀접한 관계가 있다. 따라서 藥量의 加減은 종종 방제 중의 조성약물의 主次 지위, 配伍관계, 작용과 적응증을 변화시킬 수 있다. 錢乙(1032~1113, 字仲陽, 東平鄆州(今山東東平縣)人)이 만든 六味地黃丸은 원래 "腎怯失音, 囟開不合, 神不足, 目中白睛多, 面色㿠白" 등 小兒의 先天不足證을 치료하는 데 사용하였으나 후세의 의학자들이 임상 각과의 腎陰虛證으로 확대하여 사용하였다. 방제 중의 熟地黃의 용량만이 많은데, 본 방제의 滋補腎陰의 立方취지를 구체화한 것이다. 의사가 구체적으로 응용 시에는 반드시 환자가 임상에서 어디에 치중되어 있는지의 차이에 따라 방제 중의 약물의 용량을 조정해야 한다. 汪昂(1615~1694, 字訒庵, 初名恒, 安徽休宁縣城西門人)은 일찍이 "血虛陰衰, 熟地爲君; 精滑頭昏, 山茱爲君; 小便或多或少, 或赤或白, 茯苓爲君; 小便淋漓, 澤瀉爲君; 心虛火盛及有瘀血, 丹皮爲君; 脾胃虛弱, 皮膚乾澁, 山藥爲君. 言爲君者, 其分用八兩, 地黃只用臣分量."[33](『醫方集解』「補養之劑」)라고 지적하였다. 四物湯이 "血家百病之通劑"가 된 까닭은 곧 血虛는 능히 補하고 血瘀는 능히 行하기 때문이다. 핵심은 방제 중 약물 용량의 배분에 있다. 前者는 補血滋陰의 熟地黃을 重用하고, 後者는 行氣活血의 川芎을 重用하며, 血虛와 血瘀를 겸한 자는 補血活血의 當歸를 반드시 重用해야 한다. 해당 방제의 君藥 역시 상응하는 변화가 발생하게 된다. 어떤 방제는 藥量의 加減과 동시에 그 方劑名도 달라진다. 예를 들어 四逆湯과 通脈四逆湯의 두 방제는 모두 附子·乾薑 및 炙甘草의 세 가지 약물로 조성되어 있지만, 뒤의 방제의 乾薑과 附子의 용량이 앞의 방제보다 더 많아서 그 藥力 역시 상응하게 증가한다. 그중에 四逆湯의 작용은 回陽救逆하고 陽衰陰盛으로 생긴 四肢厥逆, 惡寒蜷臥, 腹痛下利 및 脈微細 등에 사용하고, 通脈四逆湯은 外에 陰盛格陽하여 생긴 四肢厥逆, 身反不惡寒 및 下利淸穀 등의 증상이 더욱 심한 자에 대하여 回陽通脈의 작용을 갖고 있다(表 1). 또한 大黃·枳實 및 厚朴으로 조성된 小承氣湯과 厚朴三物湯에서, 前者는 大黃이 4兩으로 君藥이 되고, 枳實 3枚와 厚朴 2兩은 臣藥과 佐藥이 되

表 1. 四逆湯과 通脈四逆湯의 감별

方名	조성약물			作用	病機	적응증
	君	臣	佐使			
	生附子	乾薑	炙甘草			
四逆湯	一枚	一兩 五錢	二兩	回陽救逆	陽衰陰盛	四肢厥逆, 惡寒蜷臥, 腹痛下利淸穀, 脈微沈細
通脈四逆湯	一枚 (大者)	三兩	二兩	回陽通脈	陰盛格陽	四肢厥逆, 身反不惡寒, 其人面色赤, 下利淸穀, 脈微欲絕

며, 瀉熱通便에 중점이 있어 大便秘結, 潮熱譫語, 脘腹痞滿, 苔黃 및 脈數 등 熱結 陽明腑實이 위주인 자를 잘 치료한다. 後者는 厚朴의 용량을 8兩까지 증가시켜 小承氣湯의 4倍가 되어 君藥이 되고, 臣藥은 枳實 5枚로 上方에 비하여 2枚를 더 넣었으며, 大黃의 용량은 변화를 주지 않고 佐·使藥이 되었으며, 그 작용은 行氣通便하여 脘腹滿痛不減, 大便秘結 등 氣滯便秘證에 사용한다(表 2).

위에 예를 든 것에서, 四逆湯과 通脈四逆湯의 藥量에 비록 輕重의 차이가 있고 작용에 大小의 구분이 있지만, 君臣佐使의 配伍 관계는 여전히 변하지 않았고, 적응증이 비록 구별되지만 病勢의 輕重만 다른 것이므로 이러한 변화는 용량 변화의 범위에 해당된다. 그런데 小承氣湯과 厚朴三物湯은 藥量의 변화가 配伍 관계에 변화를 일으킴으로써 두 방제의 作用, 病機 및 적응증 또한 매우 크게 구별되기에 質의 변화에 해당된다는 것을 설명해 준다.

임상 실제에서 어떤 방제를 응용하여 병을 치료할 때 藥量加減이 마땅한지의 여부가 항상 효과를 거두는 핵심임을 증명하고 있다. 劉渡舟가 실습을 할 때, 한 학생이 환자에게 "旋覆代赭湯"을 처방하여 주었지만 복용 후 효과를 보지 못하고 여전히 心下痞悶 및 呃逆不止하였다. 재진 시에 前方의 生薑 3 g을 15 g으로 늘리고, 代赭石 30 g을 6 g으로 줄였으며, 나머지는 加減하지 않았다. 生薑의 용량을 늘린 것은 水氣의 痞를 흩어주기 위한 것이고, 代赭石의 용량을 줄인 것은 中焦에서 逆上하는 것을 진정시키고 下焦로 치우지지 않게 한 것이다. 따라서 복용한 후에 곧 효과를 보았다.[34] 이 또한 仲景의 방제작성의 정신에 부합하는 것이다. 또한 어떤 보고에 의하면, 重劑의 小靑龍湯, 즉 蜜炙麻黃 15 g, 桂枝 9 g, 五味子 9 g, 乾薑 9~15 g, 製半夏 30 g, 白芍藥 30 g, 細辛 6~9 g, 甘草 9~15 g을 사용하여 頑固性 哮喘 24례를 치료하였다. 이들 환자는 이미 아미노필린(aminophylline)과 부신피질호르몬을 사용해도 효과가 없었지만, 本 方劑를 복용한 후에 그중 20례는 1첩으로 平喘하였고, 나머지 4례는 6~10

表 2. 小承氣湯과 厚朴三物湯의 감별

方名	조성약물			作用	病機	적응증
	君	臣	佐使			
小承氣湯	大黃	枳實	厚朴	瀉熱通便	陽明腑實	大便秘結, 潮熱譫語, 脘腹痞滿
	四兩	三枚	二兩			
厚朴三物湯	厚朴	枳實	大黃	行氣通便	氣滯便秘	脘腹滿痛不減, 大便秘結
	八兩	五枚	四兩			

注: 위 방제의 용량은 漢代 原書의 용량이다.

表 3. 抵當湯과 抵當丸의 감별

方名	조성약물				作用	病機	적응증
	水蛭	虻蟲	大黃	桃仁			
抵當湯	三十條	三十條	三兩	二十個	破血祛瘀	下焦蓄血	身熱, 少腹硬滿, 小便自利, 發狂或如狂
抵當丸	二十條	二十條	三兩	二十五個			身熱, 少腹滿, 小便自利

첩으로 역시 효과를 보았다.[35] 方劑의 藥量加減의 변화가 그 작용과 적응증에 대한 영향이 뚜렷하고 쉽게 나타난다는 것을 알 수 있다.

3. 劑型變更의 변화:동일한 방제로 조성 약물과 용량이 서로 같은데, 조제된 劑型이 다르기 때문에 그 작용과 적응증 또한 구별된다. 예를 들면 脾胃虛寒證을 치료하는 理中丸은 약물로 乾薑·人蔘·白朮 및 炙甘草를 各等分하고 煉蜜하여 丸劑로 만드는데, 만약 湯劑로 바꾸어 內服하면 작용이 빠르면서 藥力은 세어진다. 반면에 病勢가 비교적 가볍고 혹은 완만한 경우에, 급하게 효과를 구할 필요가 없으면 대부분 湯劑를 丸劑로 바꾸는데, 丸劑의 작용이 완만하면서 藥力이 완만한 것을 취한 것이고 또한 보관 및 휴대가 편리하다. 예를 들면 抵當湯과 抵當丸의 경우에, 두 방제의 작용이 기본적으로 서로 같아서 모두 活血祛瘀하여 下焦蓄血證을 치료한다. 그중 湯劑는 身熱, 發狂或如狂, 少腹硬滿 및 小便自利의 證이 심한 자를 치료하고, 丸劑는 身熱, 少腹滿 및 小便自利의 輕證에 사용한다(表 3). 임상적으로 흔히 湯劑를 丸劑·散劑 및 膏劑로 바꾸고, 혹은 丸劑와 散劑의 方藥을 湯劑로 바꾸는 것은 緩急의 다른 뜻을 취한 것으로, 服用의 편리함이나 病勢의 요구 등을 함께 고려해야 한다.

최근 몇 년 동안, 方劑 劑型의 발전과 개혁에 따라 전통적인 丸劑·散劑·膏劑·丹劑·湯劑 외에도 注射劑·噴霧劑·錠劑 등 많은 새로운 製劑가 증가되었으며, 이러한 劑型의 제조 공정과 사용 경로가 다르기 때문에 동일한 방제라도 劑型의 변화로 생기는 차이는 매우 크다. 실험에 따르면 淸熱解毒藥의 정맥주사가 筋肉주사와 비교했을 때 8倍 증가하고, 내복과 비교했을 때는 그 작용이 20배 이상 증가한다는 것이 입증되었다.[36] 또한 黃連解毒湯과 茵陳蒿湯을 합하여 만든 茵梔黃注射液은 原方 중에 있는 黃連과 黃柏의 유효성분은 주로 베르베린 염산염(berberine hydrochloride)이고, 黃芩의 주요 성분은 바이칼린(baicalin)인데, 베르베린 염산염과 바이칼린은 침전 반응을 일으키고, 大黃 중에 있는 탄닌(tannin)도 베르베린 염산염과 침전을 발생시

表 4. 麻黃湯과 麻杏石甘湯의 감별

方名	조성약물				作用	病機	적응증
	君	臣	佐	使			
麻黃湯	麻黃三兩	桂枝	杏仁	炙甘草	發散風寒 宣肺平喘	外感風寒 表實證	惡寒發熱, 頭痛身疼, 無汗而喘, 脈浮緊
		二兩	七十個	一兩			
麻杏石甘湯	麻黃四兩	杏仁	炙甘草二兩		辛 解表 淸肺平喘	外感風邪, 肺熱壅閉證	身熱不解, 汗出而喘, 脈浮滑而數
	石膏半斤	五十個					

表 5. 枳朮湯과 枳朮丸의 감별

方名	조성약물		作用	病機	적응증
	君	佐			
枳朮湯	枳實七枚	白朮二兩	行氣消痞	氣滯水停	心下堅, 大如盤, 邊如旋盤
枳朮丸	白朮二兩	枳實一兩	健脾消	脾虛氣滯食積	胸脘 滿, 不思 食

켜서 藥效에 영향을 미치기 때문에, 이후에는 방제 중에 黃連과 黃柏을 빼고 黃芩은 추출물 바이칼린으로 바꾸어서, 조성 약물을 茵陳蒿·梔子·大黃 및 바이칼린으로 하여 치료 효과를 높였다.[37] 다만 전통적인 黃連解毒湯劑는 그중에 黃連·黃柏과 黃芩·梔子 등을 함께 煎湯한 후에 沈澱된 懸濁液과 藥液을 함께 복용하고 胃腸管의 吸收와 還原을 거친 후에 작용을 발휘하기 때문에 藥效는 영향을 받지 않았다.

이상 세 종류의 변화 방식은 분별해서 응용할 수도 있고 결합해서 운용할 수도 있다. 특히 앞의 두 종류의 변화 방식은 항상 통합해서 사용하고, 임상에서는 항상 藥味加減의 변화와 동시에 藥量 또한 변화시킨다. 예를 들면 麻黃湯을 麻黃杏仁甘草石膏湯으로 바뀔 때에는 조성 약물인 桂枝와 石膏의 藥味를 변화시킬 뿐만 아니라, 藥量에도 변동이 있게 된다(表 4). 혹은 劑型의 변경을 수반하면서 용량 또한 조정하게 된다. 예를 들면 張元素는『金匱要略』의 枳朮湯을 枳朮丸으로 만들고 동시에 또한 방제 중 두 가지 약물의 용량 비율을 맞바꾸었다(表 5).

위에서 서술한 것들을 종합하면, 方劑의 조성은 엄격한 원칙성도 있어야 하고, 지극히 융통성도 있어야 하며, 단지 방제의 配伍 이론과 配伍 방법을 파악하고 있어야만 비로서 임상 실제에서 약물을 선별하여 방제를 조합하고 그 운용을 자유자재로 할 수 있음을 알 수 있다.

【參考文獻】

1) 徐靈胎 著.『醫學源流論』. 劉洋 主編.『徐靈胎醫學全書』. 第1版 第2次印刷. 北京:中國中醫藥出版社, 2001:129.

2) 謝鳴 主編.『方劑學』. 第1版 第1次印刷. 北京:人民衛生出版社, 2002:20-22.

3) 郭靄春 編著.『黃帝內經素問校注語譯』. 第1版. 第1次印刷. 天津:天津科學技術出版社, 1980:496, 499.

4) 李杲 撰; 高文鑄 點校.『脾胃論』.『金元四大家醫學全書』(上). 大津科學技術出版社, 569.

5) 王好古 撰.『湯液本草』卷上「用藥各定分兩」. 盛增秀 主編.『王好古醫學全書』. 第1版 第2次印刷. 北京:中國中醫藥出版社, 2005:15.

6) 丹波元堅 編著.『藥治通義』. 丹波元堅､丹波元簡 編著.『聿修堂醫書選 傷寒廣要､藥治通義､救急選方､脈學輯要､醫賸』. 第1版 第1次印刷. 北京:人民衛生出版社, 1983:162에서 재인용.

7) 吳儀洛 輯.『成方切用』. 第1版 第2次印刷. 北京:科學技術文獻出版社, 1997:8.

8) 徐長化, 俞良棟. 定喘湯中白果用量的實驗研究. 浙江中醫雜志. 1989;24(3):123-124.

9) 李世忠, 張廣生, 劉秀琳. 烏梅丸對人體膽囊的作用. 中成藥研究. 1983;(9):19-20.

10) 國家中醫藥管理局中華本草編委會.『中華本草』. 上海:上海科學技術出版社, 1988:361.

11) 顧維彰, 白音夫, 李增烯 张玉平, 田力, 田鳳居, 楊玉梅, 石山. 不同煎法對大承氣湯中大黃蒽醌類溶出量及藥理作用的影響. 中草藥. 1985;16(1):8-11.

12) 吳煥. 略談中草藥的療效問題. 中草藥通訊. 1978;(1):2-9.

13) 張銀娣, 吳潤宇, 劉天培. 附子毒性的研究. 藥學學報. 1966;13(5):350-352.

14) 吳謙等編.『醫宗金鑑』「訂正仲景全書(傷寒論注·金匱要略注)」(第一分冊). 第2版 第5次印刷. 北京:人民衛生出版社, 1979:226.

15) 王冰 撰.『黃帝內經素問』. 第1版. 第6次印刷. 北京:人民衛生出版社, 1994:454.

16) 李德洽. 反佐反治不能等同. 中醫雜志. 1986;27(2):66-67.

17) 張小明. 三岛柴胡分离的柴胡皂甙的抗炎作用和代谢作用. 中草藥通訊. 1976:(8):47-49.

18) 江蘇新醫學院.『中藥大辭典』. 上海:上海人民出版社, 1977:1776.

19) 李時珍 著.『本草綱目』「草部第十二卷」「草之一」「甘草」. 柳長華 主編.『李時珍醫學全書』. 第1版 第2次印刷. 北京:中國中醫藥出版社, 2003:418.

20) 上海中醫學院耳聾研究組. 甘草酸鏈黴素對前庭功能的影響及其它藥理作用. 中華醫學雜志. 1974;(9):216-218.

21) 木村正康. 第1回和漢藥討論會記錄. 1967:7-9

22) 董靜娴. 從現代藥理研究看方劑組成的科學性. 山東中醫學院學報. 1980;(1):17–19.
23) 吳謙等編. 『醫宗金鑑』「刪補名醫方論」(第二分冊). 第2版 第5次印刷. 北京:人民衛生出版社. 1980:82.
24) 南京中醫學院. 『中醫方劑學講義』. 上海:上海科學技術出版社. 1964:6.
25) 廣東中醫學院. 『方劑學』. 上海:上海科學技術出版社. 1979:6.
26) 許濟群. 『方劑學』. 上海:上海科學技術出版社. 1985:7.
27) 段富津. 『方劑學』. 上海:上海科學技術出版社. 1995:9.
28) 傅瑞卿. 『中醫方劑學』. 長沙:湖南科學技術出版社. 1986:12.
29) 李飛. 『方劑學』. 上海:上海科學技術出版社. 1989:10.
30) 焦樹德. "三合汤""四合汤"治疗胃脘痛. 中醫雜志. 1989:(5):16–17.
31) 高賢鈞. 包圍式處方. 中醫藥信息報. 1989. 8月12日3版.
32) 劉完素 著. 『素問病機氣宜保命集』「卷中」「中風論第十」「愈風湯」. 宋乃光 主編. 『劉完素醫學全書』. 第1版 第2次印刷. 北京:中國中醫藥出版社. 2003:132.
33) 汪昂 著. 『醫方集解』「一卷 補養之劑」「六味地黃丸」. 項長生 主編. 『劉完素醫學全書』. 第1版 第1次印刷. 北京:中國中醫藥出版社. 1999:107.
34) 王琦. 『經方應用』. 銀川:寧夏人民出版社. 1981:200.
35) 王華明. 重劑小靑龍湯治療支氣管哮喘24例. 中成藥研究. 1983:(12):21–22.
36) 王華明. 中成藥劑型改進對中醫急重症研究的重要意義. 中成藥研究. 1983:(3):46–47.
37) 湖南醫學院第二附屬醫院藥劑科. 對茵梔黃注射劑處方分析及改進. 中草藥通訊. 1977:(4):24–26.

第五章

方劑의 劑型

劑型은 질병의 상황이 요구하는 것과 약물의 성질 및 약물투여경로에 근거하여 原料가 되는 藥物을 가공하여 적합한 형식으로 만듦으로써, 방제가 가장 좋은 치료 효과를 발휘하도록 하면서 峻烈한 성질과 毒性은 감소시켜 임상에서 사용하거나 저장·수송에 편리하도록 하는 것이다. '劑型'과 '처방구성'은 방제의 두 가지 중요한 측면인데, 방제의 有效性과 安全性 및 安定性을 공동으로 결정한다. 이것으로 劑型이 치료 효과에 미치는 영향은 무시할 수 없으며, 때로는 심지어 藥效의 발휘에 주도적인 역할을 한다는 것을 알 수 있다. 그러므로 어떻게 방제 劑型의 특색을 유지하고 발휘할 것인지, 어떻게 劑型의 개선과 方劑의 치료 효과의 제고를 유기적으로 결합시킬 것인지는 방제학연구에서 중요시해야 할 과제이다.

1. 방제劑型의 역사는 오래되었다.

방제는 한약재로 구성되어 있는 반면, 劑型은 약물을 사용하는 최종 형식이다. 방제의 劑型은 역사가 아득히 멀고 오래되었으니, 약물의 출현과 동시에 劑型도 함께 존재하고 발전했다고 설명할 수 있다. 우리 조상들은 질병과의 싸움에서 우연히 어떤 종류의 음식을 먹으면 어떤 질병을 치료할 수 있다는 것을 알게 되면서 약물이 생겨났다. 이후에 간단한 가공 방법, 예를 들어 즙을 내거나 또는 바수어 복용하는 것을 통하여 치료 작용을 달성하거나 강화시킬 수 있었으며, 또한 서로 전하여 배워 익히거나 확대 사용하여 간단한 치료에 도달할 수 있게 되었는데, 이것을 방제 사용의 가장 이른 단계라고 볼 수 있다.

불의 사용은 삶을 개선하고 건강 수준을 향상시킨 커다란 표지(標識)라고 할 수 있으니, 『韓非子』「五蠹」에 실려 있는 것에 근거하면 "上古之世 …… 民食果蓏蛤, 腥臊惡臭, 而傷害腸胃, 民多疾病. 有聖人作鑽燧取火, 以化腥臊, 而民說(悅)之."라고 하였다. 생산력이 발전함에 따라 陶器를 굽는 것은 湯劑의 발생을 위한 조건을 제공하였으니, 사람들은 몇 가지 약물에 대한 인식 및 익혀먹는 것에 대한 좋은 점을 이해하면서 이후에 간단한 煎藥 방법인 湯劑를 발전시켰다. 『漢書』「藝文志」「方技略」에는 "曾有『湯液經法』32卷"이라고 기록되어 있는데, 이 책은 비록 이미 散失되었지만 전설에 의하면 殷商시대의 伊尹이 저작한 것으로 알려져 있어 湯劑의 기원이 아주 오래된 것임을 설명하는 것이다.

사회가 발전함에 따라 우리의 조상들은 술 빚는 법(釀酒)을 발명하였는데, 기원전 22세기의 龍山 문화 유적에서 출토된 많은 樽·小壺 등은 전문적으로 釀酒와 飮酒에 사용되던 陶器이니, 이것이 이러한 점을 설명해준다. 고증에 의하면 中國의 술은 구석기시대에 기원하여 신석기시대에 발전하였으며 노예제사회시기에 광범위하게 사용되었다.[1] 酒劑가 醫藥 서적에 실리기 시작한 것은 현재의 자료로 볼 때 1973년 馬王堆三號 漢墓에서 출토된 『五十二病方』으로 추정할 수 있다. 책에 나오는 酒劑와 관련된 내용의 기록은 酒煮와 酒漬 두 가지 방법을 제시하였는데, 예를 들면 "取杞本長尺, 大如指, 削, 舂木皿中, 煮以酒."라고 하였고, 또한 "取茹盧本, ㅁ之, 以酒漬之, 後(等候)日一夜, 而以塗之."라고 한 것과 같으니, 酒劑 또한 기원이 비교적 빠른 전통 劑型이라는 것을 볼 수 있다. 洗劑에 관해서는 春秋戰國시대의 『山海經』에 이미 기록되어 있는데, 郝懿行의 『山海經箋疏』에 기술된 것에 근거하면 "黃雚, 浴之已疥."라고 하였고, 『五十二病方』중에도 또한 洗滌·洗浴法의 소개가 있으니 "煮桃葉, 三氵乃, 以爲湯, 之溫內(到溫室內)飮熱酒 ……, 即入湯中."이라고 한 것과 같다. 이 밖에도 이 책에 실린 劑型에는 餠·曲·油·藥漿·丸·灰·膏·丹·灸·熏·膠 등이 있다. 이러한 劑型의 제작 방법으로 보면 조작이 상당히 개선되어 있고 방법 또한 비교적 풍부하였는데, 灰劑(散劑와 유사함)와 같은 기록은 "燔狸皮, 冶(研)灰, 入酒中飮之."라고 하였고, 藥漿과 관련된 기록은 "爲藥漿方, 取屈莖乾, 冶二升, 取, 署蓏汁二斗以漬之, 以爲漿, 飮之."라고 하였다. 제작된 丸劑에는 油脂丸·酒丸·醋丸이 있었는데, 예를 들면 "冶䕷蕪本·防風·烏喙·桂皆等漬以醇酒而丸之, 大如黑叔(菽)而呑之. 始食之, 不知, 益之."라고 하였다. 膏劑의 제조 방법에는 두 가지가 있는데, 하나는 응고된 油脂와 藥物의 粉末을 혼합하는 것이니 "以水銀傅, 又以金鋊冶末皆等, 以彘膏膳而傅之."라고 한 것과 같고, 다른 하나는 油脂와 藥物을 함께 끓이는 것으로 "冶黃芩·甘草相半, 即以屍彘膏帳(適當)足, 以煎之……"라고 한 것과 같은데, 이 두 가지 방법은 지금도 軟膏劑를 만들 때 사용되고 있다. 丹劑의 제작은 더 독창적인 면이 있는데, 예를 들면 "以水銀二, 男子惡四, 丹一, 並和置突上二三日, 成即ㅁㅁㅁ囊而傅之."라고 하였으니, 이러한 丹劑은 煉丹爐의 '升華'가 필요하지 않고 煙筒의 微熱을 이용하여 가공하는 것이니 '養法'으로 만드는 것이다. 『周禮』「天官」에 이미 기록되어 있기를 "瘍醫療瘍, 以五毒攻之."라고 하였고, 鄭康成이 注釋하여 말하기를 "今醫方有五毒之藥, 作之, 合黃渣, 置石膽·丹砂·雄黃·礜石·磁石其中, 燒之三日三夜, 其煙上者, 雞羽掃取用以注瘡, 惡肉破骨則盡出也."이라고 하였으니, 丹藥이 中國에서도 오래된 역사를 가지고 있음을 설명하는 것이다. 膠劑로 帛書 중에 기록된 방제가 비교적 많다는 것은 膠劑가 당시에 비교적 보편적으로 사용되었음을 설명하는 것으로, "以水一斗, 煮膠一參(1/3斗)·米一升, 熟而啜之."라고 한 것과 같다. 灸法의 기록으로, 하나는 쑥으로 '枲垢'(粗麻)를 씌운 灸法이고, 다른 하나는 蒲繩에 불을 붙이는 것과 같은 것으로 근대의 艾卷灸와 유사하고, 또 다른 한 종류는 芥子를 찧어서 頭頂部에 붙이는 것으로 局部를 紅赤發泡하게 만드는 치료 방법이니, 곧 후세에서 말하는 '冷灸' 혹은 '天灸'법이다.

『黃帝內經』은 中國 최초의 의학 서적으로 책에 실려 있는 방제는 겨우 13개밖에 되지 않지만, 이미 湯·丸·散·膏·酒醴 등의 劑型 명칭이 있었으니, 예를 들면 半夏秫米湯·雞矢醴 등이다. 이때에 이르러 이미 藥物과 劑型의 결합이 일어나면서 方劑의 명칭에 사용하였으니 이로써 方名과 劑型의 명칭이 생겼으며, 『五十二病方』 중의 방제에 方名과 劑型의 명칭이 없는 것과 비교했을 때 크게 진전된 것으로 방제 劑型의 발전에 있어 앞의 것을 이어받아 새로운 것을 창조해 나가는 역할을 하였다.

『神農本草經』은 中國 최초의 本草學 전문 서적이며, 그것은 西漢 이전의 병을 치료하는 데 사용한 약물의 성과를 총결하고 있다. 책에서 藥性과 劑型의 관계에 대해 "藥性有宜丸者, 宜散者, 宜水煎煮, 宜酒漬者, 宜膏煎者, 亦有一物兼宜者, 亦有不可入湯酒者, 並隨藥性, 不可違越."이라고 하였으니, 방제를 구체적으로 운용할 때 약물의 특성에 근거하여 정확하게 劑型을 선택하는 것의 중요성을 천명한 것이다.

東漢 말년에 張仲景이 지은『傷寒雜病論』은 劑型 방면에 있어서도 또한 매우 큰 성취가 있었으니, 책에는 湯·丸·散·軟膏·栓劑·糖漿 및 臟器製劑 등 10여 종이 실려 있는데, 예를 들면 湯劑(桂枝湯)·散劑(文蛤散)·丸劑(理中丸)·肛門栓劑(蜜煎導方)·灌腸劑(豬膽汁方)·酒劑(紅藍花酒)·飲劑(蘆根汁飲)·煎膏劑(大烏頭煎)·醋劑(黃芪芍藥桂枝苦酒湯)·熏煙劑(雄黃熏法)·滴耳劑(搗薤汁灌耳方)·滴鼻劑(救卒死方)·吹鼻散劑(皂莢吹鼻方)·外用散劑(頭風摩散)·舌下散劑(桂屑著舌下方)·軟膏劑(小兒의 疳蟲蝕齒方)·陰道栓劑(蛇床子散으로 陰中을 따뜻하게 하는 坐藥方) 등이 있다.

張仲景은 劑型 이론에 대한 것도 또한 논술한 것이 있는데, 예를 들어『金匱玉函經』卷1에서 지적하기를 "若欲治疾, 當先以湯洗滌五臟六腑, 開通經脈, 理導陰陽, 破散邪氣, 潤澤枯槁, 悅人皮膚, 益人氣血. 水能淨萬物, 故用湯也. 若四肢病久, 風冷發動, 次當用散. 散能逐邪風濕痹, 表裏移走, 居處無常處者, 散當平之."라고 하였고, "丸能逐沈冷, 破積聚, 消諸堅癥, 進飲食, 調榮衛."라고 하였으니, 張仲景은 비교적 체계적으로 漢代 이전의 方劑 劑型의 성취를 총결하였으니, 方劑 劑型의 발전을 추진하는 데 중요한 공헌을 한 것으로 볼 수 있다.

魏伯陽이 지은『周易參同契』는 하나의 煉丹術 전문 서적인데, 세계에서 공인된 煉丹術과 化學藥物 발전의 전신으로 製藥化學의 祖上이니, 丹劑의 사용과 발전을 추진하는 데 비교적 큰 역할을 하였다.

晉代의 의학자인 葛洪은 道教 煉丹術에 있어서 선인들의 뒤를 이어받아 계속 발전시킨 중요한 인물로『抱朴子內篇』을 저술하여 丹劑를 전문적으로 논하면서 비교적 집중적으로 金銀 및 丹藥의 製煉에 대해 토론하였다. 책에는 丹砂로부터 水銀을 추출하는 많은 방법이 기록되어 있는데, 그는 晩年에 廣東 羅浮山에 은거하여 煉丹術을 익히면서 化學製藥을 추진하는 데 일정한 역할을 하였다. 葛洪의 다른 저작에는『肘後備急方』[2]이 있는데, 책에 기록된 劑型의 종류는 상당히 많은데, 초보적인 통계에 따르면 湯劑 외에도 丸·膏·酒·栓·散·洗·搽·含漱·滴耳·眼膏·灌腸·熨·熏·香囊 및 藥枕 등 10여 가지의 劑型과 약 350개의 품종이 있다. 丸劑는 책에 기록되어 사용된 품종 중 가장 많은 劑型으로 모두 103종이었으며, 그 賦形劑에 따라 蜜丸·苦酒丸·雞子白丸·藥汁丸·麵糊丸 등으로 분류하였는데, 그중에 蜜丸이 모두 64개로 가장 많았다. 散劑의 수량은 丸劑 다음으로 모두 82종이 있었는데, 그중에 절대다수가 內服하는 散劑이며, 또한 煮散하는 劑型도 있었으며, 이외에 또한 일부 外用하는 散劑도 있었다. 葛洪은 膏劑의 발전에 적극적인 추진 작용을 하였으며, 총 95개의 각종 膏劑를 수록하고 있는데, 이것은 이 책에서 수록한 수량이 丸劑 다음으로 두 번째로 많은 劑型이다. 사용된 膏劑의 종류 또한 비교적 많았는데, 煎膏劑·硬膏劑·調膏劑 등이 있었고, 이러한 膏劑의 대부분은 오늘날 널리 사용되고 있는 각종 膏劑의 原型이다. 葛洪은 膏劑를 사용하여 外科 疾病을 치료할 뿐만 아니라 內科 疾病을 치료하는 데도 사용하였으니, 예를 들면「卷四·方第二十六」에 기록된 "葫十斤, 去皮, 桂一尺二寸, 灶中黃土, 如鴨子一枚, 合搗, 以苦酒和塗."라고 하였는데, 제기할만한 것은 이 책에서 최초로 舌下 含劑인 五膈丸을 사용하여 心臟病을 치료한 것을 기록하고 있다는 것이다. 현존하는 의학 서적 중에서 가장 먼저 栓劑를 기록한 것은『傷寒論』인데, 蜜煎導方은 "食蜜七合"을 달인 후에 "以內穀道中"하라고 기재되어 있으니, 현재 通便할 때 사용하는 肛門栓에 해당하는 것이고, 葛洪은『肘後備急方』중에서 진일보 발전시켜서 尿道栓·陰道栓·耳栓 및 鼻栓劑 등 栓劑 12개를 싣고 있으니, 이것은 당시에 栓劑를 가장 많이 기록한 의학 서적으로 약물을 투여하는 데 있어서 새로운 경로를 개척하였다.

唐代의 저명한 의학자인 孫思邈은『備急千金要方』·『千金翼方』을 저술하였는데, 어떤 사람은[3]『備急

千金要方』이라는 책의 劑型의 개략적인 모습을 탐구하여 按摩·鍼灸·祝由 등 약물을 사용하지 않는 처방을 제외하면 모두 4,111方이 있었고, 그 실제 劑型을 나누면 湯(飮)·散·丸·膏·糊·汁·酒·煎·熨·坐導·尿·煙熏·浴·乳·沐·煮散·澡豆·泥·粥·枕·蒸·熏 및 기타 20여 종에 속하였는데, 다만 湯·散·丸劑가 위주로 각각 총 방제 숫자의 28.58%·20.55%·10.46%를 차지하는 것을 발견하였다. 이것은『傷寒論』중 湯劑가 차지하는 총 숫자가 88.50%라는 것과 비교하면 현저하게 감소한 것으로, 방제의 劑型을 풍부하면서 다채롭게 하고 융통성 있으면서 다양하게 함으로써 의료의 수요에 적응한 것이니, 임상에서의 치료 효과를 보장하는 데 중요한 의미가 있음을 설명하는 것이다. 酒劑에 대해서는[4], 책에 기록된 각기 다른 효능의 藥酒方의 수량이 많아서 실제로 역대 의학자들의 名著 중에는 가장 많으니, 예를 들면 虎骨酒·黃芪酒·枸杞酒·鍾乳酒·石斛酒 등과 같다. 이러한 藥酒方의 특징은 配合이 합리적이고 炮製에 법칙이 있으며 服用法이 명확하고 치료 효과가 믿을 만하다는 것이다. 이로써 서기 2~6세기의 근 400년 동안은 酒劑가 매우 광범위하게 사용되었음을 볼 수 있다.

그러나『肘後備急方』및『備急千金要方』·『千金翼方』·『外臺秘要』등의 책에 수록된 丹劑(鉛·水銀製劑)는 거의 없으니, 당시에 丹劑를 사용하여 질병을 치료하는 것은 보편적이지 않았음을 설명하는 것이다.

宋代에는 상공업이 매우 발달하여 中藥 생산의 규모가 날로 확대되어 官賣制度가 성행하였기 때문에 官에서 주관하는 手工藥廠이 출현하였다. 당시 京師(開封)에는 太醫院에서 '賣藥所'(又稱 熟藥所)와 '修合藥所'를 설립하여, 前者는 旣成藥을 판매하고 後者는 처방전에 따라 製藥함으로써 판매할 수 있도록 제공하였는데, 나중에 7개 장소로 확충되었다. 그중 2군데의 전문적으로 製藥하는 '修合藥所'는 나중에 '和劑局'으로 개칭하였고, 5군데의 전문적으로 약물을 판매하는 곳은 '惠民局'으로 개명하였는데, 얼마 안 있어 합쳐서 '太平惠民和劑局'이라고 이름을 바꾸면서 아울러 中國 최초의 中成藥 藥典인『太平惠民和劑局方』을 頒布하였다. 책에는 약물 劑型의 제조법도 또한 비교적 상세하게 논술되어 있는데, 章氏[5]의 통계에 근거하면 책에 기록된 劑型으로는 丸劑(287方)·散劑(230方)가 위주이고, 이외에 湯劑(128方)·膏劑(19方)·丹劑(71方)·飮劑(22方)·餠劑(4方)·煎劑(2方)·錠劑(2方)·灸劑(1方)·香劑(4方)이 있다. 이 책은 매우 널리 퍼지면서 영향이 상당히 컸으니 약을 제작해서 사용하는 것을 향상시키고 보급하는 데 매우 중요한 역할을 하였다.

여기서 언급할 만한 것은 丹劑이다. 宋代에 이르러 官方에서는 몇 가지 질병 치료에 효과가 있는 丹藥을 方書에 실었기 때문에 方書에 丹劑의 기록이 많아졌으니, 초보적인 통계에 의하면『聖濟總錄』에 '丹'으로 命名된 방제로는 85方이 있었고,『太平惠民和劑局方』에는 77方이 있었다. 다만 만약에 이 방제의 구성을 자세히 분석한다면, 진정한 丹劑는 前者가 48方이고 後者는 33方이며, 이것을 제외하면 모두 진정한 丹劑는 아니다. 丹劑라고 부르지 말아야 할 방제를 丹劑라고 命名한 것은 宋代의 官賣制度와 法定 方書의 성행과 관련이 있을 수 있으며, 동시에 사람들의 丹藥에 대한 신앙을 이용하여 일부 일반적인 방제를 '丹'으로 命名하여 판매에 이용한 것이다. 그래서 점차 현대 丹劑의 개념으로 발전하게 되었는데, 사실 이러한 丹劑는 일종의 독립적인 劑型이 아니라, 丸劑일 수도 있고 散劑일 수도 있어서 劑型 형식이 고정되어 있지 않은 것이다.

閻孝忠은 小兒科 名醫인 錢乙의 경험을 모아서『小兒藥證直訣』을 편성하였는데, 全書에 실려 있는 방제는 114方으로 그 劑型의 특징은 주로 小兒가 湯劑를 복용하는 것이 곤란하기 때문에 劑型에 있어서 대부분 旣成藥을 위주로 채택하였으니, 통계에 의하면 책에 있는 旣成藥이 대략 전체 방제의 80%를 차지하였는데, 예를 들면 七味白朮散·六味地黃丸 등은 모두 이 책에서 출전한 것이다.

南北朝시기에 龔慶宣은『劉涓子鬼遺方』을 저술하였는데, 그중에 많은 外用 軟膏劑를 수록하였으며, 아울러 外用 軟膏劑의 제조 방법을 상세하게 서술하였으니, 통계에 의하면 79方으로 軟膏가 약 95% 이상을 차지하였다. 이후에 沈括이 저술한『蘇沈良方』에는 임상에서 劑型을 선별하는 것에 대한 약간의 논술이 있으니, "欲速用湯, 稍緩用散, 甚緩者用丸."하라고 하였다.

金·元시기에는 劑型의 이론 방면에 진일보된 발전이 있었는데, 예를 들어 李杲가 지적하기를 "去下部之病, 其丸極大而光且圓; 治中焦者次之; 治上焦者極小. 稠面糊取其遲化, 直至下焦; 或酒或醋, 取其收·其散之意也; 凡半夏·南星欲去濕者, 以生薑汁·稀糊爲丸, 取其易化也; 水浸宿炊餠, 又易化; 滴水丸, 又易化; 煉蜜丸, 取其遲化, 而氣循經絡也; 蠟丸者, 取其難化, 而旋旋取效也. 大抵湯者, 蕩也, 去大病用之; 散者, 散也, 去急病用之; 丸者, 緩也, 不能速去之, 其用藥之舒緩而治之意也."(錄自『湯液本草』「東垣先生用藥心法」卷1)라고 하였으니, 이러한 이론들은 劑型의 선택이 치료 효과의 발휘에 매우 중요한 영향이 있음을 분명히 설명하는 것으로, 이것은 현대의 연구 결과와 서로 일치한다.

明代의 李時珍은『本草綱目』을 저술하였는데, 王氏[6]는 經典에 있는 藥劑學 劑型의 종합분류법에 따라 책에 수록된 劑型을 한데 모아서 정리하여 60여 종류를 확인하였다. 그것은 湯劑·合劑·浸膏劑·流浸膏劑·煮漿劑·煮散劑·含漱劑·糖漿劑·膏滋劑·茶劑·飮劑·酒劑·洗劑·浴劑·熏洗劑·散劑·大蜜丸·小蜜丸·糊丸·蠟丸·水丸·糖丸·藥汁丸·濃縮丸·包衣丸·面囊丸·餠劑·糕劑·煨劑·脯劑·膠劑·曲劑·熏煙劑·吸入煙劑·嗅劑·灸劑·熨劑·灰劑·栓劑·條劑·糊劑·膏藥劑·軟膏劑·膜劑·搽劑·泥罨劑·油膏劑·油浸劑·丹劑·釘劑·棒劑·錠劑·藥撚劑·滴鼻劑·滴耳劑·眼藥膏·眼藥粉·眼藥水·乳劑·醑劑·芳香水劑 등이다. 그중 대다수의 劑型은 현대에도 여전히 광범위하게 사용되고 있으며, 일부 劑型은 이미 개선되었으니, 이 책은 현대 方劑學 劑型의 설계에 지극히 심원한 영향을 끼쳤다.

淸代에 外治 전문가인 吳尙先이 저술한『理瀹駢文』은 淸代 이전의 外用 軟膏劑의 성과를 총결하면서 外用 軟膏劑의 제조 방법과 치료 기전을 상세하게 논술하였다. 그중에 지적하기를 "外治之理, 即內治之理; 外治之藥, 亦即內治之藥, 所異者法耳. 醫理·藥性無二, 而法則神奇變幻……"이라고 하였다. 吳氏는 여기에서 藥性 理論을 발전시켰을 뿐만 아니라, 膏藥을 內症에도 사용할 수 있는 이론적인 기초를 제공하였다. 그는 臨證診斷 및 存濟堂 藥局이 제조한 21개 상용 膏方을 결합하여 膏藥의 질병 치료 원칙을 다음과 같이 귀납하였다: ① 陰陽을 판별하고, 陰陽을 벼리로 삼아 동시에 表裏寒熱虛實의 각 증상을 변별한다. ② 四時·五行을 살핀다. ③ 병의 기전을 탐구한다. ④ 病因을 분석한다. ⑤ 질병의 각종 形證을 辨別한다. 統計에 근거하면[7]책에서 膏藥을 위주로 사용하여 內·婦·兒·外·五官 각과의 질병을 치료하는 膏方이 대략 170種으로 다채롭고 성대하니, 外治·膏藥 치료법 방면을 발전시키는 데 공로가 탁월하였다. 동시에 吳氏는 膏藥에서 사용되는 약물은 반드시 氣味가 모두 厚해야 비로소 효력을 얻을 수 있으며, 膏藥은 熱性인 것이 쉽게 효과가 나고 涼性인 것은 비교적 덜하며, 熱證에도 또한 熱性 膏藥을 사용할 수 있으며, 膏藥은 寒熱溫補를 병용할 수 있으며, 膏藥을 부착하는 방법은 어떤 하나의 穴位에 국한되지 않는 것 등을 지적하였으니, 外用 軟膏劑의 발전에 있어 앞의 것을 이어받아 새로운 것을 창조해 나가는 역할을 하였다.

현재의 方劑 劑型의 발전은 주로 다음과 같은 두 가지 측면에서 나타나고 있다. 첫째, 전통적인 劑型을 개선하는 것이다. 方劑의 劑型은 古代의 의약학자들이 의료의 실천에서 끊임없이 혁신하고 개선한 결과이며, 이러한 전통적인 劑型은 전반적으로 과학적 이치에 부합하지만, 또한 약간의 단점도 있다. '古爲今

用'·'推陳出新'의 원칙에 근거하여 의약학자는 현대 과학 수단을 사용하여 전통적인 劑型에 대하여 발굴하여 계승과 개선을 하였다.[1]

예를 들면 湯劑를 과립제 (沖劑)(小柴胡沖劑)·泡騰沖劑(山楂泡騰沖劑)·袋泡劑(銀翹散袋泡劑)·口服앰플제(十全大補口服液)·注射劑(生脈注射液)·시럽제(syrups:糖漿劑)(養陰淸肺糖漿)로 바꾼 것이 있고, 丸劑를 浸膏片劑(銀翹解毒片)·틴크제 (Tinctures: 酊劑)(藿香正氣水)·注射劑(淸開靈注射液)·滴丸劑(蘇冰滴丸)·에어로솔제(寬胸氣霧劑) 등으로 바꾼 것이 있으며, 전통적인 膏藥를 제(Gels)·경피흡수제·카타플라스마제(Cataplasma)·첩부제(Plasters) 등으로 바꾸어 만든 것이 있다.

위와 같이 개선된 新劑型은 原劑型보다 치료 효과가 우수할 뿐만 아니라 위생적이기도 하며, 服用·攜帶·貯藏·運搬하기가 편리하다. 따라서 임상과 연구 성과에 근거하여 최적의 劑型을 제공하여 질병을 예방하고 치료하는 것에 사용하는 것은 중요한 의미가 있으며, 더욱 科學化·合理化시키기 위한 발전적인 研究가 필요하다.

둘째, 新劑型을 개발하는 것이다. 과학기술의 발전과 임상 용약에 대한 요구가 끊임없이 향상됨에 따라, 한약이 더욱 큰 효용을 발휘하고 또 運搬·貯藏과 용약의 便利를 위하여 어떤 新劑型·新品種을 새롭게 개발함으로써 임상에서의 용약을 풍부하게 하여야 한다. 片劑에는 復方丹參片·通塞脈片 등과 같은 것들이 있고, 근육주사제에는 黃芪注射液·銀黃注射液 등과 같은 것들이 있으며, 정맥주사제에는 丹參注射液·脈絡寧注射液 등과 같은 것들이 있고, 油劑注射劑에는 柴胡注射液 등과 같은 것들이 있으며, 분말주사제에는 雙黃連분말주사제·注射用天花粉 등과 같은 것들이 있고, 輸液劑에는 增液수액제, 養陰수액제와 같은 것이 있고, 유탁성주사액에는 鴉膽子油靜脈注射液과 같은 것이 있고, 과립제(沖劑)에는 感冒退熱沖劑·排石沖劑와 같은 것이 있고, 연질캡슐(膠丸)에는 牡荊油膠丸과 같은 것이 있고, 滴丸에는 蘇冰滴丸 등과 같은 것들이 있으며, 마이크로캡슐제(微型膠囊劑)에는 牡荊油膠囊片과 같은 것이 있고, 캡슐제(膠囊劑)에는 川貝膠囊과 같은 것이 있고, 페이스트제(pastes: 膜劑)에는 止痛膜劑와 같은 것이 있고, 口服앰플제에는 生脈口服液·人蔘蜂王漿口服液과 같은 것이 있고, 첩부제에는 傷濕止痛膏와 같은 것이 있고, 에어로솔제는 芸香油氣霧劑 등과 같은 것이 있다.

그중 몇몇 新製劑들은 약물의 치료 효과에 방향을 결정하고 위치를 잡는 역할을 할 수 있는데, 그 微粒子가 유기체에 의해 외래에서 들어온 이물질로 여겨지면서 삼켜지거나, 이물질로 여겨지면서 肝·脾 등 網狀內皮系統이 풍부한 부위에 고이게 되면, 해당되는 부위에 약물 농도를 높임으로써 작은 劑量으로 치료 효과를 높이면서도 毒副作用을 감소시킬 수 있는 등의 효과에 도달할 수 있다.

현재 두드러진 方藥 新劑型은 서방출성 제형(sustain release formulation)인데 이에는 방출되는 속도에 따른 서방성 제형과 방출되는 장기에 따른 장용성 제형이 있다. 이러한 新劑型은 국내외에서 이미 생산 혹은 시험생산 연구가 이루어지고 있으며, 치료 효과를 높이고 毒副作用을 감소시키며 사용하는 약물의 劑量과 次數를 줄이는 데 있어 분명한 장점이 있다.

이미 성공적인 製劑로 사용된 것으로는 microcapsule과 iposome 등이 있다. Microcapsule은 약물의 방출을 遲延이나 抑制시키는 작용을 갖추고 있어서 약물의 안정성을 증가시키고, 毒副作用을 낮추며, 약물의 配伍 禁

[1] 아래에서 예로 든 제품은 모두 중국에서 상용되고 있는 중성약(中成藥)이다.

량을 감소시키며, 또한 임상 용약의 필요에 근거하여 散劑·片劑와 캡슐제 등의 劑型을 만들 수 있다.

예를 들어 慢性氣管支炎 치료에 비교적 좋은 치료 효과가 있는 牡荊油는 湯藥에 넣거나 膠丸 및 滴丸에 이르기까지 劑型을 몇 번 개선하면서 氣味의 부적응과 藥物의 안전성 등의 문제를 극복하였고, 현재에는 牡荊油를 microcapsule로 만든 후에 消化管의 부작용을 줄이면서 약물의 작용 시간을 연장할 수 있었다. 또한 靑蒿素 口服劑와 같은 경우는 복약 횟수를 감소시키고 靑蒿素가 체내에서 瘧原蟲에 대한 작용 시간을 연장시키기 위해서 靑蒿素를 速釋과 緩釋의 두 종류의 과립으로 만들었는데, 그중 緩釋 부분은 新輔料인 아크릴 수지Ⅱ호로 과립을 쌌다.

liposome을 채택하여 일종의 藥物 운반체로 만들려면 liposome의 體積·表面電荷와 構成을 변화시킴으로써 필요에 따라 약물을 표적지에 운송할 수 있고, 그중에 있는 藥物 방출 속도의 組織 내 분포를 제어할 수 있으니, 예를 들면 黃芪의 多糖脂質體가 면역 효과를 증강시키는 것과 같다.[8)]

이 밖에 약효를 억제하거나 발휘하고 毒副作用을 감소시키며 임상에서의 용약을 지도하기 위해서 또한 약물동력학 硏究를 전개하였으니, 예를 들면 大黃類 製劑에 대한 연구로[9)], 大黃을 캡슐제·水丸·蜜丸으로 구별하여 복용한 후에 그중 total anthraquinone의 소변을 통한 약물 배출량을 측정하였는데, 결과는 캡슐제가 가장 높고 蜜丸이 다음이었으며, 水丸이 가장 낮아서, 임상에서 용약할 때 최적의 劑型을 선택할 수 있는 과학적인 근거를 제공하였다.

전체적으로 해석하자면 현재의 方劑 劑型은 아직 현대 과학기술 개발로의 점진적인 이행을 통해서 경험적으로 발굴하는 단계에 처해 있는데, 연구 방법이나 생산 기술에 있어서 선진국과의 약간의 격차를 맞이하고 있으며, 기초 연구 작업에 있어서도 비교적 아직 취약하여 여전히 각 방면에서 모두가 힘을 합쳐 일을 해야 비로소 方劑 劑型 발전의 새로운 시대를 맞이할 수 있을 것이다.

製劑의 개발·연구가 진전됨에 따라 높은 효과 및 장기적인 효과가 있는 藥物의 출현은 藥劑 服用量이 점점 더 작아지고, 體液 중의 藥物 濃度 또한 점점 낮아지고 있으며, 여기에서 요구하는 검사 수단, 즉 分離·純化·分析 등을 포함한 각 방면의 수준은 점점 높아지고 있다. 그러므로 여러 학문 과목간의 지식의 융합이 필요하며, 약물동력학 硏究를 강화시키고, 製劑의 생산기준 규범을 제정하여, 임상 수요에 맞게 치료 효과가 높은 새로운 劑型을 創製하기 위하여 장차 製劑 硏究를 새로운 단계로 끌어올려야 한다.

2. 方劑의 劑型은 각각 특징이 있다.

앞에서 서술한 바와 같이 方劑의 劑型은 역사가 오래되었다. 古代의 의학자들은 장기적인 임상 실천에서 풍요롭고 다채로운 전통적인 劑型을 창조하였다. 현대에는 전통적인 내용을 보존하는 것에 기초하여 또한 새로운 제작 방법을 도입하여 각종 새로운 劑型을 연구 제작하였다. 이러한 劑型들을 약물투여경로로 분류한다면 대체로 外用 劑型·內服 劑型이 있다. 劑型의 형태로 분류하면 액체 劑型에는 湯劑·酒劑·酊劑·露劑·糖漿劑·口服液 및 각종 注射劑 등이 있고, 고체 劑型에는 丸劑·散劑·丹劑·條劑·線劑·캡슐제·과립제 등이 있으며, 반고체 劑型에는 煎膏·軟膏 등이 있다. 현재 상용하고 있는 劑型[2]의 특징을 간단히 소개하면 다음과 같으며, 대한민국 약전 제제총칙의 '제제 각조'에 구체적인 설명이 있다.

[2] 아래에서 예로 든 제품은 모두 중국에서 상용되고 있는 중성약(中成藥)이다.

(1) 湯劑

湯劑는 古代에 '湯液'이라고 불렀는데, 처방된 약물에 물을 넣거나 술을 담근 후 일정한 시간을 煎煮하여 찌꺼기를 제거하고 汁을 취하여 만든 액체 劑型이다. 湯劑는 임상 응용에서 가장 광범위하게 사용되는 劑型이다. 湯劑는 주로 內服하여 사용하는데 桂枝湯 등과 같은 것들이 있고, 外用으로는 洗浴·熏洗 및 含漱 등으로 사용한다. 湯劑의 일반적인 특징은 제작이 간편하고 흡수가 빨라서 신속하게 치료 효과를 발휘할 수 있으며, 특히 病勢에 근거하여 증상에 따라 加減함으로써 病證이 비교적 심하거나 病勢가 불안정한 사람에게 적용되니, 李杲가 말한 "湯者, 蕩也, 去大病用之."(錄自『湯液本草』「東垣先生用藥心法」卷上)라고 한 것과 같다. 湯劑의 부족한 점은 맛이 쓰면서 양이 많아 복용하기 불편하고, 어떤 약물의 유효성분은 쉽게 煎出되지 않거나 혹은 쉽게 揮發하여 산실되어 버리니, 대량 생산에 적합하지 않고 휴대하기에도 불편한 것이다. 제조법의 차이에 따라 湯劑는 또한 煮劑·煎劑·飮劑·煮散로 분류할 수 있다.

1. 煮劑: 이것은 일반적인 온도와 가열 시간으로 약물을 달여서 찌꺼기를 제거하여 얻은 액체 劑型이다. 煮劑는 농도가 적당하면서 흡수가 빠르고 효과가 신속하며 작용이 강하다는 특징을 가지고 있다.

2. 煎劑: 이것은 煎煮·去滓를 거친 藥液을 다시 加熱·濃縮하여 얻은 액체 劑型이다. 煎劑는 가열 시간이 비교적 길며, 藥液의 농도가 비교적 높으며, 약물의 毒性을 약화시킬 수 있다.

3. 飮劑: 이것은 약물을 끓는 물에 담가서 찌꺼기를 제거하고 얻은 액체 劑型인데, 복용할 때 자주 마시므로 '飮劑'라고 부르는 것이다. 끓는 물에 약물을 담그는 것은 가열 시간이 짧고 온도가 비교적 낮아서 藥液이 味薄氣淸하므로 上焦의 邪氣를 淸泄하는데 뛰어나다.

4. 煮散: 이것은 藥材를 적당히 분쇄하여 굵은 顆粒으로 만들고, 복용할 때 물과 함께 끓여서 찌꺼기를 제거하고 汁을 취하여 만든 액체 劑型이다. 煮散을 煮劑와 서로 비교한다면, 藥材를 절약하면서 煎服하기에 편리하다는 등의 장점이 있다. 최근의 연구는 더 나아가서 煮散이 劑量은 적어도 煎出率은 현저히 높다는 것을 보여주고 있다.

(2) 散劑

散劑는 하나 혹은 여러 종류의 약물을 분쇄하고 잘 섞어서 만든 분말 형태의 製劑를 말한다. 散劑는 전통적인 劑型 중에 하나인데, 그 용도에 근거하여 內服散劑와 外用 散劑로 분류한다. 內服 散劑는 일반적으로 細末로 갈아서 미지근한 물로 沖服하는데, 양이 적은 것은 또한 직접 삼킬 수 있으니, 예를 들면 七厘散·行軍散과 같은 것이다. 散劑는 표면적인 비교적 크기 때문에 內服한 후에 胃腸 黏膜에 기계적인 보호 작용을 하면서 吸收하여 효과가 나타나는 것이 비교적 빠르니, 李杲가 말한 "散者, 散也, 去急病用之."(錄自『湯液本草』「東垣先生用藥心法」卷上)라고 한 것과 같다. 또한 藥材를 절약하고 服用과 攜帶 등이 편리하다는 장점이 있다. 外用 散劑는 일반적으로 瘡面이나 患部에 바르거나 뿌려주는데 金黃散·生肌散 등과 같은 것들이고, 또한 點眼·吹喉 등의 방법으로 사용하는 것도 있으니 八寶眼藥·冰硼散 등과 같은 것들이다. 다만 주의해야 할 것은 사용할 때 극히 細末로 갈아서 瘡面에 자극이 가는 것을 방지해야 한다.

(3) 丸劑

丸劑는 속칭 丸藥이라고도 부르는데, 이것은 약물을 細末로 갈거나 혹은 약재에서 추출한 물질에 적절한 접착제나 기타 輔料를 넣어서 만든 球形 혹은 類球形의 고체 劑型이다. 丸劑는 주요 傳統 劑型의 하나로 예로부터 지금까지 매우 광범위하게 사용되어 왔다. 역대 의학 저작 중 丸劑의 藥性과 임상 사용에 관한 논술이 상당히 많았는데, 예를 들면『神農本草經』「序錄」에서 지적하기를 "藥性有宜丸者."라고 하였고,

『金匱玉函經』卷1에서 지적하기를 "丸能逐風冷, 破積聚, 消諸堅癥."이라고 하였으며, 『蘇沈良方』卷1에서도 또한 말하기를 "大毒者須用丸."이라고 하였고, 『湯液本草』「東垣先生用藥心法」卷上에서 제시하기를 "丸者, 緩也, 不能速去之. 其用藥之舒緩而治之意也."라고 하여, 丸劑는 湯劑에 비해 복용 후 分解·吸收가 완만하면서 藥效가 오래가며, 藥材가 절약되고 服用·攜帶·貯藏 등이 편리하다는 장점이 있음을 설명하고 있다. 丸劑는 일반적으로 慢性 虛弱性 疾病에 적용하는데, 예를 들면 六味地黃丸·歸脾丸·補中益氣丸 등과 같고, 또한 구급약으로 사용될 때도 있는데, 다만 방제 중에 芳香性藥物을 함유하고 있어서 가열하여 煎煮하는 것은 마땅하지 않은 것들이 있으니 예를 들면 安宮牛黃丸·蘇合香丸 등과 같다. 어떤 峻烈한 약품들은 약효를 서서히 발휘하도록 하기 위해서, 또는 湯劑로 달여서 복용하는 것이 적당하지 않으면 丸劑로 만들어서 사용할 수 있으니, 예를 들면 舟車丸·抵當丸 등과 같다. 다만 丸劑에는 일정한 결점이 있는데, 예를 들면 복용하는 藥劑의 양이 커서 더욱이 小兒들이 복용하기 곤란하다는 것과 생산 공정이 길고 오염의 기회가 많으며 操作하는 것이 마땅하지 않으면 分解와 치료 효과 등에 영향을 미칠 수 있다는 것이다. 丸劑는 그 제조 방법에 따라 泛製丸(약물을 곱게 가루 내어 적당한 액체를 접합제로 사용하여 작은 球形의 丸劑를 만드는 것이니, 水丸·水蜜丸·部分濃縮丸·糊丸 등과 같은 것이다.), 塑製丸(약물의 분말과 적절한 접착제를 혼합하여 굳기가 적당한 可塑性 알갱이를 만들고, 연후에 다시 분할하여 丸粒을 만드는 것으로 蜜丸·糊丸·蠟丸 등과 같은 것이다.), 滴製丸(融解點이 비교적 낮은 脂肪性 혹은 水溶性 基質을 이용하여 主藥을 溶解·混懸·乳化시킨 후에 적절한 장치를 이용하여 혼합되지 않는 液體冷卻劑에 떨어뜨려 만든 丸劑로, 예를 들면 滴丸과 같은 것이다.)으로 구분할 수 있다. 임상에서 많이 볼 수 있는 丸劑에는 蜜丸·水丸·糊丸·濃縮丸·蠟丸·水蜜丸·微丸·滴丸 등이 있다.

1. 蜜丸: 약재를 細粉한 후 불에 끓인 蜂蜜을 접착제로 하여 만든 丸劑이다. 丸으로 만든 알은 표면이 밝고 깨끗하면서 滋潤하고 含水量이 적으며, 分解가 완만하여 작용이 和緩하면서 오래 지속되는 것이 특징이다. 蜂蜜은 滋養補益·潤肺止咳·潤腸通便·緩和藥性 등의 작용을 하기 때문에 慢性病과 虛弱性疾病을 치료하는 데 자주 사용되며, 또한 맛이 달기 때문에 矯味劑의 작용을 한다. 蜜丸은 또한 大蜜丸과 小蜜丸의 두 종류로 구분되는데, 일반적으로 大蜜丸은 丸의 숫자에 따라 복용하는데 大活絡丹과 같은 것이고, 小蜜丸의 劑量은 무게로 계산하는데 麻仁丸과 같은 것이다.

2. 水丸: 속칭 水泛丸이라 한다. 이것은 약물을 細粉(일반적으로 80~120目의 체를 통과하는 크기)하여 물(끓인 후 식힌 물·증류수 혹은 탈이온수) 혹은 처방에서 규정하는 물의 성질을 가지고 있는 액체(酒·醋·蜜水·藥汁 등)를 賦形劑로 삼아 泛製法으로 제조한 丸劑이다. 약재 자체에 일정한 黏性이 있고, 또한 함유된 성분이 물에 닿으면 안정되는 경우에 적용한다. 水丸은 비교적 쉽게 分解·溶散되어 효과가 비교적 빠르고 복용하기에 편리하다는 등의 특징이 있다. 水丸은 복용할 때 대부분 무게를 기준으로 하며, 丸數를 근거로 하지 않는다. 임상 사용이 비교적 많은 것으로, 解表類 水丸에는 銀翹解毒丸·藿香正氣丸이 있고, 化痰止咳類 水丸에는 竹瀝化痰丸·半貝丸·止嗽定喘丸이 있으며, 消導類 水丸에는 香砂養胃丸·保和丸 등이 있다.

3. 糊丸: 약물을 細粉하여 米糊(糯米糊·黃米糊) 혹은 麵糊를 접착제로 삼아 만든 丸劑이다. 糊丸은 재질이 단단하기 때문에 胃 속에서 分解·溶散하는 것이 느려서 內服하면 약효를 연장할 수 있으며, 또한 毒性 혹은 刺激性 약물의 불량 반응을 감소시킬 수 있으니, 李杲가 말한 "稠麵糊(丸), 取其遲化."(錄自『湯液本草』「東垣先生用藥心法」卷上)라고 하였다. 糊丸은 塑製法(蜜丸과 서로 비슷한데 糊로써 煉蜜을

대체한 것)과 泛製法(水丸을 만드는 것과 서로 비슷한데 稀糊를 접착제로 사용한 것)의 제조에 사용할 수 있다. 관건은 糊의 量에 있는데, 만약 너무 많으면 만들어진 丸이 너무 단단해서 崩散하기 어려워 흡수에 영향을 주고, 만약 너무 적으면 '遲延化'의 목적에 도달하지 못한다. 糊丸은 分解·溶散性이 비교적 좋지 않고, 또한 비교적 통제하기 어렵기 때문에 다른 완만하게 풀어지는 劑型이 발달하고 있어서 현재는 매우 적게 사용되고 있다. 주로 舟車丸·小金丹·控涎丹·黑錫丹 등이 있다.

4. 濃縮丸: 약물 또는 방제 중 일부 약물에서 추출하여 淸膏 혹은 浸膏를 만들고, 적절한 輔料나 혹은 약물을 細粉한 것에 水·蜂蜜을 賦形劑로 사용하여 만든 丸劑이다. 부피는 작아도 함량이 높으며, 복용량은 적어도 흡수가 비교적 빠르다는 장점 때문에 발전이 비교적 빠르며, 다양한 질병을 치료하는 데 사용될 수 있다. 주로 六味地黃丸·消渴丸·香砂六君丸·金匱腎氣丸 등이 있다.

5. 蠟丸: 약물을 細粉하여 蜂蠟(일명 黃蠟)을 접착제로 삼아 만든 丸劑이다. 李杲가 말하기를 "蠟丸者, 取其難化, 而旋旋取效也."(錄自『湯液本草』「東垣先生用藥心法」卷上)라고 하였다. 蜂蠟(주요 성분은 軟脂酸 蜂酯)은 極性이 적어서 물에 녹지 않기 때문에 丸藥을 만든 후에 체내에서 分解·釋藥하는 것이 糊丸과 비교해서 더욱 느리다. 蜂蠟의 양을 조절함으로써 그 완만하게 풀리면서 장기적인 효과가 나는 작용을 취하고, 毒劇藥物 혹은 刺激性藥物의 불량 반응을 감소시키는 목적을 달성한다. 蠟丸의 제조는 대부분 塑製法을 사용하고, 泛製法·滴製法은 적게 사용한다. 현재 임상에서는 아주 드물게 사용되고 있는데, 三黃寶蠟丸·琥珀蠟礬丸·威喜丸·肥兒丸 등이 있으며, 마땅히 지적해야 할 것은 蠟皮로 衣層을 보호하는 蠟皮丸은 蠟丸이 아니라는 것이다.

6. 微丸: 최근 몇 년 동안 丸劑·散劑·沖劑의 특징을 살려 창조한 새로운 劑型이다. 이러한 微丸은 일반적인 丸劑(蜜丸·水丸·濃縮丸)와 구별되며, 그 특징은 顆粒이 微小하여 直徑이 0.6~0.8 mm 사이로 표면적이 커서 分解·溶散 및 약물의 吸收에 유리하다. 또한 朱錫을 사용함으로써 包囊하는 방법이 있는데, 서로 다른 고분자 재료의 包囊으로 마이크로캡슐을 만들 수 있고, 또한 직접적으로 微丸을 硬膠囊殼에 장식해 넣어서 하드 캡슐제를 만들 수도 있다. 微丸의 품종으로는 小兒奇應丸·牛黃消炎丸 등이다.

7. 滴丸: 滴製法을 사용하여 제조하는 丸劑로, 곧 일종의 融解點이 비교적 낮은 脂肪性 基質 혹은 水溶性 基質에 장차 主藥을 溶解·混懸 혹은 乳化한 후에, 혼합되지 않는 液體冷却劑에 떨어뜨리는 것으로, 液을 떨어뜨리는 것은 表面張力의 작용으로 凝固하여 球形 혹은 球形과 유사한 丸劑를 만드는 것이다. 滴丸은 특별히 液體를 머금은 약물 및 主藥의 부피가 작거나 혹은 刺激性이 있는 약물의 製丸에 적합하며, 이로써 약물의 안정성을 증가시키고, 자극성을 감소시키며, 나쁜 냄새 등을 감추는 것인데, 滴丸으로는 蘇冰滴丸·速效救心丸·復方丹參滴丸 등이 있다.

8. 水蜜丸: 藥材를 細粉하여 煉蜜과 물을 접착제로 사용하여 만든 丸劑인데, 그 제작 방법은 水丸과 같다.

(4) 膏劑

膏劑는 약물을 물이나 식물성 기름에 졸여서 찌꺼기를 제거하고 만든 劑型으로 內服·外用의 두 종류가 있다. 內服 膏劑에는 流浸膏·浸膏·煎膏의 세 종류가 있는데, 그중 煎膏를 가장 많이 사용하고 流浸膏와 浸膏는 소수의 單味藥 製劑를 직접 임상에서 사용하는 것을 제외하면, 일반적으로 모두 기타 製劑인 엑스제(extracts: 合劑)·糖漿劑·沖劑·片劑 등과 배합하여 사용한다. 外用 膏劑는 軟膏·硬膏의 두 종류로 분류한다. 이제 각종 膏劑를 나누어 설명하면 다음과 같다.

1. 煎膏: '膏滋'라고도 부르는데, 이것은 藥材에 물을 넣어 반복적으로 졸여서 일정한 정도가 된 후에, 찌꺼기를 버리고 汁液을 취하여 다시 농축한 다음, 적당량의 蜂蜜(煉蜜)·冰糖 혹은 砂糖(煉製를 거친 것) 등을 넣어 걸쭉한 상태의 반유동체의 製劑를 만든 것이다. 煎膏劑는 전통적인 劑型의 하나로 그 藥性이 滋潤하기 때문에 또한 膏滋라고도 부르는 것이다. 煎膏는 濃縮한 후에 만들기 때문에 체적은 작지만 함량은 높아서 복용에 편리하고, 또한 대량의 蜂蜜과 糖을 함유하고 있어서 맛이 달고 영양이 풍부하며 滋補調理하는 작용이 있기 때문에 일반적으로 慢性虛弱性疾病에 비교적 장시간 복용하는 것이 유리하고, 다만 糖尿病 환자는 복용하는 것이 마땅치 않다. 煎膏로는 當歸養血膏·鹿胎膏·十全大補膏 등과 같은 것들이 있는데, 熱을 받으면 쉽게 변질되거나 휘발성이 있는 약물은 煎膏劑로 만드는 것이 마땅하지 않다.

2. 流浸膏: 藥材에 적당한 溶媒를 사용하여 유효성분을 추출한 후, 부분적으로 溶劑를 증발시켜 제거하되 1 mℓ당 原藥材의 1 g으로 농도를 조절하여 액체로 추출한 製劑이다. 소수의 품종이 직접적으로 임상에서 사용되는 것을 제외하면, 대부분이 合劑·酊劑(tincture)·糖漿劑 등의 原料로 만들어서 사용된다. 일반적으로 서로 다른 농도의 에탄올을 溶媒로 삼아 滲漉法[3]을 사용하여 제조하며, 또한 浸膏劑에 규정된 溶劑를 첨가하여 희석하여 만들 수도 있고, 浸漬法을 사용하기도 한다. 流浸膏로는 當歸流浸膏·益母草流浸膏·甘草流浸膏 등이 있다.

3. 浸膏: 藥材에 적당한 溶媒를 사용하여 유효성분을 추출한 후, 溶劑 전부를 제거하고 농도를 표준규정으로 조정하여 粉狀(乾浸膏) 혹은 膏狀(稠浸膏)으로 추출한 製劑이다. 추출하는 溶媒는 대부분 다른 농도의 에탄올이고, 소수는 물로 한다. 별다른 규정을 제외한다면, 浸膏劑는 1 g당 原藥材 2~5g에 해당하도록 하고, 함유한 알칼로이드 혹은 기타 유효성분이나 특히 毒劇 성분의 浸膏劑는 含量를 측정한 후에 稀釋劑로 표준규정으로 조정해야 한다. 흔히 사용하는 稀釋劑는 乾燥澱粉·乳糖·蔗糖·原料藥渣粉末 등이다. 일반적으로는 滲漉法을 채택하여 제조하는데, 또한 煎煮法·浸漬法 및 回流法을 채택하는 경우도 있다. 浸膏劑에는 刺五加浸膏·顚茄浸膏·甘草浸膏 등이 있다. 소수 품종을 직접적으로 임상에 사용하는 것을 제외한다면 대부분 기타 製劑의 原料로 많이 사용된다.

4. 軟膏: 또한 '藥膏'라고도 부르는데, 이것은 약물을 細粉하여 적당한 基質과 더불어 적당한 끈적임을 가지고 있도록 만든 반고체의 外用 製劑이다. 그중 乳劑形 基質을 사용한 것을 乳膏劑라고 부르는데, 대부분 皮膚·黏膜 혹은 瘡面에 사용한다. 軟膏는 일정한 黏稠性을 가지고 있으며, 외부에 塗布한 후에는 서서히 軟化되거나 녹으면서 약물이 서서히 흡수되도록 하여 치료 효과를 지속적으로 발휘하니, 外科의 瘡瘍·癤腫·燒燙傷 등에 사용하는 生肌玉紅膏·金黃膏 등이 있다. '內病外治'의 원리에 근거하여 일부 내과 질환도 軟膏를 사용하여 적당한 부위에 外塗할 수 있는데, 예를 들면 定喘膏·冠心膏 등이니 哮喘·冠狀動脈疾病의 예방과 치료에 사용한다.

5. 硬膏: 또한 '膏藥'이라고도 부르며, 고대에는 '薄貼'이라고 불렀다. 이것은 食用하는 식물성 기름 등으로 약물을 일정 정도까지 졸인 후에 찌꺼기를 제거하고 黃丹·鉛粉 등을 넣어 만든 鉛硬膏이다. 膏藥은 전통적인 劑型의 하나로 外用하면 消腫止痛·去腐生肌·祛風散寒·舒筋活絡·通絡止痛 등의 작용을 가

[3] 滲漉法: 적당히 분쇄한 약재를 滲漉筒 중에 넣고 위에서부터 끊임없이 溶劑를 첨가하는데, 溶劑를 藥材層으로 침투시켜 아래로 흐르게 하는 과정 에서 약재 성분을 추출하는 방법이다.

지고 있다. 膏藥의 제조에는 藥材料의 抽出·煉油·下丹·去火毒·攤塗 등의 과정을 포함하고 있다. 약재의 추출은 해당되는 품종의 각 조항의 규정에 따라 튀겨서 짜내며, 재질이 가벼워서 기름에 튀기는 것을 견디지 못하는 약물은 기타 약물이 튀겨져서 누렇게 되는 것을 기다린 후에 넣는 것이 좋다. 약기름을 '滴水成珠' 상태에 이르기까지 졸여서 일정한 온도에 놓아 둔 후에 紅丹을 넣어 섞어주고 충분히 혼합시켜서 깨끗한 물을 뿌려준다. 藥膏가 덩어리로 만들어지면 맑은 물에 담가서 火毒을 제거한다. 휘발성 약물·광물류 및 귀중한 약재는 곱게 가루로 갈아서 攤塗하기 전에 넣어야 하는데 온도는 70℃를 초과해서는 안 된다. 만약 膏藥이 너무 굳어있으면 적당량의 '煉油'로 조정해주고, 만약 너무 연하다면 계속 가열하여 煉製하거나, 혹은 적당량의 紅丹을 첨가한 후에 다시 熬煉할 수 있으며, 또한 적당량의 굳게하는 약물을 섞어 조정할 수 있다. 高溫의 炸料 및 煉油로 인해서 생긴 유효성분에 대한 영향을 감소시키기 위하여 '炸料'를 먼저 溶媒를 이용하여 추출한 후 추출물을 基質에 섞어 약효를 높이기도 한다. 膏藥의 종류에는 여러 가지가 있는데, 기름과 鉛粉을 基質로 하는 것을 白膏藥이라고 부르고, 松香 등을 基質로 하는 것을 松香膏藥이라고 부른다. 자주 사용하는 것에는 黑膏藥·狗皮膏·暖臍膏 등이 있다. 膏藥을 사용할 때에는 따뜻하게 하여 천이나 종이에 펴서 바르고, 부드럽게 만들어 환처나 穴位에 붙이면 局部疾病과 全身性疾病을 치료할 수 있는데, 예를 들면 瘡瘍腫毒·跌打損傷·風濕痹痛 및 腰痛·腹痛 등이다. 膏藥은 사용법이 간단하면서 攜帶·貯藏이 편리하지만, 제조할 때 '火毒'을 완전히 빼야지 皮膚瘙癢·起疹子 등의 알레르기 반응이 발생하는 것에서 벗어날 수 있다.

(5) 주정제(酒精劑: Spirits)

주정제는 酒劑 또는 '藥酒'라고도 부르는데, 고대에는 '酒醴'라고 불렀다. 약재를 白酒나 黃酒에 담가두거나 혹은 중탕하여 끓여서 찌꺼기를 버리고 汁液을 취하여 만든 맑은 액체 製劑이다. 酒劑는 전통적인 劑型의 하나로 酒劑의 사용은 이미 수천 년의 역사를 가지고 있다. 酒劑는 술을 사용하여 溶媒를 浸出시키는데, 유효성분을 침출시키는 데 유리할 뿐만 아니라, 쉽게 發散하여 약효의 특성을 助長하는 특성을 가지고 있기 때문에 임상 약효가 긍정적이며, 특히 祛風散寒通絡 및 補益强身하는 작용이 우수하다. 酒劑는 일반적으로 內服으로 제공되지만, 小兒·孕婦·心臟病 및 高血壓 환자는 복용하기에 적합하지 않다. 藥酒에는 木瓜酒·舒筋活絡酒·養血愈風酒 등이 있다. 外用 酒劑에 관해서는 祛風活血·消腫止痛하는 효능이 뛰어나서 風寒濕痹나 筋骨酸痛 등의 증상에 많이 사용한다.

(6) 丹劑

丹劑는 또한 '丹藥'이라고도 부른다. '丹'에는 여러 가지 의미가 있는데, 그 본래의 의미는 "巴越之赤石."(『說文解字』)이었지만, 이후에 '丹砂'로 바뀌면서 곧 朱砂가 되었다. 道家에서 약물을 製煉할 때 대부분 丹砂를 원료로 사용하였기 때문에 그 煉藥하는 과정을 '煉丹'이라고 불렀던 것이다. 그래서 후세에서는 수은이나 硝·礬·硫黃 등의 무기질 원료를 高溫으로 달구어 만든 여러 결정 모양의 무기화합물 제품을 '丹'이라고 부르는 것이다. 古代부터 지금까지 丹劑는 瘡癤·癰疽·疔·癘 및 骨髓炎 등 外科 瘡瘍의 치료에 매우 보편적으로 사용되었는데, 粉으로 만들어서 瘡面에 바르거나 뿌릴 수 있고, 또한 藥條·藥線과 外用膏劑로 만들어서 사용할 수도 있다. 그 특징은 용량이 적어도 약효가 확실하며 가격도 저렴하여 쉽게 얻을 수 있다는 점이다. 다만 毒性이 비교적 커서 일반적으로는 단지 外用에 마땅하고 內服해서는 안 되며, 아울러 사용할 때에는 劑量과 部位에 요주의 하여 中毒을 피해야 한다. 임상에서 흔히 사용하는 丹藥에는 白降丹(주요 성분: $HgCl2$)·紅粉(주요 성분: HgO)·輕粉(주요 성분: $Hg2Cl2$)이 있다. 丹劑를 外用하는 것 이외에 몇 가지 內服하는 방제에 '丹'이라고 부르는 것이 있는데, 다만 실제로는 진정한 丹劑가 아니다. 段玉裁가 『說文解字注』「丹部」에서 말하기를 "丹者, 石之精, 故凡藥物之精者曰丹."이라고 하였는데, 거기에는 고정된 劑型이 없어서 그중에는 丸劑도 있고 散劑 등도 있어서, 매번 약품이 귀중하거나 약효가 현저한 것을 '丹'이라고 불렀으니, 이것은 外用하는 丹劑와는 완전히 다른 의미이다. 丹劑는 大活絡丹·小活絡丹·紫雪·至寶丹 등과 같은 것이다.

(7) 茶劑

茶劑는 茶葉을 포함하거나 혹은 茶葉을 포함하지 않는 약물을, 분쇄 가공을 거쳐 만들어진 粗末狀의 제품이며, 혹은 적당한 접착제를 넣어 만들어진 方塊狀 製劑이다. 茶劑는 전통적인 劑型의 하나로 매우 일찍부터 사용되었다. 복용할 때에는 끓는 물에 해당되는 茶를 泡汁하거나 煎汁하였다가, 시간에 구애받지 않고 마시거나 기타 약물과 배합하여 사용한다. 전통적인 茶劑는 대부분 風寒感冒·食積停滯·瀉痢 등의 질병을 치료하는데 사용하였고, 새로운 건강음료인 茶劑는 健身·減肥 등의 작용을 가지고 있다. 茶劑에는 午時茶·刺五加袋泡茶·減肥茶·健身茶 등이 있다.

(8) 露劑

露劑는 또한 '藥露'라고도 부르는데, 이것은 藥材를 증류법을 사용하여 만든 아로마 성분이 함유된 맑은 물 용액을 가리킨다. 露劑는 芳香水劑의 범주에 속하는데, 대부분 原藥材의 아로마 향미를 많이 가지고 있으며, 淸涼解熱劑로 많이 사용되고 있다. 증류액의 수집량과 약재량의 비율은 일반적으로 4:1이지만, 약재 중 揮發油 함량의 차이 때문에 兩者의 비율은 참작하여 조정해야 한다. 揮發油의 구성은 복잡하기 때문에 어떤 휘발유 성분은 쉽게 산화되어 변질되고, 水劑 또한 쉽게 곰팡이가 생기기 쉬우므로 대량으로 조제하고 오래 저장하는 것은 좋지 않다. 露劑로 金銀花露·杏仁露·靑蒿露·枇杷露 등이 있다.

(9) 錠劑

錠劑는 약재를 細粉한 것에 적당량의 접착제(혹은 藥材 자체의 黏性을 이용함)로 만들어진 규정된 형상을 가진 固體 製劑이다. 錠劑의 모양은 각각 다른데, 혹은 圓柱形이거나, 혹은 長方形이거나, 혹은 條形 등으로 사용이 편리하고 외형이 보기 좋은 것을 목적으로 한다. 錠劑는 外用과 內服으로 투여할 수 있는데, 硏末하여 調服하거나 혹은 磨汁하여 복용하고, 外用으로는 磨汁하여 환처에 바를 수 있다. 錠劑로는 紫金錠·萬應錠·蟾酥錠·薄荷錠 등이 있다.

(10) 條劑

條劑는 또한 '紙撚'·'藥撚'이라고도 부르는데, 이것은 桑皮紙에 매우 얇게 바셀린이나 혹은 기타 消炎性 藥膏(古代에는 麻油를 사용함)를 바른 후에 비벼서 條狀으로 만들고, 일정한 길이로 절취하여 약물을 가늘게 부순 가루를 접착하여 만드는 것(속칭 '硬條劑')을 가리킨다. 條劑는 外科 治療에 일찍이 응용하였는데 예를 들면 淸代『醫宗金鑑』「外科心法要訣」卷62 에 곧 紅升丹과 白降丹을 사용하여 말아서 나뭇가지 모양으로 만들어서 瘻痘와 蛇毒을 치료한 것이 실려 있다. 최근 몇 년 동안 카르복시메틸 셀룰로오스·폴리에틸렌·알긴산 나트륨 등 溶解性 多量體를 채택하여 약물 운반체로 삼음으로써 적합한 인장성을 갖추고 있을 뿐만 아니라, 전통적인 紙撚의 異物質이 잔류한다는 단점을 피할 수 있게 되었다. 撚條를 사용할 때에는 瘡口 혹은 瘺管 속에 삽입하는데, 膿液을 흘러내리게 하여 독을 뽑아내고 부패한 것을 제거함으로써 肌肉이 생기면서 상처부위를 아물게 하는 등의 효능을 가지고 있다. 條劑로는 紅升丹條劑 등이 있다.

(11) 線劑

線劑은 또한 '藥線'이라고도 부르는데, 이것은 絲線이나 棉線을 藥液에 담근 후 끓였다가 乾燥시켜 만든 外用 製劑이다. 線劑는 中國에서 일찍이 사용되었는데, 예를 들면 淸代『醫宗金鑑』「外科心法要訣」卷69에 있는 痔瘡의 치료에 관하여 "頂大蒂小者, 用藥線勒於痔根, 每日緊線, 其痔枯落."이라는 기록이 있다. 線劑는 일반적으로 실에 포함된 藥物의 가벼운 腐蝕作用과 藥線의 기계적 緊紮作用을 이용하여, 痔核을 절단하고 瘺管을 절개하여 원활하게 통하게 하거나 혹은 말라 비틀어져 떨어지게 함으로써 瘡口의 癒合을 돕는 것이니, 瘺管과 痔瘡 등을 치료하는데 상용한다. 최근 몇 년 동안 藥線 結紮療法을 위주로 하면서 적당히 藥膏를 보조적으로 사용하여 毛細血管瘤를 치료하였고, 또한 藥線을 사용하여 菜花型宮頸癌(콜리플라워형 자궁경부암)의 뿌리 부위를 결찰한 것이 있는데, 腫瘤의 脫落과 止血을 촉진할 뿐만 아니라 국부에 용약하여 효험을 발휘하는데 도움이 되었다. 그 제조법이 간단하고 사용이 간편하며 치료 효과가 비교적 좋으며, 환자는 수술하는 고통에서 벗어날 수 있기 때문에 지금까지도 여전히 어느 정도의 사용 가치가 있다.

(12) 搽劑

搽劑는 약물과 적합한 溶媒로 만들어진, 오로지 皮膚 表面을 문지르거나 혹은 붕대 등의 敷料에 발라서 붙이는 데 제공하는 溶液型의 乳狀 혹은 현탁액 製劑를 가리킨다. 대개 鎭痛·發赤 및 항자극 작용을 일으키는 搽劑는 대부분 에탄올을 溶媒로 사용하는데, 사용할 때 문질러서 바르면 약물의 침투성을 증가시킬 수 있고, 대개 保護 작용을 일으키는 搽劑는 대부분 식물성 기름이나 액상 파라핀을 溶媒로 사용하여 바를 때 매끄러우면서 자극성이 없다. 搽劑에는 松節油搽劑·樟腦搽劑·爐甘石搽劑 등이 있다.

(13) 좌제(坐劑·栓劑)

좌제는 栓劑 또는 古代에 '坐藥' 혹은 '塞藥'이라고 불렸는데, 이것은 약물과 基質을 혼합하여 일정한 모양을 만들고, 腔道에 적용하여 그 속에서 溶化하거나 溶解하여 약물을 방출하는 고체 製劑를 가리킨다. 栓劑는 비록 오래된 약물 劑型의 하나이지만, 사용되는 것은 보편적이지 않았다. 그러나 이 劑型은 확실히 많은 특징을 가지고 있으니, 만약 直腸이나 陰道의 점막을 통하여 흡수되는 것으로 50~70%의 약물이 肝臟을 거치지 않고 직접 大循環으로 진행한다면, 한편으로는 약물의 肝臟에서의 일차통과효과(first pass effect)를 감소시킬 수 있어서 약물의 肝臟에 대한 毒性과 副作用을 감소시킬 수 있음과 동시에, 또한 胃腸液이 약물에 대한 영향 및 藥物의 胃黏膜에 대한 자극 작용도 피할 수 있다. 嬰·幼兒에게 直腸으로 약물을 투여하는 것은 주사를 맞고 약물을 복용하는 것의 어려움에서 벗어날 수 있다. 그러므로 최근 몇 년 동안 栓劑의 발전이 비교적 빠르다. 栓劑에는 蛇床子栓·小兒解熱栓·消痔栓·三黃栓·安宮牛黃栓 등이 있다.

(14) 과립제(Granules: 沖劑)

과립제는 약재 추출물에 적당량의 賦形劑 혹은 일부 藥材의 細粉을 넣어 만든 乾燥 顆粒狀 혹은 塊狀의 內服 製劑를 가리킨다. 溶解 성능에 따라 과립제는 용액용·현탁용·발포과립제 등으로 분류된다. 용액용 과립제는 대부분 水溶性이며 사용할 때에는 끓인 물로 沖服하고, 소수는 酒溶性이니 적당량의 마시는 술로 溶解하면 곧 藥酒(養血愈風酒 沖劑와 같은 것)가 만들어진다. 현탁용 과립제는 藥材의 細粉이나 難溶性 賦形劑를 함유하고 있기 때문에 끓인 물로 沖服한 후에 현탁상태가 나타나고 발포과립제는 발포하는 分解劑(구연산과 탄산수소나트륨과 같은 것)가 더해졌기 때문에 물을 만나면 곧 이산화탄소 氣泡(山楂泡騰 沖劑와 같은 것)가 발생한다. 과립제는 작용이 신속하고 맛이 있으며 부피가 비교적 작고 服用과 저장 운반이 편리한 등의 장점이 있기 때문에 환자들에게 인기가 높다. 과립제는 비교적 쉽게 濕氣를 흡수하기 때문에 더욱 포장과 저장에 주의해야 한다. 과립제로는 感冒退熱과립·板藍根과립제제 등이 있다.

(15) 片劑

片劑는 藥材를 細粉하거나 藥材 추출물에 輔料와 혼합한 후 압축하여 만든 조각 모양의 製劑를 가리킨다. 片劑는 통상적으로 粉末片·半浸膏片·全浸膏片·提純片의 네 종류로 분류한다. 일반적인 壓製片·糖衣片을 제외하면 또한 微囊片·口含片·泡騰片 등이 있다. 片劑는 약제의 양이 정확하고, 품질이 안정되어 있으며, 생산량이 높고, 원가가 낮으며, 저장·운송하고 휴대 복용하는 것이 편리하다는 등의 장점을 가지고 있다. 片劑에는 復方丹參片·銀翹解毒片·消炎利膽片·桑菊感冒片 등이 있다.

(16) 시럽제(Syrups: 糖漿劑)

糖漿劑는 약물을 煎煮하여 찌꺼기를 제거하고 汁液을 취하여 농축한 후에 적당량의 설탕을 녹여 만든 진한 설탕 수용액이다. 糖漿劑는 일찍부터 사용되었는데, 『本草綱目拾遺』에 수록된 '舍裏別'이 곧 糖漿劑의 라틴명인 Syrupi의 譯音이다. 糖漿劑는 맛이 달고 복용량이 적으며 복용이 간편하며 흡수가 빠르다는 등의 장점을 가지고 있어 특히 兒童이 복용하기에 적합하다. 달리 명시된 규정을 제외하면 糖漿劑의 糖 함량은 60%(g/㎖)보다 낮아서는 안 된다. 糖漿劑에는 養陰淸肺糖漿·桂皮糖漿·復方百部止咳糖漿·十全大補糖漿·川貝枇杷露(糖漿) 등이 있다.

(17) 경구용 액제(口服液)

口服液은 藥材를 물이나 기타 溶劑로 추출하여 精製를 거친 후 만든 單劑量의 內服 液體 製劑를 가리킨다. 이 劑型은 湯劑·糖漿劑·注射劑의 특색을 모아두었기에, 복용하는 劑量이 비교적 적고 흡수가 비교적 빠르며 복용이 간편하고 입맛에도 적합하다는 등의 장점이 있다. 치료용 口服液에는 蛇膽川貝液·銀黃口服液·杞菊地黃口服液·生脈飮 등이 있으며, 건강상 滋補하는 성질을 가진 口服液으로는 靑春寶·蜂王漿(로얄제리) 등과 같은 것이다.

(18) 注射劑

注射劑는 속칭 '藥鍼劑'라고 하는데, 약물을 抽出·精製·配製 등의 단계를 거쳐 만든 멸균용액·乳狀液·현탁액 및 사용하기 전에 용액이나 현탁액과 배합하는 無菌粉末이나 濃縮液을 皮下·肌肉·靜脈注射로 제공하는 일종의 製劑이다. 注射劑는 원료로 하여 抽出·精製를 거친 후 注射劑 공정에 따라 配製되어 만든 新製劑이다. 劑量이 정확하고 藥效가 신속하며 응급 처치에 적합하고, 아울러 消化系統의 영향을 받지 않는다는 등의 특징을 가지고 있어서 이미 보편적으로 사용되는 주요한 약물 劑型의 하나로 발전되었다. 중국의 경우 注射劑는 1930년대에 시작되었고, 최근 몇 년간 크게 발전했는데 그중에 치료 효과가 비교적 좋은 것은 거의 백여 가지이다. 예를 들면 鹽酸川芎嗪 注射液이 腦血栓을 치료하고, 枳實·生脈散·丹參·四逆湯 등의 注射液이 心血管病을 치료하며, 주사용 天花粉으로 分娩을 촉진하는 데 이용하는 등 모두 뚜렷한 치료 효과를 얻었고, 莪朮油·三尖杉酯碱·喜樹碱 등의 注射液은 癌症의 치료에 대해서도 비교적 양호한 치료 효과를 얻었다. 이밖에 銀黃·淸開靈·山豆根·七葉蓮·丹皮酚 등의 注射液은 淸熱消炎 등의 방면에서 역시 모두 일정한 치료 효과가 있었다. 漢肌松 등의 注射液은 麻醉用으로도 확실히 효과가 있다. 銀黃注射液·生脈注射液·淸開靈注射液 등의 품종은 모두 주요 유효성분의 定性·定量 혹은 生物體에 측정한 지표를 가지고 있다. 注射液에 존재하는 주요한 문제점은 투명도와 치료 효과의 불안정 등이니 추가적인 연구가 필요하다.

(19) 캡슐제(Capsules: 膠囊劑)

캡슐제는 경질캡슐제·연질캡슐제·장용성캡슐제로 분류되는데, 대부분이 口服으로 사용한다.

1. 경질캡슐제: 일정량의 약재 추출물을 藥粉이나 輔料와 함께 만든 균일한 粉末이나 顆粒을 속이 빈 캡슐에 채워서 만들거나, 혹은 藥材 粉末을 직접 속이 빈 캡슐에 담아서 만든 것이다. 경질캡슐은 원래 약물의 細粉이나 顆粒 및 약재 추출물의 細粉이나 顆粒을 裝填하기에 적합하다. 口服하는 것 외에 경질캡슐제는 또한 腔道로도 투약할 수 있다. 최근 몇 년 동안 이 製劑는 비교적 빠르게 발전하였는데, 全天麻膠囊·羚羊感冒膠囊 등과 같은 것은 비교적 양호한 치료 효과가 있는 것들이다.

2. 연질캡슐제: 일정량의 약재 추출물을 球形 또는 타원형의 연질 캡슐재료에 밀봉하여 滴製法 혹은 壓製法으로 제조한 것이다. 연질 캡슐 재료는 캡슐로 젤

라틴·글리세린 혹은 기타 적절한 약용 재료로 만들어진다. 연질캡슐은 油性 液體 藥料를 충전하기에 적합하다. 연질캡슐제는 외관이 깨끗하고 복용하기가 쉬우며 약물의 나쁜 냄새를 덮어 약물의 안정성을 향상시킬 수 있고, 생물학적 활용도 역시 비교적 좋아서 定時·定位에 약물을 방출할 수 있기 때문에 비교적 이상적인 약물 劑型의 하나이다. 軟膠囊劑에는 牡荊油膠丸·芸香油膠丸·杜鵑油膠丸·樟葉油膠丸·艾葉油膠丸 및 胡椒酮膠丸 등이 있다.

3. 장용성캡슐제: 이것은 경질캡슐 혹은 연질캡슐이 藥用 高分子材料로 처리되거나 기타 적절한 방법의 加工을 거쳐서 만들어진 것을 가리킨다. 그 囊殼이 胃液에는 녹지 않지만 腸液에서 分解하여 활성 성분을 방출한다.

(20) 灸劑

灸劑는 艾葉을 빻아서 絨狀으로 만들거나, 혹은 다른 약재를 넣어 말아서 卷煙狀이나 기타 형상을 만들어, 穴位나 體表 患部를 熏灼하는 外用 劑型을 가리킨다. 灸 치료는 灸劑를 이용하여 '溫熱刺激'을 진행하는 일종의 물리적인 外治療法으로, 간편하고 쉽게 할 수 있으며 단독으로 적용할 수 있지만, 대부분 鍼刺法과 함께 통합하여 사용한다. 灸劑는 대부분 艾絨을 원료로 하여 만들어지며, 그 모양에 따라 艾頭·艾炷·艾條(艾卷)의 세 종류로 나누어진다. 역사상으로 일찍이 桑枝灸·煙草灸·硫黃灸·油撚灸 및 火筷灸 등 많은 종류가 있었지만 현대에는 이미 적게 사용하고 있다. 艾頭는 콩알만한 크기의 둥근 공 모양을 하고, 艾炷는 원뿔 모양이다. 艾條는 곧 艾卷을 말하는 것으로 원기둥 모양이며, 艾絨 이외에 기타 藥材를 많이 함유하고 있는 灸劑이다. 약재를 細粉한 것과 艾絨의 비중이 현저하게 차이나기 때문에, 제조할 때 藥材를 艾絨의 얇은 층 위에 뿌리고 다시 돌돌 말아서 藥量이 정확하지 않은 것을 피해야 한다. 無煙灸條·雷火鍼 및 기타 含藥艾卷 등이 있다.

(21) 熨劑

熨劑는 鐵砂에 어떤 약물을 배합하여 만들어 체표의 환부나 穴位에 다림질하는 外用 製劑를 가리킨다. 그 기능이 宣通經絡·散寒止痛하기에 대부분 風寒濕痹를 치료하는데 사용한다. 熨劑는 제조법이 간편하고 가격이 저렴하며 보존하기 쉽고 불량한 반응이 없다. 熨劑로는 坎離砂(風寒砂) 등이 있다.

(22) 灌腸劑

灌腸劑는 肛門을 통하여 약물을 直腸에 주입하는 液體 藥劑를 가리킨다. 대체로 瀉下灌腸劑(排便이나 灌洗를 목적으로 함)와 保留灌腸劑의 두 종류로 분류한다. 후자는 局部의 치료 작용을 발휘할 뿐만 아니라, 結腸으로의 흡수를 통하여 전신 작용도 할 수 있다. 灌腸으로 약물을 투여하는 것은 또한 약물의 胃속에서의 파괴 및 기타 胃黏膜에 대한 자극을 피할 수 있으며, 특히 口服하여 약물을 투여하기에 적합하지 않는 환자에게 적용된다. 用量은 상황에 따라 증감할 수 있는데, 일반적으로 60 ㎖ 정도이다. 保留灌腸劑에는 大承氣湯灌腸劑·黃柏液灌腸劑·大黃煎液灌腸劑 등이 있다.

(23) 에어로솔제(Aerosols: 氣霧劑)

에어로솔제는 약물을 분사제와 함께 밸브가 달린 耐壓용기에 봉한 것으로 사용 시에는 분사제가 기화되면서 발생하는 압력에 의해 내용물이 안개 형태로 분출되도록 한 製劑이다. 약물은 액체 혹은 고체인데, 분사제는 비등점이 실온 이하인 低沸騰點 物質을 가리키는 것으로, 약물을 분사하는 동력일 뿐만 아니라 약물의 溶媒 또는 稀釋劑이다. 해외 임상에서는 1950년대 초기에 시작되어 주로 氣管支炎 및 喘息 등에 사용되었고, 높고 빠른 효과의 특징이다. 에어로솔제는 호흡기 질환 외에 冠狀動脈疾病·感冒·流行性感冒 및 火傷과 皮膚에 용약할 때에도 모두 사용된다. 그 용도 및 성질에 따라 외용도포, 공간분무, 흡입, 내복으로 분류하는데, 氣霧劑에는 寬胸氣霧劑·復方細辛氣霧劑·復方桂枝氣霧劑·洋金花氣霧劑·撲喘氣

霧劑·燒傷氣霧劑·滴黴淨氣霧劑 등과 같은 것들이 있다.

(24) 엑스제(Extracts: 合劑)

合劑는 약재를 물이나 기타 溶劑를 사용하여 적절한 방법으로 추출한 후 濃縮하여 만든 內服 液體 製劑이다. 湯劑에 비해 合劑의 劑量은 크게 축소되어 통상적으로 10~20 ㎖/회이고, 최대 30 ㎖/회이며, 또한 비교적 대량으로 조제할 수 있어서 때에 이르러 煎藥하는 폐단을 벗어날 수 있게 되었지만, 隨證加減할 수 없어서 湯劑를 대체하기에는 어렵다. 合劑로는 小建中合劑·小青龍合劑·復方甘草合劑 등이 있다.

위에서 서술한 것들을 종합하면 방제의 劑型은 풍부하고 다채로우며, 전통적인 劑型이 있고 또한 현대적인 劑型도 있다. 전통적인 劑型의 특징을 요약하면, 주로 구성에 있어서는 藥物의 配伍를 연구하면서 藥材의 品質을 중시하였고, 합리적인 공정을 채택하면서 약물의 성능과 醫療의 필요성에 따라 적절한 劑型을 선택하였으며, 응용에 있어서는 辨證해서 용약할 것을 중시하면서 여러 경로로 약물을 투여하는 것에 주의하였다. 그러나 역사적인 원인으로 전통적인 劑型에는 또한 일부 부족한 점이 존재했는데, 예를 들면 製劑의 부피가 너무 크고, 복용량이 지나치게 많으며, 高效·速效가 나는 製劑가 부족하면서 특히 심한 중증의 응급처치에 대해 비교적 적응하기 어려웠으며, 흡수가 완만하면서 사람들의 이용도가 떨어지고, 어떤 製劑는 미생물에 오염되는 게 심각했으며, 복용이 불편하고 劑量이 부정확한 것 등이 있다. 이러한 점을 감안하여 최근 전통적인 劑型을 계승·발전시키는 기초 위에서 현대 製劑學 및 관련된 學科의 지식과 기술을 받아들여, 끊임없는 실천을 통하여 推陳出新하면서 많은 현대 劑型이 생겨났으니, 예를 들면 片劑·膠囊劑·口服液·滴丸·濃縮丸·糖漿劑·氣霧劑·注射劑 등이다. 현대 劑型의 특징을 종합하면 주로 전통적인 劑型의 장점을 계승하여 生産에 있어서 新理論·新技術·新工程·新裝備를 채택하였으니, 따라서 일반적으로 치료 효과가 더 높고 효력이 더욱 빠르며 사용하기가 더 간편하면서 製劑의 安定性·安全性 또한 비교적 크게 높아졌다고 할 수 있다. 일부 현대 製劑는 확실한 품질기준과 검사방법을 제정함으로써 현대 製劑의 품질 요구사항에 부합하였다. 현재 方劑의 劑型 개선 작업이 심도 있고 광범위하게 발전하고 있으므로 마땅히 치료 효과가 좋고, 방제의 구성이 합리적이며, 劑型이 적절하고, 工程이 선진적이며, 品質을 보증할 수 있고, 藥源이 충족되면서 한의학의 특색을 갖추고 있는 新産品·新劑型을 연구 제작하여야 임상에서 질병을 예방하고 치료하고자 하는 요구를 만족시킬 수 있을 것이다.

3. 劑型과 治療 效果는 밀접하게 관련되어 있다.

방제의 치료 효과는 주로 처방한 약물의 性質과 配伍에 달려있지만, 劑型이 치료 효과에 미치는 영향도 무시할 수 없으며, 때로는 劑型이 치료 효과의 발휘에 주도적인 작용을 일으킨다. 그러므로 방제의 치료 효과에 대한 평가는 방제를 구성한 약물 자체의 藥理 효과를 고려해야 할 뿐만 아니라, 劑型의 구성 요소들 예를 들어 약물을 투여하는 방법·제조하는 공정·賦形劑 등의 약효에 대한 영향도 중시해야 하니, 劑型이 유기체의 약물에 대한 吸收·分布·代謝·排泄에 영향을 줄 수 있기 때문에 劑型의 선택이 정확하다면 약효의 발휘에 도움이 될 것이다. 반대로 劑型의 선택이 잘못되었다면 각종 나쁜 결과를 초래할 수 있는데, 예를 들면 어떤 매우 잘 작용하는 약물이 제공된 劑型이나 제조 공정이 불합리하기 때문에 복용 후 흡수되지 않거나 완전히 흡수되지 않으면 효과가 없거나 떨어지는 것으로 나타나고, 원래는 毒性이 크지 않은 약물이었는데 劑型이 적당하지 않으면 뚜렷한 毒副作用을 야기할 수 있기 때문에 기대하는 치료 효과에 도달할 수 없게 된다. 劑型과 治療 效果의 관계는 주로 아래의 몇 개 방면으로 반영된다.

(1) 합리적인 劑型은 치료 효과를 증가시킬 수 있다.

방제의 운용 과정 중에 적절한 劑型과 최적의 약물투여경로를 선택하는 것이 매우 중요하다. 적절한 劑型을 선택하면 방제의 치료 효과를 충분히 발휘할 수 있지만, 다른 劑型으로 바꾸면 치료 효과가 감소하거나 심지어는 효과가 없게 된다. 劑型과 방제의 치료 효과의 영향에 관한 연구는 최근 몇 년 동안 관련된 報道가 이미 적지 않다. 예를 들어 협심증과 심근경색 후의 胸痛으로 辨證이 氣滯血瘀에 속하는 자는 活血化瘀하는 약물인 丹參을 일상적인 量으로 口服할 수 있으나 효과가 뚜렷하지 않았는데, 復方丹参注射液으로 바꾸어 직접적으로 靜脈에 주사했더니 곧 뚜렷한 효과가 있었고(口服하는 血藥의 농도가 낮았기 때문이다), 저분자 dextran은 微細血管을 확장시킬 수 있지만 작용이 오래가지 못하는데, 만약 復方丹参注射液을 저분자 dextran에 넣어 靜脈 주사하면 직접 心血管에 작용하여 효과가 현저하게 높아지니[10], 丹參은 劑型이 달라짐에 따라 임상에서 치료 효과가 발휘되는 게 한결같지 않으며, 靜脈注射劑가 口服劑보다 우수함을 설명하는 것이다. 또한 安宮牛黃丸은 溫病重症을 구급하는 劑型이 큰 蜜丸이지만, 重症으로 昏迷한 환자는 口服으로 약물을 투여할 수 없어서 약효의 발휘에 영향을 주는데, 연구하여 淸開靈注射劑와 滴鼻劑로 만들어진 후에 口服하여 약물을 투여할 수 없었던 단점을 극복하고 藥效가 강화되면서 速效가 나는 製劑가 만들어진 것이니, 流行性B型腦炎·流行性腦脊髓膜炎·重症肺炎으로 인한 高熱·抽搐·昏迷 등에 비교적 양호한 치료 효과가 있다.[11] 이후에 또한 安宮牛黃丸을 栓劑으로 바꾸어서 肛門으로 약물을 투여하였더니 치료 효과가 뚜렷할 뿐만 아니라 사용하기도 더욱 편하였다.[12] 다시 青蒿와 같은 경우, 이것은 古代에 이미 사용된 抗瘧藥의 일종으로 그것의 유효성분인 아르테미시닌(Artemisinin)은 熱에 강하지 않기 때문에 水煎服하면 효력이 없다. 비록 晋代 葛洪의 『肘後備急方』卷3에는 "用鲜葉搗汁服用"하라는 방법이 실려 있지만, 溶解度가 작고 口服하면 首過효과가 뚜렷하며 복용량은 많아도 혈중농도는 낮기 때문에 口服 製劑로 만드는 것은 마땅하지 않고 栓劑로 만드는 것이 좋다.[13]

(2) 劑型이 부적절하면 치료 효과를 저하시키거나 효과가 없을 수 있다.

어떤 방제들은 제공된 劑型이 합리적이지 못하기 때문에 그것의 임상 치료 효과를 저하시키거나 무효화시킬 수 있다. 예를 들어 地錦草 口服液은 急性胃腸炎·菌痢 등을 치료하는 효과가 비교적 좋으며 體外試驗에서 抑菌 범위가 매우 넓었지만, 注射劑에는 뚜렷한 치료 효과가 없었다. 實驗에서 赤血球 및 血淸이 地錦草의 抗菌 작용에 일정한 영향을 미치지만, 動物實驗은 注射劑 역시 뚜렷한 효능이 없음을 증명하므로, 地錦草는 口服 劑型으로 만드는 것이 적합하며 注射劑는 효과가 없음을 밝혔다.[14] 또한 銀翹散은 外感熱病을 치료하는 좋은 방제로, 劑型에는 合劑·片劑·丸劑·沖劑·水劑·散劑·膠囊劑·煎膏劑등이 있다. 어떤 劑型은 분명히 그 방제의 方證 病機와 應用 原則에 부합하지 않는데, 예를 들어 본 방제를 滋補를 위주로 하는 大蜜丸으로 만드는 것은 劑型의 면에서 평가하자면 최소한 두 가지 관점에서 타당하지 않다: ① 賦形劑로 쓰이는 蜂蜜의 용량이 상당히 많아서 거의 1:1에 가까운데, 蜂蜜은 예로부터 一味로는 甘緩益氣하는 작용이 있어서 흡사 銀翹散의 輕宣疏散하는 작용과는 상반되니, 이와 같이 대량의 蜂蜜이 약효에 영향을 주지 않으리라는 것은 불가능하다. 현대적인 연구는 대량의 蜂蜜이 胃의 排空 速度를 완만하게 하기 때문에 치료 효과가 시작되는 시간에 영향을 미친다는 것을 증명하였다. ② 蜜丸의 약물을 풀어헤치는 성능은 片劑·水丸·膠囊劑와 비교했을 때 떨어지기 때문에 효과가 나는 시간을 지연시키니, 銀翹散을 大蜜丸으로 바꾸는 것은 外感熱病의 치료에 적합하지 않다는 것을 볼 수 있다. 體外로 放出하는 매개 변수(parameter)인 T50으로 보면 銀翹解毒片(糖衣片)은 非糖衣片의 6倍나 많기 때문에 銀翹散을 糖衣片劑로 바꾸는 것도 마찬가지로 速效 작용이 나타나지 않기 때문에 적합하지 않다. 개별 공장에서 銀翹散을 煎膏劑로 바꾸는 것도 더욱 타당하지 않다. 최근에 개발된 銀翹散의 袋泡劑는 이 방제 劑型의 비교적 좋은 선택이다. 俞氏는 이미 銀翹散 袋泡劑로 상기도 감염 25례를 치료하였는데, 결과는 退熱 時間이 평균 35시간이었고, 치유률은 90.2%였으니, 이 劑型과 銀翹散의 丸·片·沖·水 등의 劑型을 서로 비교했을 때 가장 이상적이라고 인식하였다.[15] 실험적인 관찰 역시 그 解熱·抗炎·抗過敏 및 유기체의 免疫 기능을 향상시키는 모든 작용이 煎劑·片劑보다 강하였으며, 함유하고 있는 揮發油와 非揮發性成分 역시 煎劑·片劑보다 높게 나타남을 발견하였다.[16]

(3) 합리적인 劑型은 毒副作用을 감소시킬 수 있다.

劑型과 毒性은 밀접하게 연관되어 있다. "湯者蕩也", "丸者緩也", "散者散也"라는 인식은 서로 다른 劑型은 그 작용하는 性質과 발현하는 速度가 다름을 말하는 것이다. 예를 들어 苦杏仁을 만약 가루로 갈아서 복용하면 그것이 함유하고 있는 amygdalin이 emulsin에 의해 분해된 후에 hydrocyanic acid를 발생시켜 인체에 害毒을 끼칠 수 있다 . 다만 煎煮의 과정을 거치면 emulsin이 대부분 소멸되어 毒性을 경감시킨다.[17] 한편 劉筱藹[18] 등은 동물의 急性毒性과 亞急性毒性 시험을 통해 四逆湯의 緩釋片은 煎劑와 비교했을 때 毒性이 감소되어 뚜렷한 毒副作用이 발생하지 않았다고 밝혔다. 게다가 四逆湯의 片劑는 많은 사람들이 약물의 구성 요소로 일으킨 中毒들, 예컨대 煎煮가 적당하지 않았다던지 服用하는 劑量이 너무 많았다는 것 등으로 인한 것들을 감소시켰다. 四逆湯이라는 전통적인 煎劑는 劑型의 개량을 거쳐야 하니, 毒性 관점에서 볼 때 緩釋片劑가 煎劑보다 뚜렷하게 우수하면서 안전하다는 것을 볼 수 있다.

(4) 劑型의 分解와 放出度는 치료 효과의 발휘에 영향을 줄 수 있다.

劑型의 선택은 우선 그 分解度와 放出度가 치료 효과에 미치는 영향을 고려해야 한다. 만약 劑型의 分解 시간과 放出 속도가 적절하다면 요구하는 시간 내에 체내의 혈중농도가 매우 빠르게 치료할 수 있는 劑量에 도달할 수 있어야 비로소 치료의 목적을 달성할 수 있다. 周芝芳 등은[19]『中國藥典』1995年版 溶出度 測定法 第三法으로 Huperzine-A 膠囊과 片劑의 溶出度를 측정하여 Weibull 확률지에서 매개 변수(parameter)를 구하고, t검사법을 사용하여 비교를 진행하였으며, HPLC를 사용하여 용액 중 Huperzine-A의 함량을 측정하였다. 결과적으로 片劑는 처음에 비교적 빨리 방출되었고 膠囊은 지체 시간이 있었는데, 膠囊과 片劑의 T50은 각각 5.5분과 4.4분으로 나누어졌으며, 둘 다 10분 후에 백분위 점수가 현저하게 차이가 나지 않을 때 溶出하여 20분 동안 모두 90% 이상에 도달하였다. 또 婁志華 등은[20] 乳劑型軟膏 基質·水溶性軟膏 基質·油溶性軟膏 基質로 하여 각각 淫羊藿苷 軟膏劑 A·B·C를 제조하여 그 약물의 放出을 측정하였다. 紫外分光 光度法을 사용하여 파장 270 nm에서 최대 흡수값을 측정하고 함량을 계산하여 각 基質이 淫羊藿苷 방출 속도에 미치는 영향을 비교하였다. 결과: 3가지 시험 견본의 약물 방출 속도의 빠르기 차례는 A>B>C 였다. 결론은 乳劑型軟膏를 基質로 해서 만든 淫羊藿苷 製劑가 약물 방출 속도가 가장 빨랐다.

(5) 劑型의 工程이 다르면 치료 효과 역시 다르다.

같은 藥味·같은 劑型이라도 劑型의 제조 공정이 다르기 때문에 그 치료 효능에 큰 차이가 있을 수 있다. 어떤 방제 중에 있는 약물은 藥劑 제조 과정 중 발생하는 物理·化學的 配伍의 변화가 沈澱이나 渾濁을 발생시켜서 결과적으로 방제의 임상적인 치료 효과를 저하시키거나 무효화시킬 수 있다. 譚有能 등은[21] 에탄올 침전법·D101 大孔吸着樹脂法을 사용하여 분별해서 四物湯에 대한 分離·純化를 진행하였고, 아울러 HPLC로 서로 다른 공정의 유효성분인 芍藥苷

과 阿魏酸을 측정하였으며, 동시에 일정량의 acetyl phenyl hydrazine과 cyclophosphamide를 사용하여 연합하였는데, 결과는 에탄올 침전 공정으로 처리된 四物湯 藥液은 血虛證인 小鼠에 補血 작용이 있었으며, D101 大孔樹脂로 처리된 藥液은 血虛證인 小鼠에 대한 치료 효과가 떨어지는 것으로 나타났다.

張民[22]은 두 종류의 서로 다른 공정으로 祖師麻製劑에 대한 임상 치료 효과 비교를 진행하였는데, 祖師麻 注射液(A組)은 瑞香科 植物인 黃瑞香(Dephne giraldii Nitsche)의 根皮와 莖皮 중 沈澱水 提純法으로 만든 注射劑이고, 黃瑞香 注射液(B組)은 瑞香科 植物인 黃瑞香(Dephne giraldii Nitsche)의 根皮와 莖皮에서 蒸餾法으로 만든 注射劑이다. 두 가지가 사용하는 약재는 서로 같지만, 실제로는 동일한 약재가 서로 다른 공정으로 만들어진 滅菌 水溶液이며, 둘 다 모두 祛風除濕·活血止痛의 효능이 있어서 風濕性關節炎·類風濕關節炎 등 痹證에 사용한다. 결과는 A組의 치료 효과가 B組보다 좋았는데, 祖師麻가 함유한 유효성분과 祖師麻甲素 등의 이화학적 성질과 관련되어 있을 것이다. 따라서 劑型은 그 제조 공정의 차이에 따라 그 치료 효과가 매우 큰 차이가 남을 볼 수 있으니, 劑型의 공정 설계도 무시할 수 없다.

(6) 劑型의 약물투여경로 역시 치료 효과에 영향을 줄 수 있다.

약물투여경로의 차이가 치료 효과에 역시 비교적 큰 영향을 미친다. 같은 한 가지 맛의 약물이나 혹은 여러 가지 맛의 약물은 약물을 사용하는 경로가 다르기 때문에 그 치료 효능도 크게 다를 수 있으니, 예를 들어 魏文石 등은[23] 天麻注射液의 筋肉注射와 靜脈注射로 급성뇌경색에 대해 치료하는 것을 연구하였는데, 근육주사의 치유율은 26.7%이고 총유효율은 66.7%였고, 정맥주사 치유율은 37.1%이고 총유효율은 85.7%라고 발표하였다. 두 그룹은 치료 후 모두 血液流變學의 지표를 개선할 수 있었지만, 정맥주사한 天麻素 注射液은 혈액의 黏稠度를 떨어뜨리는 작용이 근육주사한 天麻素 注射液보다 강하였으니, 이 약물은 血液의 微少循環을 개선하고, 腦의 혈류량을 증가시키며, 血黏度를 떨어뜨리고 血小板 응집을 감소시키는 등의 작용을 하는 것으로 확인되었으며, 腦에 혈액공급 부족을 개선하기 위한 치료 목적에 도달하여 神經기능의 회복을 위한 기초를 마련함으로써 障礙率을 낮추고 치료의 효율성을 높일 수 있었고, 동시에 정맥주사가 근육주사보다 효과가 더 빨랐다. 본 그룹의 腦電圖 검사 결과는 치료군이 대조군보다 현저하게 개선되었으며, 환자의 腦기능도 현저하게 회복될 뿐만 아니라, 정맥주사한 天麻素 注射劑는 뚜렷한 毒副作用이 없고 안전성이 높다고 제시하였으니, 정맥주사용 天麻素 注射液은 효과가 빠르고 치료 효과가 확실하여 믿을 수 있을 뿐만 아니라, 사용이 간편하고 안전하다고 볼 수 있다.

4. 어떻게 하면 합리적으로 劑型을 선택할 것인가?

위에서 언급한 바와 같이 劑型과 치료 효과는 밀접한 관계가 있으니 劑型을 정확하게 선택하는 것은 임상 치료 효과를 높이는 데 중요한 요소이다. 古代의 의약학자도 방제 劑型의 創製와 選擇 原則에 있어서 이것에 관한 논술이 있었으니, 예를 들면『神農本草經』「序錄」에서 말하기를 "藥性有宜丸者, 宜散者, 宜水煎者, 宜酒漬者, 宜膏煎者. 亦有一物兼宜者, 亦有不可入湯酒者, 並隨藥性, 不得違越."이라고 한 것과 같다. 위의 논술로 보면 醫療의 需要와 藥物의 性質 및 服用·貯藏·運搬의 便利 등의 요소에 근거하여 합리적으로 劑型을 선택하는 것이 매우 중요함을 알 수 있다.

(1) 醫療 需要의 측면에서 합리적으로 劑型을 선택한다.

病에는 緩急이 있고 證에는 表裏가 있기 때문에 臨證할 때에는 반드시 因病施治하고 對證下藥해야 하는데, 바로 李杲가 지적한 "大抵湯者, 蕩也, 去大

病用之; 散者, 散也, 去急病用之; 丸者, 緩也, 不能速去之, 其用藥之舒緩而治之意也.”(錄自『湯液本草』「東垣先生用藥心法」卷上)라고 한 것과 같다. 湯劑는 劑量이 많아서 달여낸 유효성분이 많으며 복용 후에 유효성분이 매우 빠르게 흡수되기 때문에 大病重症을 치료하는데 마땅하다. 散劑는 가루로 된 劑型으로 그것의 입자가 작을수록 가루에 의한 흡수가 빠르지만, 湯劑와 비교했을 때 그것은 分散·溶解 과정이 필요하고 복용량도 또한 작아서 작용이 湯劑만큼 강하지 않으며, 다만 丸劑보다는 흡수가 빠르기 때문에 급하면서도 비교적 가벼운 병증을 치료할 수 있다. 丸劑는 체내에서 分解·分散·放出·吸收 등의 과정을 거쳐야 하기에 그 작용 속도가 湯劑와 散劑에는 미치지 못하니, 慢性病을 치료하는 데 비교적 적합하다. 과학기술의 발전에 따라 藥物의 劑型과 치료 효과에 관한 연구도 한층 발전되어 古人들의 丸·散·膏·丹 등의 劑型을 기초로 대량의 새로운 劑型이 연구 제작되었으니, 片劑·沖劑·각종 액체製劑 및 鍼劑 등과 같은 것들은 일반 질병의 치료에 사용될 뿐만 아니라, 긴급한 重症의 응급 구조에도 사용될 수 있다. 예를 들면 중국의 中醫藥管理局은 1993년 1월 9일 中醫院 응급진료실이 첫 번째 반드시 갖추어야 할 中成藥을 발표하였는데, 淸開靈 注射液 등 7개 注射劑와 8종 口服液·沖劑·丸劑 등을 포함하고 있다.

劑型이 다름에 따라 그 약물 운반량·방출되는 藥物成分의 조건·數量·方式이 모두 일치하지 않는데, 체내에서 약물이 흡수된 후 나타나는 ‘생체이용률(bio-availability)과 드러난 치료 효과’는 매우 큰 차이를 드러내며, 이것은 주로 약물이 製劑 중에서 방출되는 속도에 달려있다. 일반적으로 말해서 몇 가지 상용하는 劑型의 생체이용률(bioavailability)은 다음 순서에 따른다: 정맥주사·靜滴注射液 > 口含片·舌下片·氣霧劑·栓劑 > 筋肉·皮下注射劑 > 溶液劑(口服) > 混懸液(口服) > 膠囊劑 > 丸劑 > 包衣劑·片劑[24] 이것에 따르면 急症에 용약할 때에는 빨라야 하니 湯劑·氣霧劑·栓劑·微型灌腸劑·注射劑 등을 채택하고, 慢性病의 용약은 和緩·持久해야 하니 丸劑·片劑·內服膏劑·混懸劑 혹은 기타 長效製劑를 상용하며, 皮膚病은 病位가 表에 있으니 대부분 軟膏·糊劑·塗膜劑·洗劑 등을 사용하고, 일부 腔道 질병들인 痔瘡·瘺管·陰道炎 등은 栓劑·條劑 등을 사용할 수 있다.

의료상의 필요를 위해서 劑型의 특징에 근거하여 서로 다른 劑型을 선택하거나 配合하여 응용하는 것은 매우 중요한데, 같은 藥味라도 서로 다른 劑型을 선택함으로써 치료 효과에 매우 큰 영향을 줄 수 있기 때문이다. 현재 임상에서 응용되고 있는 銀翹散 劑型은 단지 銀翹解毒丸·銀翹解毒片·銀翹解毒沖劑의 세 종류뿐이다. 蜜丸은 성질이 柔潤하고 작용이 和緩하며 오래 지속되면서 補益과 矯味의 작용이 있어서 慢性病과 虛弱者를 치료하는 데 상용하는데, 感冒 초기의 表證에는 신속하게 解除하여야 病勢에 잘못을 남기지 않을 것이니 분명히 蜜丸은 外感風熱의 急症에는 매우 적합하지 않다. 去甲斑蝥素(norcantharidin) 緩釋製劑의 독성을 감소시키고 효과를 증진시키는 작용을 탐구하기 위하여 淩昌全 등은[25] 去甲斑蝥素로 緩釋劑型을 만들고, 이 製劑를 토끼의 肝에 주사한 후 확실히 완만하게 방출할 수 있다는 것을 초보적으로 실증한 전제하에, 서로 다른 劑型인 去甲斑蝥素의 毒性 및 W256腫瘤를 負荷한 大鼠에 대한 抗腫瘤 효과를 비교하였다. 結果는 去甲斑蝥素 緩釋製劑의 肝내부 국소 주사는 去甲斑蝥素의 방출 속도를 지연시킬 수 있었으며, 腫瘤細胞와 직접적으로 작용하는 시간을 증가시키는 등의 경로로 독성을 감소시키고 효과를 증진시키는 목적에 도달할 수 있었다.

게다가 雙黃連에는 靜脈注射液·栓劑·微型灌腸劑의 세 종류 劑型이 있는데, 그것들의 생물학적 활용도 연구는 다음과 같은 것을 보여준다: 劑量이 같고 除去率이 변하지 않는 조건에서, 그 혈중농도인 時間曲線下面積(area under the blood concentraton curve, AUC)은 약물이 체내로 들어온 量을 반영한다. 실험 결과 靜脈注射液·栓劑·微型灌腸劑 사이의 AUC는 현저한 차이가 존재했으며($P<0.05$), 靜脈注射劑와 栓劑 간의 차이는 통계학적 의미가 없었다. 가장 높이 올라갔을 때의 濃度는 각 劑型 간에 역시 현저한 차이가 있어서 靜脈注射液이 가장 높았고, 栓劑가 다음이었으며, 微型灌腸劑가 가장 낮았는데, 다만 靜脈注射劑와 栓劑 간의 차이는 현저하지 않았으며, 봉우리에 도달하는 시간은 栓劑가 가장 느렸다. 栓劑가 흡수량이 많고 흡수 속도가 느린 특징에 근거하여 임상에서 사용하는 雙黃連製劑가 小兒肺炎·上呼吸道感染·泌尿系統感染을 치료할 때 栓劑와 注射劑를 연합해서 응용하는 것을 고려할 수 있으며, 雙黃連栓劑를 雙黃連靜脈注射劑의 추가 劑量으로 사용하는 것, 즉 靜脈注射와 동시에 栓劑를 사용하여 直腸으로 투여하면 정맥주사한 후에 비교적 오랜 시간 동안 血藥의 농도를 계속 유지할 수 있음을 파악하였다.[26] 이렇게 하면 서로 보완할 수 있고 임상 치료 효과를 높이는 데 유리하다.

또한 安宮牛黃丸 製劑는 원래 전통적인 大蜜丸이었는데, 위중한 환자는 蜜丸을 복용하는 것이 곤란하며 복용 후에는 다시 胃腸道의 崩解 → 溶解 → 吸收 → 分布 등의 과정을 거쳐야 효과가 나타나기 때문에, 효과가 느릴 뿐만 아니라 흡수한 후에 체내 순환에 들어가기 때문에 유효성분의 상당한 부분이 代謝·排泄로 손실되니, 그 혈중농도와 작용 강도에 매우 큰 영향이 있다. 반면 劑型을 바꾼 후 만든 淸開靈 注射液·滴鼻劑·栓劑는 직접 주입하거나 局部로 약물을 투여하기에 흡수가 빠르고 효과가 빨라서 치료 효과가 더욱 좋다.

(2) 약물 성질의 요구에 따른 劑型의 선택

방제는 여러 가지 약물로 구성되어 있고, 각 약물에 함유된 성분도 매우 많으니, 復方의 성분은 더욱 많으면서 복잡하다. 그러므로 임상에서는 우선 다른 處方·다른 藥物·다른 有效成分에 근거하여 각자 적절한 劑型을 만들어야 한다. 예를 들면 雷丸[27]의 유효성분은 蛋白酶(雷丸素)인데, 熱을 받은(60%左右) 후에 효소의 작용이 쉽게 파괴되어 효과를 상실하며, 염기성 용액에서 작용이 비교적 강하므로 가루로 만들어서 呑服하는 것이 좋고 煎劑에 넣는 것은 좋지 않다. 『中國藥典』(2010年版)의 규정에서 雷丸의 炮製 방법을 洗淨·曬乾·粉碎하고, 蒸煮 혹은 高溫으로 烘烤하지 말라고 하였는데, 이로써 腸道寄生蟲을 驅除하는 치료 효과를 보증하였다.

다음으로 약물 간의 協同 작용과 制約 작용이 그 치료 효과 사이에도 매우 중요한 관계가 있다. 施志明은[28] 加味瀉心湯의 抗菌作用에 대해 연구를 진행하였는데, 방제 중의 黃連·黃柏·大黃·甘草의 각 單味藥들은 모두 정도에 차이는 있어도 抗菌作用을 가지고 있지만, 그 抗菌作用이 구성된 復方의 강함만은 못함을 발견하였다. 이것은 방제 중의 네 가지 약물이 각각 다른 순환 고리를 통하여 細菌 代謝를 차단함으로써 유효한 抗菌 목적에 달성한 것이므로 復方의 抗菌 效果는 單味藥에 비해서 훨씬 강한 것이다. 또한 日本 學者는[28] 六神丸을 연구하면서 六神丸 중의 蟾酥는 一定한 劑量일 때 집토끼의 혈압을 하강시킨 이후에 상승하는 작용이 있음을 발견하였는데, 六神丸의 復方을 연구하는 중에는 이러한 升壓 현상이 나타나지 않았다. 따라서 升壓 작용은 방제에 있는 牛黃·麝香·膽汁에 의해 억제된 것이며, 다만 이 세 가지 약물을 단독으로 사용할 때에는 血壓에 대한 뚜렷한 영향은 없었다.

이것으로 말미암아 復方의 작용은 單味藥物의 효능이 간단하게 서로 더해지는 것이 아니라, 방제에 있는 약물들이 상호 작용한 결과임을 알 수 있으니, 따라서 임상에서 적당한 藥物과 劑型을 선택하여 합리적인 제작 공정을 설계하는 것 등이 모두 매우 중요하다는 것을 나타낸다.

【參考文獻】

1) 薛愚. 中國藥學史[M]. 北京: 人民衛生出版社. 1984; 29.
2) 秦慶福. 年莉.『肘後備急方』的方劑學成就[J]). 天津中醫藥大學學報. 2008; (3):10.
3) 陳馥馨.『備急千金要方』劑型學初探[J]). 陝西中醫. 1987; (3):107-110.
4) 田友吉.藥酒臨床應用淺談[J]). 中國醫藥指南. 2008. (10):125.
5) 章健. 李洪濤.『太平惠民和劑局方』方劑特點分析[J]). 中國醫藥學報. 2002; (17):212.
6) 王成永.『本草綱目』在中藥劑型學方面的成就[J]). 中醫藥信息. 1991; (3):8.
7) 陳馥馨.析『理瀹駢文』對膏藥制劑的研究[J]). 中成藥. 1991; (3):37.
8) 張冬靑. 程怡. 脂質體的研究概況[J]). 中藥新藥與臨床藥理. 2002; 13(2):125.
9) 陳雨安. 李芳. 中藥口服固體劑型釋放性能的實驗研究—大黃中總蒽醌的釋放和吸收[J]). 中成藥研究. 1984; (4):1-2.
10) 沈自尹. 內科領域裏中西醫結合的初步探討[J]). 新醫藥學雜志. 1973; (4):2.
11) 北京中醫學院中藥系. 安宮牛黃丸新劑型的研究[J]). 新醫藥學雜志. 1975; (8):12.
12) 曲春媛. 安宮牛黃栓爲主治療中風12例的臨床觀察[J]). 遼寧中醫雜志. 1990; (1):20.
13) 李銳. 中成藥藥效學的研討及其開發[J]). 中成藥研究. 1987; (2):24.
14) 江西醫科大學. 地錦草的療效及其抗菌成分[J]). 中草藥通訊. 1972;(1):45.
15) 俞瑞霞. 銀翹散泡劑治療上呼吸道感染的療效觀察[J]). 中成藥研究. 1986;(4):21.
16) 鄧文龍.銀翹散藥理作用[J]). 中醫雜志. 1986;(3):59.
17) 關卿. 李嫣. 淺議中藥毒性及其影響因素[J]). 中醫藥信息. 2006; 23(6):29-31.
18) 劉筱藹. 吳偉康. 顏建云. 等. 四逆湯煎劑和緩釋片劑的毒性比較[J]).藥物研究. 2006; 3(20):134-135.
19) 周芝芳. 林志紅. 石杉碱甲膠囊劑與片劑的溶出度研究[J]). 中國現代應用藥學雜志. 1998; 15(2):20-21.
20) 婁志華. 劉豔麗. 不同基質淫羊藿軟膏劑的制備及藥物釋放測定[J]). 中成藥. 2001; 23(5):321-322.
21) 譚有能. 張浩. 劉振謠. 四物湯的不同純化工藝與補血作用的關系[J]). 華西藥學雜志. 2006; 21(5):461-463.
22) 張民. 兩種不同工藝的祖師麻制劑療效比較[J]). 蘭州醫學院學報. 2004; 9(30):69-70.
23) 魏文石. 常傑.不同給藥途徑天麻素注射液對急性腦梗死病人的療效[J]). 上海醫藥. 2006; 27(11):515-516.
24) 顧學裘.藥物劑型與療效的關系[J]). 中草藥通訊. 1977; (6):36.
25) 淩昌全. 李柏. 陳堅. 等. 去甲斑蝥素緩釋制劑毒性與療效的實驗研究[J]). 第二軍醫大學學報. 1999; 20(09): 30-33.
26) 徐凱建. 楊曉紅. 胡君茹. 等. 雙黃連靜注栓劑微型灌腸劑的人體生物利用度研究[J]). 中成藥. 1987; (2):1-4.
27) 劉紅. 石玉紅. 劉超. 等. 幾種不同煎煮的中藥及分析[J]). 時珍國醫國藥. 2004; 15(6):334.
28) 施志明. 淺談中藥復方研究[J]). 中成藥研究. 1981; (2):6.

第六章

煎藥法과 服藥法

煎藥法과 服藥法은 방제 운용의 중요한 일환이므로 藥物의 配伍와 劑型의 選擇이 정확하더라도 煎藥法과 服藥法이 적절하지 않다면 효과가 없을 것이니, 徐大椿이『醫學源流論』卷上에서 "病之愈不愈, 不但方必中病, 方雖中病, 而服之不得其法, 則非特無功, 而反有害, 此不可不知也"라고 하였다. 煎藥法과 服藥法을 나누어 서술하면 다음과 같다.

第一節 煎藥法

湯劑는 古今의 임상에서 가장 흔히 사용되는 劑型이다. 藥性과 病勢에 차이가 있기 때문에 채택할 煎藥 방법을 연구해야 한다. 煎法의 적절함 여부는 치료 효과에 비교적 큰 영향을 주기 때문에 역대의 의학자들은 이것을 매우 중시하였다.『醫學源流論』卷上에서 "煎藥之法, 最宜深講, 藥之效不效, 全在乎此"라고 하였다.

(1) 煎藥 容器

煎煮 容器와 藥液 品質은 밀접한 관계가 있기 때문에 역대의 의학자들이 煎藥 容器에 대해서 매우 중시하였다. 예를 들면 梁代의 陶弘景은 "溫湯忌用鐵器"라고 하였고, 明代의 李時珍도 "凡煎藥並忌用銅·鐵器, 宜用銀器·瓦罐."(『本草綱目』卷1)이라고 하였다. 현대 공업이 발전함에 따라 각종 煎器를 製藥과 家庭에서의 煎藥에 응용하고 있는데[1], 이러한 容器의 제조 재료는 주로 스테인리스 스틸·에나멜·銅·알루미늄·철·도자기 등이다. 이러한 容器들은 각각 특징이 있는데, 煎藥에 적합 여부를 서술하면 다음과 같다.

1. 질그릇(沙鍋)·도자기(陶器)·질항아리(瓦罐): 容器의 화학적인 성질이 극도로 안정되어 있어 韓藥의 화학성분과 화학적인 반응을 일으키지 않고, 그릇의 바닥이 두터워서 熱 전도가 균일하면서 熱力이 和緩하며, 그릇 주위에 보온성이 강하며 수분의 증발량이 적어서 상대적으로 熱에 잘 견디지 못하는 韓藥 성분의 보존에 유리하다. 달여진 藥汁의 성분이 전면적이면서 가격 또한 저렴하다. 현재 학자들은 보편적으로 소량의 湯劑를 제조할 때에는 도자기 그릇 중 질그릇(沙鍋)·질항아리(瓦罐)를 사용하는 것이 가장 좋다고 생각한다.[2] 단점은 육중하고 쉽게 깨지는 등 醫院 煎藥室에서 大量으로 煎藥할 때에는 적절하지 않다. 일부 학자는[3] 지적하기를 질그릇(沙鍋)에는 구멍과 주름이 많아서 쉽게 각종 약물 성분을 흡착하기에 냄새가 난다고 하였다.

2. 에나멜 용기: 일반적으로 도자기 그릇이 없을 때에는 에나멜 또는 알루미늄 용기로 대체할 수 있다. 湯劑의 色澤·味道·금속이온·산염기도 등을 지표로 하여, 비이커·강철솥(鋼鍋)·쇠솥(鐵鍋)·알루미늄솥(鋁鍋)·에나멜 컵(搪瓷杯)·주석도금솥(錫裏鍋)·질그릇(沙鍋) 등 서로 다른 容器의 煎出한 湯液에 대한 영향을 관찰하였다. 결과는 쇠솥(鐵鍋)에 달인 藥液의 외관이 深紫色·黑綠色·紫黑色을 띠고, 山楂·苦蔘·麻黃의 煎出液에서 녹슨 맛이 나며, 강철솥(鋼鍋)과 주석도금솥(錫裏鍋)으로 五倍子를 달일 때 미량의 銅과 주석 이온이 검출되어 煎藥 容器로 마땅하지 않다는 것을 제외한다면, 나머지 질그릇 알루미늄솥(鋁鍋)·에나멜 컵(搪瓷杯)·유리 비이커에서 얻은 煎液의 外觀·味道 및 금속 이온 측정 등은 비교적 안정적이었기 때문에 약을 달일 때 사용할 수 있다.[4] 다만 다른 견해를 제시한 사람도 있는데, 에나멜 용기 제품은 煎藥하는데 사용하는 것이 좋지 않다고 하였다.[5] 각종 에나멜 제품이 모두 철제품인데 겉면에 에나멜을 도금한 것으로, 에나멜의 이면에는 인체에 유해한 에나멜 납 등의 화합물을 함유하고 있어서 가열하거나 산성물질을 만나면 모두 그것의 溶出을 가속화할 수 있기 때문이다. 대다수의 韓藥은 有機酸類·페놀 등 酸性 성분을 함유하고 있으며, 韓藥을 달일 때 여러 번 달여야 하는데, 에나멜 용기에 있는 유독물질의 용출을 더욱 가속화시킬 수 있다. 이러한 납을 함유한 화합물이 藥液에 용해된 후, 하나는 韓藥의 유효성분과 화학반응을 일으키는 것이고, 다른 하나는 장기간 이러한 납 함유 藥液을 복용하면 축적성 중독이 생길 가능성이 있다. 이밖에 많은 가정에서 韓藥을 달일 때 항상 直火로 가열하는데, 만약 에나멜 용기로 약을 달이면 에나멜과 鐵이 熱을 받아 각자의 열 팽창계수가 다르기 때문에 겉에 바른 에나멜이 균열이 생기면서 벗겨지기 쉽고, 이렇게 하면 藥液에 있는 유효성분도 內層에 있는 鐵과 화학반응을 일으키면서 파괴될 수 있으며, 게다가 에나멜 용기를 직화로 가열하여 煎煮하면 局部의 지나친 熱로 유효성분이 타면서 파괴되기 쉽다. 따라서 에나멜 용기는 煎藥에 좋지 않다.

3. 알루미늄 용기(鋁器): 일반적으로 인식하기를 알루미늄 용기의 표면에는 한 층의 비교적 치밀한 산화막을 가지고 있어 藥液과 알루미늄을 격리시켜 화학반응이 잘 발생하지 않으며, 가볍고 열을 빨리 받으며 잘 깨지지 않는다는 장점이 있다. 따라서 현재 알루미늄 용기를 사용하여 韓藥을 달이는 것은 가정과 의약기관에서 모두 보편적으로 되었다.[6] 각판『方劑學』교재에서도 또한 모두 알루미늄 용기를 사용할 수 있다고 생각한다. 다만 어떤 사람은 이것에 대해 특별히 다른 의견을 가지고 있었으니, 殷氏[7]는 알루미늄 제품이 煎藥器具로 마땅하지 않다고 생각하였고, 宋氏[8]는 알루미늄 솥도 이상적인 煎煮 器具가 아닌데, 그것은 强酸性·强鹽基性을 견디지 못하여 pH 값이 1~2 혹은 pH 값이 10인 煎液에서 알루미늄이온을 검출할 수 있으며, 인체의 어떤 질병은 체내 알루미늄 함량이 지나치게 높은 것과 관련이 있다는 연구 결과가 나왔다. 王氏도 역시 이러한 관점에 동의하면서 알루미늄 용기의 표면에는 비록 한 층의 치밀한 산화물이 덮고 있지만, 알루미늄 용기를 사용하여 煎藥할 때에 攪拌할 때의 마찰 및 韓藥의 有機酸 성분이 100℃에서 화학반응을 발생시켜, 표층에 치밀한 산화막을 점점 파괴하여 안정성이 저하되면서 끊임없이 藥液 중으로 알루미늄의 화합물을 방출한다고 하였다. 그것들이 인체에 흡수되면 肝·脾·腎과 腦의 組織器官에 축적될 수 있으며, 축적량이 정상치의 5배 이상을 초과할 때에는 胃蛋白 효소의 활성이 파괴되어 소화기능의 문란을 일으킬 수 있고, 또한 과도한 알루미늄 화합물을 장기간 섭취하면 血淸無機磷의 수준을 현저하게 저하시키고, 아울러 關節疼痛이나 軟弱無力 등의 증상을 일으킬 수 있다. 별도로 筋萎縮側索硬化症(ALS)과 老人性 痴呆 환자의 神經에는 알루미늄의 함유량이 건강인에 비해 2~3배 더 많았기 때문에, 알루미늄제품 또한 煎藥하는 도구로 사용하기에는 적합하지 않다는 것이 밝혀졌다.[9]

별도의 보도 자료가 있는데, 邱佳信[10] 등이 서로 다른 容器에 韓藥을 煎熬한 것이 胃癌細胞의 集落 형성에 미치는 영향을 연구하여 발표했는데, 同藥·同劑

量·同法의 상황에서 서로 다른 容器에 煎煮한 韓藥이 胃癌細胞의 集落 형성에 미치는 영향이 달랐다. 임상에서 관찰 결과 서로 다른 容器가 인체 胃癌細胞 集落 형성에 대한 억제작용은 에나멜 용기·질그릇이 가장 좋았고, 철·스테인리스 스틸·자색 구리가 비교적 나빴으며, 알루미늄 용기가 가장 좋지 않았는데, 아울러 이러한 차이는 藥液 濃度의 영향을 받으니 高濃度의 藥液을 제조할 때 더욱 주의해야 함을 실증하였다. 흡수 스펙트럼 측정은 서로 다른 容器에서 조제된 韓藥 湯液의 흡수 스펙트럼 정점기가 서로 다름을 밝혔는데, 금속이온과 韓藥에 함유된 화학성분이 일으키는 화학반응이 濃度가 높을수록 藥液과 금속용기의 접촉 시간이 길어지면서 참여하여 반응하는 성분도 더욱 많아지고 품질에도 차이가 있음을 제시하였다.

이를 감안하여 冼氏[3]는 질이 좋고 쉽게 깨지지 않는 세라믹 그릇을 개발하여 알루미늄이나 스테인리스 그릇을 대신함으로써 현대적인 煎煮 장치를 가진 煎藥 容器를 만들자고 제안하였다.

4. 鐵·銅·주석도금 容器: 韓藥을 煎煮할 때에는 鐵器를 금기시하는 것은 古今의 의학자들이 이미 기본적으로 공감대를 형성하고 장기간 임상 실천을 지도해 왔다. 그 원인은 주로 鐵의 화학적 성질이 불안정하고, 산화되기 쉬우며, 약을 달일 때 약재에 광범위하게 존재하는 많은 화학성분들, 예를 들면 플라보노이드(黃酮)·알칼로이드(生物碱)·쿠마린(香豆精)·아미노산(氨基酸)·탄닌(鞣質) 및 기타 페놀류(酚類) 등이 모두 Fe^{3+}와 화학반응을 일으켜, 결과적으로 종종 藥液의 變色·渾濁·沈澱 등 製劑의 품질을 변화시켜 완성품의 치료 효과를 떨어뜨리거나 효과가 없도록 만들며, 심지어는 毒副作用을 일으키기 때문이다. 山楂와 같은 경우에 鐵器와 접촉한 후에 침범한 액체의 외관이 黑色으로 변하는데, 이것은 山楂에 함유된 플라보노이드·黃酮醇이 Fe^{3+}와 반응하면 有色絡合物을 생성하는 까닭이라고 분석되었다. 동시에 山楂에 함유된 각종 有機酸·아미노산·탄닌도 능히 鐵이온과 有色絡合物을 생성할 수 있으며, 대량의 탄닌은 Fe^{2+}의 작용에 의해 鞣酸亞鐵이 생성되기 쉬우며, 아울러 鹽基性 조건 하에서 매우 變性되기 쉬운데, 이렇게 조성된 山楂의 유효성분은 대폭 저하되었으며, 아울러 이런 山楂 製劑를 복용한 후에 환자는 惡心·嘔吐·胸悶·腹脹 등의 부작용을 쉽게 일으켰다.[6]

銅器를 사용하여 煎出한 藥液에서 미량의 銅이온이 검출될 수 있으며, 어떤 약물은 오히려 銅과 함께 달이면 염기성탄산구리(녹청 綠靑) 등을 생성한다. 주석도금 솥의 煎出液에도 역시 미량의 주석이온이 검출되기도 하는데, 이러한 금속이온의 일부는 약재 중의 어떤 성분과 화학반응을 일으키기도 하고, 어떤 성분은 산화를 촉진시키기 때문에 製劑의 안정성과 약효에 영향을 미친다. 그러므로 일반적으로 煎藥할 때에는 鐵·銅·주석도금 등의 금속기구의 사용을 금해야 한다고 생각한다.[3]

5. 스테인리스 스틸 용기: 스테인레스 스틸 그릇의 화학적 성질은 상당히 안정적이고 내구성이 견고하며 熱傳導率이 빠르므로 製藥하는 기계로 스테인리스 스틸 제품을 광범위하게 사용하고 있다. 다만 보도에 따르면 黃芩·黃柏·槐花의 세 가지 상용하는 韓藥을 선별하여 각각 질그릇에 숯불로 하거나 알루미늄 혹은 스테인리스 스틸을 煎藥하는 기구로 채택하여 현대 煎煮 장치로 煎煮를 시작하였으며, 이후에 유효성분 煎出量의 측정을 진행하였다. 결과는 전통적인 煎煮法의 藥液 중 유효성분 함량이 현대식 煎煮法보다 뚜렷하게 높음을 발견하였으니[3], 스테인리스 스틸 그릇을 사용하여 얻은 製劑의 품질이 전통적인 도자기 기구보다 떨어진다는 것을 볼 수 있다. 물론 우리는 현재의 煎藥 기계를 전반적으로 부정할 수는 없다. 시간을 절약하고 편리하며 위생적이면서 煎藥하는 효율이 높다는 등의 장점이 있어서 현시점에서 각 醫院에 없어서는 안 될 煎藥 설비이다.[11]

6. 銀器: 古代人들은 일찍이 銀器를 사용하여 煎藥할 것을 제창하였는데, 비록 그 화학적인 성질은 안정되어 있지만, 가격이 비싸서 얻기가 쉽지 않고, 熱을 전도하는 성질이 너무 강하며, 솥 바닥의 온도가 매우 높아서 韓藥 중 高溫에 견디지 못하는 성분이 쉽게 파괴되고, 水分의 증발이 빨라서 약재가 바닥에 달라붙어 焦炭 현상이 발생하기 쉬우므로 銀器의 실제 응용 가치는 크지 않다.

(二) 煎藥 溶媒

물은 韓藥 湯劑를 달이는 주요한 용매로, 古今의 의학자들은 湯劑를 조제할 때 煎藥의 용매를 역대로 연구해 왔는데, 용매의 종류가 다르거나 水質의 優劣과 多寡에 따라 湯劑의 煎煮 효과와 품질에 직접 영향을 미치기 때문이다. 일찍이 漢代에 張仲景은 湯劑의 서로 다른 構成·作用과 임상 응용 특징에 따라 煎藥하는 용매에 서로 다른 요구를 제시하였으니, 예를 들면 茯苓桂枝甘草大棗湯方을 '甘瀾水'로 달일 것과, 枳實梔子豉湯을 '淸漿水'로 달이라고 한 것과 같다. 초보적인 통계에 따르면『傷寒論』의 煎藥 溶媒에는 9종이 있다: ① 물은 가장 많이 사용하는 煎藥 溶媒로 全書에 모두 90여 방제가 있다. ② 白飮은 곧 米湯인데, 대부분 散劑의 調服液으로 사용되니 五苓散·四逆散과 같은 것이다. ③ 甘瀾水는 곧 千揚水 또는 勞水라고 부른다. ④ 酒水는 곧 물과 술을 혼합하여 만든 것인데, 술로 藥力을 도와서 百脈을 通達하는 것이니 炙甘草湯과 같은 것이다. ⑤ 蜜水는 물과 꿀을 혼합하여 만든 것으로, 正氣를 보호하고 峻烈한 藥性을 완화하는 뜻을 취한 것이니 大陷胸丸과 같은 것이다. ⑥ 麻沸湯은 沸水이다. 그것으로 약물을 담갔다가 조금 지나 즙을 짜는 것으로, 氣輕味薄한 것을 취하여 上行達外 하는 것이니 大黃黃連瀉心湯과 같은 것이다. ⑦ 潦水는 빗물이 고인 것인데, 이것을 사용하여 麻黃連翹赤小豆湯을 달이는 것이니, 味薄하여 濕氣를 조장하지 않는 것을 취하여 利濕하려는 뜻이 있다. ⑧ 淸漿水는 또한 酸漿水라고도 부르는데, 삶은 粟米를 찬물에 넣어 5~6일 후에 얻은 漿液이다. 그것은 調中·開胃·化滯할 수 있어서 枳實梔子豉湯에서 사용한다. ⑨ 苦酒는 곧 米醋이다. 그 맛은 시큼하고 성질은 수렴하여 消腫斂瘡하는 효능이 있으므로 苦酒湯에서 사용한다.

明代의 저명한 의약학자인 李時珍은 前人들의 경험을 계승한 기초상에서 또한『本草綱目』卷5에 10여 종의 湯劑를 제작할 때 사용할 수 있는 溶媒를 종합적으로 기록하였는데, 그중에는 天水類가 5종이고, 地水類가 3종이며, 또한 酒·醋·童子小便 등이 있다. 각각의 溶媒는 모두 일정한 작용이 있어서 李時珍은 湯劑의 溶媒에 대한 요구가 매우 엄격하여 서로 다른 病證과 藥物에 근거하여 약물을 달이는 用水도 서로 다르게 요구하였으니, "江河之水濁, 而溪澗之水淸. …… 淬劍染帛, 各色不同, 煮粥烹茶, 味亦有異, 則其入藥, 可無辨乎?"(『本草綱目』卷5)라고 인식하였다. 淸代의 의학자인 程國彭도『醫學心悟』首卷에서 지적하기를 "煎藥誤, 水不潔, 油湯入藥必嘔噦, 嘔噦之時病轉增, 任是名醫審不決."라고 하였으니, 이것을 보면 古代의 의학자들이 煎藥하는 溶媒에 대한 연구가 비교적 심도 있고 매우 중시되었음을 알 수 있다. 오늘날 제조된 湯劑는 비록 古代 湯劑의 用水 요구를 완전히 이어받지는 못했지만, 水質에 대해서는 감히 무시할 수 없어서 여전히 煎藥 用水가 진지하게 선택되어야 함을 매우 강조하였으니, 일반적으로 맑고 깨끗한 冷水인 수돗물(自來水)·井水·蒸餾水 등을 사용하는 것이 마땅하다. 동시에 煎藥 用水의 水質과 加水量이 湯劑의 品質과 效能에 미치는 관계에 대하여 약간의 탐색이 진행되었는데, 나누어 서술하면 다음과 같다.

1. 水質: 韓藥을 製劑하는 과정에서 水質이 成分의 침출에 미치는 영향은 점점 더 사람들이 중시하고 있다. 어떤 사람은[12] 오늘날 통용되는 수돗물은 水質이 달라서 硬水·軟水의 구분이 있을 수 있으며, 硬水 중의 칼슘(鈣)·마그네슘(鎂)·철분(鐵)·납(鉛)·아연(鋅) 이온의 함량이 비교적 많기 때문에 韓藥의 어떤 성분인 케르세틴(quercetin)과 킬레이트(chelate) 화합물을 형성하여 약물의 치료 효과에 영향을 줄 수 있다. 케르세틴을 함

유하고 있는 韓藥材의 품종은 비교적 많은데, 玉竹·兒茶·一年篷·八角蓮·山楂·銀杏葉·地錦草·紅旱蓮·羅布麻·側柏葉·桑寄生·鐵包金·紫金牛 등과 같은 것이 있으며, 따라서 煎湯하는 溶媒로는 軟水를 선택하여 사용하는 것이 가장 좋고, 조건부로 蒸餾水를 사용할 수도 있다.

다른 보도 자료에는 물에 함유된 Ca^{2+}·Mg^{2+}이 매우 많은 酸性 성분들, 예를 들어 각종 有機酸·酚性成分·黃酮苷 등과 침전을 생성하여 유효성분 함량의 하강을 조성한다. 특히 물의 硬度가 비교적 크고 칼슘 함유량이 13.5 ppm을 초과할 경우 그 영향은 더욱 분명해지는데, 예를 들어 黃芩·金銀花·茵陳·大黃의 蒸餾水 煎出液과 Ca^{2+} 농도가 13.5 ppm보다 높은 煎出水가 서로 섞이면 침전이 발생하는 것과 같다. 서로 다른 硬度의 물이 黃芩苷 浸出量에 미치는 영향에 대한 시험에서, 침전량을 발생시키는 것은 물의 硬度가 증가함에 따라 뚜렷하게 나타났고, 흡수치는 물의 硬度가 증가함에 따라 감소함을 발견하였다.

또한 수돗물은 天然水가 澄清·淨化·消毒 등의 처리를 거쳐 얻어진 것인데, 그중 가장 중요한 처리는 염소 소독이다. 일반적으로 염소소독법을 채택하는데[13], 곧 물에 1~3 mg/L의 염소를 넣어 일정한 시간(常溫에서 15분) 작용하도록 하는 것이다. 염소를 넣어 소독을 거친 수돗물에서는 또한 일정한 여분의 염소량(0.5~1 mg/L)을 유지해기 때문에 집에서 사용하는 수돗물에서도 비교적 많은 염소 냄새를 맡을 수 있는 것이다. 이렇게 되면 비록 염소가 물속의 박테리아를 죽여서 飲用水의 위생기준에는 도달하지만, 수돗물에 차아염소산(次氯酸)·염소화합물(氯化物)이 첨가되는 것이고, 이외에 鐵制 상수도관의 자체 부식 된 것이 물속의 차아염소산·염소화합물 등에 더해지면서 상수도관에서 화학작용이 일어나는 것과 淨化處理할 때 항상 $FeCl_3$ 混凝劑[14]를 첨가함으로써 수돗물에 Fe^{3+}·Fe^{2+} 함량이 증가하게 된다. 보도에 따르면 수돗물의 Fe^{3+}·Fe^{2+}는 天然水보다 높으며, 어떤 것들은 심지어 mℓ당 거의 10마이크로그램까지 함유하고 있다고 한다.[15] 이것을 보면 수돗물에 비교적 강한 산화성이 있는 차아염소산 및 Fe^{3+}가 존재하고, 동시에 환원성이 있는 Fe^{2+}가 증가되었다는 것을 볼 수 있다. 이 Fe^{2+}는 공기 및 물속의 HClO 등과의 산화에 의해 Fe^{3+}를 생성하고, 물과 함께 작용하여 HOO·遊離基를 생성하며, 활발해진 HOO·遊離基가 약물을 산화시켜서 대대적으로 약물의 산화반응을 가속시킨다.

韓藥의 製劑 과정에서는 韓藥材의 炮製(洗·浸·潤·泡)나 韓藥을 煎煮하여 추출하는 것을 논할 것 없이 물의 사용량이 매우 많다. 만약 HClO·Fe^{3+}·HO_2 등과 같이 비교적 강한 산화제를 함유한 수돗물을 처리하지 않고 직접 사용한다면, 모두 韓藥 유효성분[(플라본(flavone) ·일부 아미노산·알칼로이드·쿠마린(coumarin)·아마이드(amide)·不飽和油脂·퀴놀린(quinoline)類·비타민A·비타민C·비타민D·탄닌 및 其他酚性成分]의 산화에 의한 파괴작용을 가속화시킬 것이고, 심지어는 기타 유효성분에 해로운 화학작용이 발생하여 치료 효과에 영향을 미칠 것이다.

이를 감안하여 劉氏[16]가 지적하기를 "自來水用於煎藥, 必要時煮沸放冷, 使其中部分的礦物質沈澱, 氣體排出, 可改善水的質量."이라고 하였는데, 이러한 처리 방법은 비록 수돗물에 함유된 철이온 및 기타 미네랄 부분의 침전을 제거할 수는 있지만, 수돗물에 함유된 남아있는 염소는 제거하기가 어려우며, 끓인 후의 開水에서도 여전히 비교적 많은 염소 냄새를 맡을 수 있다. 마찬가지로 남아있는 염소와 Fe^{3+} 및 기타 이온이 유효성분에 미치는 영향은 특히 韓藥 製劑에 사용하는 물의 양이 많을 때 이 방법이 분명히 적합하지 않다. 따라서 萬氏는 수돗물을 韓藥 製劑에 사용할 때 반드시 탈염소·탈이온 처리를 거치는 것이 마땅하다고 건의하였다.[17] 또 다른 사람은[18] 현단계의 조건부 醫藥單位로 소형 이온교환기와 정수기를 설치하여 純水와 이온제거수를 사용함으로써 韓藥 湯劑의 用水 품질을 확보하자고 제안하였다.

2. 加水量: 湯劑를 끓일 때의 加水量은 煎出物의 효과와 품질에 미치는 영향도 매우 크다. 古代의 의약문헌은 湯劑의 조제에 대해 대부분 用水量과 煮取量을 기록하고 있으면서 요구가 엄격하니 경솔해서는 안 된다. 예를 들어『傷寒論』桂枝湯의 방제 뒤에 있는 기록에는 "以水七升, 微火煮取三升."하라고 하였고, 梁代의 陶弘景이 지적하기를 "凡煮湯, 欲微火令小沸, 其水數依方多少, 大略擴廿兩藥, 用水一斗, 煮取四升, 以此爲准. …… 然則利湯欲生, 少水而多取汁; 補湯欲熟, 多水而少取汁, 好詳視之, 不得令水多少."(『本草經集注』)라고 하였으니, 用水量은 약물의 용량 및 방제의 작용에 따라 결정해야 한다고 생각한다. 明代의 李時珍은 湯劑를 달일 때 加水量과 湯藥 品質과의 관계를 논하면서 지적하기를 "湯劑, 每一兩用水二甌爲准, 多則加, 少則減之. 如劑(藥)多水少, 則藥味不出, 劑少水多, 又煎耗藥力也."(『本草綱目』卷1)라고 하였으니, 이것으로 옛날 사람들은 湯劑를 끓이는 데 사용하는 물의 양에 엄격하였음을 볼 수 있다.

湯劑에 加水量의 많고 적음은 湯劑의 品質에 직접적으로 영향을 미치기 때문에, 그 水量의 너무 많거나 적은 것은 약물 가열시간과 복용에 영향을 줄 뿐만 아니라, 유효성분을 달여서 취하는 것에도 영향을 미치기 때문에 치료 효과를 저하시킨다. 그러므로 高品質이면서 임상응용의 요구에 적합한 湯劑를 제조하기 위하여 현대의 의학자들은 많은 연구를 하였다.

湯劑를 제조할 때 加水量의 多少는 항상 약물의 吸水量·煎煮時間·火候 및 필요한 藥量 등 많은 요소와 관련되어 있어서 그 用水量을 종종 정확하게 파악하기가 쉽지 않다. 관련된 문헌에서는 전통적인 습관과 사용 경험을 결합하여 加水量를 다음과 같이 제시하였는데, 약물 표면의 3~5 cm[19]를 초과하는 정도로 하여 用藥 총량의 3~8倍[22]로 하고, 두 번째 煎煮는 藥渣 표면에서 1~2 cm 초과하는 것이 마땅하고[20], 두 번째 煎煮의 用水量은 마땅히 줄여야 하니 첫 번째의 1/3~1/2이 옳고, 小兒의 내복하는 湯劑는 적당하게 用水量을 감소해야 한다.[22] 韓藥 湯劑에서 사용하는 藥量과 煎出液量의 비율은 湯劑煎出率에 직접적으로 영향을 주는데, 전통적인 관행으로는 물을 藥面의 3~5 cm 초과하도록 넣으면 煎出液은 300~ 400 mℓ가 적당하다고 생각하였다. 다만 방제 내 약물의 性能·材質이나, 특히 用藥量의 多少에 따라 융통성 있게 파악해야 하니, 모름지기 久煎해야 하거나 材質이 단단한 것은 적당하게 물을 더 채워야 하고, 반대면 적게 넣어야 한다. 분명히 같은 用藥量·煎煮時間이면 煎出液量이 많을수록 煎出率이 높고, 반대로 서로 같은 煎出液量과 煎煮條件에서는 用藥量이 클수록 煎出率은 감소하는 것이다.[23] 다만 煎液量은 무한정 증가시켜서는 안 되는데, 실제 작업에서는 服用·貯藏 등의 문제가 있기 때문에 煎液量이 너무 많아서도 안 되니, 藥物과 煎液量의 비율이 1:4일 때 두 차례의 煎液으로 70~90%의 煎出率을 얻으면 효과가 비교적 좋은 것이다. 약물의 유효성분 추출과 임상응용의 요구에 적응을 유리하게 하기 위해서, 湯劑를 끓이는 적당량의 用水는 현재 湯劑 제조에 있어서 탐구와 연구를 필요로 하는 내용이 되었다. 어떤 사람은[24] 위에서 말한 몇 가지 요인을 연구하는 것에서 출발하여, 하나의 加水量과 藥液에서 얻을 수 있는 양을 계산하는 공식을 총괄하였다: Q=WK+r+tv. 그중 Q: 加水量이고, W: 원래의 藥量이고, K: 吸水率이고, r: 藥液得量이고, t: 煎藥할 때 加熱時間이고, v: 단위시간당 水分 蒸發量이다. 그중 K=(藥渣量−原藥量)/原藥量이고, v=(水量−煮沸一定時間後水量)/煮沸一定時間(min)이다. 加水量 公式에 따라 煎藥을 하면 藥液 획득량의 오차가 5% 정도 되는데, 다만 반드시 일정한 容器 및 일정한 溫度에서 약을 달여야 하며, 평균 증발량은 분당 15~20 mℓ로 장악하는 것이 적당하다고 지적하였다. 劉氏[25]는 加水量을 계산하는 다른 두 가지 방법을 보고하였다: 첫째는 加水法을 計量하는 것으로, 곧 藥材 10 g당 30 mℓ의 물을 넣고, 달이는 과정에서 수분 증발은 매 10분마다 100 mℓ로 계산하면 藥液은 기본적으로 250 mℓ가 얻어진다. 곧 加水量=(總 g數/10 g)×30 mℓ+(煎煮時間/10min)×100 mℓ+250 mℓ. 만약 二煎이나

三煎이 필요하다면 藥物의 중량으로 계산하는 加水量은 다시 추가하지 않는다. 둘째는 加水法을 推算하는 것으로, 일반적으로 첫 번째 달일 때 加水量은 약재 중량의 5~8배이거나 혹은 그 부피의 1~2배라면, 두 번째 加水量은 그중량의 2~3배이거나 혹은 부피의 0.5~1배인 것이다. 또한 黃氏 등[26, 27]의 보고에 따르면 각 약재의 吸水率이 다르다. 일반적으로 뿌리의 吸水率은 그 자체 중량의 1.5배 정도인데, 草·花·皮類의 吸水率은 그중량의 2~3배라서 개별 약재의 吸水率이 비교적 높다. 예를 들어 益母草는 4.5배에 달하고, 昆布·海藻는 4배에 달하며, 夏枯草의 흡수율 또한 비교적 높다. 하나의 復方 중에 종종 吸水量이 비교적 큰 약물과 吸水量이 비교적 적은 약물이 配伍되어 사용되면 평균적으로 韓藥 매 g당 약 10 ㎖의 물을 더해야 한다. 吸水量이 많은 韓藥 이 다수를 차지할 때 적당히 물을 더 넣고, 吸水量이 적은 韓藥 이 다수를 차지할 때 적당히 물을 적게 넣는 것이니, 加水量은 약물의 성질에 따라 적당히 증감될 수 있다. 계산된 總加水量의 70%를 첫 번째 달일 때 넣고, 나머지 30%는 두 번째 달일 때를 위하여 남겨둔다.

위에서 서술한 것들을 종합하면 古今의 의학자들은 湯劑의 用水에 대하여 대량의 연구를 하였고, 아울러 어느 정도의 진전을 이루었다.

(三) 煎藥 火候

'火候'는 煎藥할 때 火熱의 緩急과 火力의 大小를 가리킨다. 역대의 醫方과 本草著作에서는 煎藥할 때 '武火'·'文火'의 구분이 있다고 논술하였는데, '文火'라는 것은 '小火'라고도 부르는데 곧 火力이 비교적 적고 비교적 완만한 火이고, '武火'는 또한 '大火'라고도 부르는데 곧 火力이 비교적 크고 급한 火를 말한다. 약을 달이는 火力의 강약은 湯劑의 품질과 어느 정도 관계가 있기 때문에 古今의 의학자들은 모두 약을 달이는 火候를 비교적 중시하였으니, 항상 약물의 성미·달이는 시간 및 질병의 차이를 참작하여 火候를 정하였다. 일찍이 『傷寒論』에서는 비록 상용하는 煎藥 火候에 대해서 설명하지는 않았지만, '武火'를 사용해서는 안 되는 것에는 곧 '微火'라고 표명하였으니, 桂枝湯·桂枝加厚朴杏子湯 등과 같은 것이다. 醫學이 발전함에 따라 임상 경험의 축적으로 후세의 의학자들이 煎藥 火候에 대한 논술이 점차 많아졌는데, 李時珍은 『本草綱目』卷6에서 지적하기를 "凡服湯藥, 雖物品專精, 修治如法, 而煎藥者鲁莽造次, 水火不良, 火候失度, 則藥亦無功."이라고 하면서 用火의 강약에 대해서 주장하기를 "先武後文, 如法服之, 未有不效者."라고 하였다. 火力의 강약을 조절하기 위해서 당시의 조건하에서 李時珍은 주로 다른 燃料를 사용하였는데, 『本草綱目』卷6에 기록된 11종의 火 중에 주로 3종으로 煎藥의 火源으로 사용하였다. ① 桑柴火(뽕나무 땔감): 모든 補藥과 淸膏는 마땅히 이 불로 달여야 한다. ② 炭火(숯불): 桴炭[1]火와 櫟炭[2]火로 구분되는데, 烹煎焙炙하여 百藥을 丸과 散으로 만들기에 마땅하다. ③ 蘆火·竹火: 모든 滋補藥을 달이는 것에 마땅한데, 陳蘆·枯竹이 제일 좋다. 李時珍은 이상 각종 불의 특징을 요약 분석하여 말하기를 "火用陳蘆·枯竹取其不强, 不損藥力也; 桑柴火取其能助藥力; 桴炭火取其力慢; 櫟炭火取其力緊. 溫養用糠及馬屎·牛屎者, 取其緩而能使藥力勻遍也."(『本草綱目』卷6)라고 하였다. 현대적인 관점에서 분석해보면 서로 다른 燃料가 제공하는 열에너지의 크기는 桑柴火·炭火·蘆火·竹火·糠 및 馬屎와 牛屎의 차례이고, 성능이 다른 약물이 열에너지 크기에 대한 요구도 서로 다르니 李時珍이 논술한 것에 어느 정도 이치가 있음을 설명하는 것이다.

[1] 桴炭(=麩炭): 장작을 때고 난 뒤나 피던 참숯을 꺼서 만든 숯.
[2] 櫟炭: 상수리나무로 만든 숯.

확산공식에 따르면 추출율은 온도에 비례하여 증가하는데, 이것은 온도가 올라가면 浸出液의 점도를 낮추고 식물의 조직을 軟化시켜서 滲透作用을 촉진하여 성분의 溶解와 擴散을 증가시키며, 동시에 온도가 올라가면 확산계수가 증가하고 확산속도가 빨라지기 때문에 온도를 높이는 것은 약물 성분을 추출하는데 유리하다. 다만 온도가 높을수록 좋다고는 생각할 수 없으니, 온도가 지나치게 높으면 그 반대가 될 수도 있기 때문이다. 왜냐하면 ① 어떤 성분은 열에 불안정하여 온도가 지나치게 높으면 그 분해가 효력을 상실하여 약효를 떨어뜨리고, ② 휘발성 성분의 손실을 가속화시키며, ③ 온도가 높으면 세포막을 파괴하여 많은 膠質과 같은 불용성 물질이 용액에 흘러나오면서 잡다한 성질이 증가하기 때문이다. 어떤 사람이[28] 연구를 통해서 발견하기를, 온도는 또한 아세톤의 다당류 침전능력에 영향을 미치는데, 다당류 추출시 온도가 너무 낮으면 溶劑의 삼투능력과 용해능력이 낮아져 다당류가 효과적으로 용출되지 않았으며, 온도가 90℃를 초과하지 않을 때 온도가 증가함에 따라 다당류 추출량도 증가하였고, 온도가 지나치게 높으면(90℃ 초과) 다당류가 분해되어 다당류의 추출량이 대폭 저하되었다. 온도의 이러한 시험 인자에 따른 각 수준의 총합 또는 평균값으로 보면 70%일 때 추출 온도가 현저한 수준에 도달하였다. 李氏 등[29]의 연구에 따르면 煅製 溫度가 낮은 곳에서 높은 곳으로 올라감에 따라 寒水石 煅製品의 總成分 煎出率도 점점 증가하는데, 800℃ 이하에서 煅製할 때 總成分 煎出率은 겨우 1.4~2.1배 증가에 불과했지만, 800℃ 이상에서 煅製하면 總成分 煎出率이 대폭 증가하여 약 7~11배나 되었으니, 溫度가 추출률에 미치는 영향이 매우 크다는 것을 볼 수 있다.

최근 몇 년 동안 관습적인 直火를 사용하여 煎煮하는 것을 제외하고도 蒸氣加熱 煎煮이나 高壓蒸煮 등의 방법이 증가하여 熱源의 종류가 확대되었다. 그러나 萬氏 등[30]이 연구에서 直火로 가열하는 煎煮法을 蒸氣加熱 煎煮法으로 바꾼 후에 湯劑의 藥液이 묽어지고 品質이 떨어지면서 치료 효과가 저하되는 것을 발견하였고, 毛氏[31]는 直接 火煎法과 蒸氣蒸煮法의 비교 실험에서 두 가지 煎出物의 比重과 종목별 藥物의 주요성분·折光率·比色分析·pH값 및 종목별 藥理作用 등에 차이가 존재함을 발견했는데, 그중에 蒸氣法이 우수하였다. 1990년대 말에 일부 병원들은 韓國에서 생산된 전기가열식 소형 煎藥機와 자동 液體包裝機를 도입하였는데, 이 煎藥機는 비록 부피가 작고 편리하면서 융통성이 있고 시간을 절약할 수 있다는 장점이 있지만, 藥液의 품질에 대해서는 서로 비교한 보도가 없어서 일부 환자와 의료진들은 여전히 의심을 품고 있다. 歐陽榮[32]은 牡丹皮 등 4가지 韓藥의 煎藥機로만 달인 藥液과 直火로만 달인 藥液의 주요 성분의 함량에 대한 품질 비교 검사를 진행하였는데, 결과는 기계에서 달인 藥液 중의 약물 주요 성분의 煎出率이 높으면서 편리하고 빨랐으니 확대할 필요가 있다.

일반적으로 煎藥 火候의 대한 요구는 '先武後文'이니, 곧 비등점 전에는 武火를 사용하고 비등점 후에는 文火로 바꾸는 것이다. 이것에 대해 어떤 사람은 [33] 이것이 약물의 실제 煎煮 요구와 완전히 일치하지 않는다고 이의를 제기하였다. 예를 들어 비등점 후에 文火로 바꾸는 것은 겨우 滋補藥에만 적용될 뿐, 解表藥에 대해서는 규정된 煎煮 시간 내에서 화력 부족으로 유효성분의 溶出에 영향을 줄 수 있다. 따라서 火候를 파악함에 있어서는 藥物의 性質과 材質에 따라서 구별하여 적용 해야 하는데, 大·中·小 세 종류의 火候를 채택하는 것이 바람직하다. ① 大火: 일반적으로 약솥이 끓기 전에 사용하는 것은 가능한 한 빨리 끓도록 하는 데 목적이 있다(솥 내부가 비등점에 도달할 때 어떤 粉末을 함유한 약물들, 예를 들어 生蒲黃과 같은 것들은 쉽게 솥 밖으로 넘쳐날 수 있으므로 藥液이 넘치는 것을 방지하기 위해서 中火로 바꾸어야 한다). ② 中火: 解表藥과 휘발성 성분을 함유한 약물에 中火를 사용하는 것이 좋은데, 만약 大火를 사용한다면 火力이 너무 강해서 芳香氣味가 蒸氣 중으로 빠져나가는 것이 너무 많아서 약효에 영향을 줄 수 있다. ③ 小火: 滋補藥에 대해서는 끓는점 후에 小火를 채택하여 솥 내부에 약하게 끓는 상태를 유지하여 수분의 증발을 감소시키고 유효성분의 溶出에 도움이 되도록 한다.

(四) 달이기 전에 浸泡하는 것

약을 달이기 전에 일반적으로 먼저 약물을 冷水에 20~30분 정도 담가 두었다가 다시 가열해서 달이면 그 유효성분이 쉽게 달여져서 나온다. 이러한 煎法은 합리적인데, 왜냐하면 신선한 식물약재의 세포액에는 다양한 가용성물질과 불용성물질이 함유되어 있으며, 신선한 약품은 건조 과정에서 수분 손실로 인해 세포벽과 導管이 수축되고 세포액이 말라서, 원래 세포액에 용해되어 있던 물질이 고체 상태(結晶 혹은 無定形 상태)로 세포 내에 침전되어 있기 때문이다. 마땅히 冷水에 넣어 침윤할 때 細胞는 팽창을 회복(분쇄된 후에도 대부분의 세포는 여전히 온전한 상태를 유지함)하고, 물질은 다시 溶解되며, 세포 내 용액의 농도가 현저히 높아져 세포 내외의 濃度 경사도를 형성하여 세포막을 파열시켜서 대용물이 대량으로 방출되거나, 완전한 세포벽 가용성물질을 통해 내부에서 외부로 확산 溶出될 수 있다. 만약 浸泡(또는 끓는 물에 담금)를 거치지 않고 직접 가열하여 달이면, 세포 내외의 단백질이 갑자기 응고되어 세포가 硬化되고, 세포 외층에 緊密·堅實한 세포막이 형성되어 수분의 침투와 성분의 溶出에 좋지 않고, 또한 세포에 함유된 高分子物質은 澱粉·多糖 등과 같이 갑자기 고온을 만나면 糊化되면서 毛細管道를 막음으로써 마찬가지로 浸出의 정상적인 진행에 좋지 않다. 그러므로 달이기 전에 적당한 시간 동안 淸水에 담가서 유효성분의 溶出을 이롭게 해야 한다. 陳娟 등[33]이 試驗에서 표명하기를, 짧은 시간 동안 浸泡(1시간 이내)하면 訶子 탄닌에 대한 침출량에 뚜렷한 영향을 미치지 않았지만, 장시간 浸泡(6~12시간)하면서 0.5시간 끓여주면 탄닌의 함유량이 뚜렷하게 증가하였으니, 이것과 함께 공존하는 기타 성분들도 끓이는 과정에서 그것의 浸出에 영향을 줄 수도 있다고 하였다. 이것으로 본다면 달이기 전에 浸泡하는지의 여부는 그 달여져서 나오는 품질이 서로 다르니, 달이기 전에 적당한 시간 동안의 淸水에 冷浸하는 것은 유효성분의 溶出에 도움이 되며, 임상 치료 효과를 높일 수 있다.

다만 浸泡하는 시간이 길면 길수록 좋다고는 할 수 없는데, 만약 약을 달이기 전에 韓藥을 수 시간 또는 심지어 하룻밤을 물에 담그면, 약물을 충분히 부풀어 오르게 하여 달일 때 유효성분을 가능한 완전히 달여서 溶出한다고 하더라도, 사실 이러한 浸泡 방법은 합리적이지 않다. 왜냐하면 많은 韓藥의 성분들은 종종 配糖體(glycoside)와 酵素(enzyme)가 韓藥材에 함께 있기 때문에, 효소는 배당체의 효소성 분해를 촉진시켜서 aglucon(甘元[3]) 혹은 2차 配糖體를 생성하는데, 만약 冷水에 韓藥 粉末을 담가두거나 혹은 젖은 공기 중에서 韓藥 原料를 빻으면, 모두 효소가 배당체와 접촉하게 되어 배당체가 담긴 물로 하여금 원래의 상태를 잃게 만든다. 예를 들어 黃芩의 효소는 冷水에서 baicalin과 wogonoside로 효소성 분해를 하여 baicalein와 wogonin을 생성하니, 黃芩의 유효성분을 저하시켜서 그 淸熱解毒하는 작용도 저하된다. 또한 苦杏仁 속에 있는 효소가 冷水에서 amygdalin으로 가수분해되어 벤즈알데히드·시안화수소산·포도당을 생성하면 amygdalin이 가수분해된 후에 그 苦杏仁의 鎭咳平喘 작용도 저하된다. 배당체와 효소가 동일한 器官의 서로 다른 細胞에 공존하기 때문에 植物體를 잘게 부수어 細胞壁을 깨뜨리면 수분이 존재하는 하에서는 배당체와 효소가 접촉하여 효소성 분해가 될 가능성이 있다. 따라서 韓藥을 달일 때 미리 충분한 양의 冷水에 浸泡한 약물을 첨가하면 配糖體類 성분에 대한 영향이 있고, 또한 약물을 달이는 곳의 온도가 비교적 높으면 약재가 촉촉하게 부풀어 오른 후에 배당체 및 배당체와 공존하는 효소가 모두 비교적 빠르게 물에 녹을 수 있으니,

[3] 甘元: 配糖體의 가수 분해로 얻어지는 탄수화물 이외의 성분.

효소성 분해를 유발할 수 있는 조건을 만들어 준다. 일반적인 配糖體類 성분이 가수분해된 후에 대부분 물에 녹지 않거나 잘 녹지 않는 aglucon(苷元)의 침전이 생성될 수 있는데, 여과하거나 복용할 때 대부분의 침전물이 버려질 수 있다. 그러나 임상적으로 대부분의 配糖體類 물질이 약물의 유효성분으로 간주되므로 버려진다면 반드시 치료 효과에 영향을 미칠 것이다.

韓藥 중에 원래 있는 配糖體를 얻으면서 대부분의 配糖體類 성분이 효소에 의해 파괴되는 것을 피하기 위하여 일반적으로 浸泡하는 시간은 약재의 성질에 따라 정해져야 하는데, 花·葉·莖類 약물 위주의 방제는 20~30분 정도 담글 수 있고, 根·根莖·種子·果實類 약물 위주의 방제는 60분 정도 담글 수 있다. 다만 담그는 시간은 너무 길어서는 안 되니, 이로써 약물의 효소성 분해나 효소성 파괴가 일어나는 것에서 벗어날 수 있으며, 이렇게 하면 대부분의 配糖體類의 유효성분이 파괴되지 않으면서 보존될 수 있다.[35] 일부 酵素 殺滅處理를 거치지 않아서 물에 담그는 과정에서 쉽게 효소성 분해가 되는 韓藥材들, 예를 들면 板藍根 등과 같은 것들은 직접 끓는 물에 달이거나, 기타 韓藥이 끓어오르면 투입하여 먼저 효소를 죽여 분해한 후에 다시 사용한다.

韓藥의 配糖體類 성분을 보면 종류가 다양하고 광범위하여 거의 모든 유형의 植物에 모두 配糖體類 성분이 존재하며, 또한 配糖體類 성분이 植物藥에서 상당한 비중을 차지하고 있기 때문에 韓藥을 달일 때 충분히 중시하여야 한다.

(五) 특수한 煎法

韓藥의 특수한 煎法은 약재의 특징·유효성분의 성질·치료병증의 요구에 따라 방제가 최적의 치료 효과에 도달할 수 있도록 조치를 채택하는 것이니, 정확한 운용 여부가 韓藥의 치료 효과를 발휘하는 데 중요한 작용을 한다. 이것에 대해 古今의 의학자들은 모두 張仲景의 『傷寒雜病論』에 있는 서로 다른 病證과 藥物에 대하여 서로 다른 煎煮 방법을 요구한 기록을 비교적 중시하였다. 통계에 의하면 책에서 요구한 '先煎'의 약물에는 麻黃·葛根·枳實·厚朴·澤漆·蜀漆·酸棗仁·小麥·大棗·茯苓·白朮·烏頭·茵陳·半夏·紫菀·梔子·甘草·瓜蔞·大黃 등이 있고, '後下'의 약물에는 大黃·桂枝·阿膠·芒硝·雞子黃·膠飴·葶藶子·澤瀉·香豉 등이 있다. 『中國藥典』(2010년 판)에서 명확하게 특수한 煎法을 요구한 것에는 다음과 같은 것이 있다: ① 先煎: 瓦楞子·蛤殼·磁石·牡蠣·代赭石·龜甲·水牛角(先煎 3시간)이고, 또한 久煎이 좋은 것은 制川烏·制草烏이다. ② 後下: 苦杏仁·降香·沈香·豆蔻·砂仁·鉤藤·薄荷. ③ 不宜久煎: 徐長卿·魚腥草. ④ 包煎: 兒茶·車前子·旋覆花. ⑤ 烊化: 阿膠·龜甲膠·鹿角膠. ⑥ 單煎: 羚羊角(2시간 달임). ⑦ 不入煎劑: 雷丸.

그러나 현재 韓藥 의 特殊煎法 문제에 대한 인식은 완전히 일치하지 않아서 각 책에서 기록된 것에는 서로 다른 내용이 있으며, 각 의학자의 연구 보도 결과가 서로 달라서 임상 응용에 비교적 혼란을 주고 있다. 이러한 것들을 감안하여 중요한 것들을 가려서 소개하면 다음과 같으니 연구자들이 참고하기를 바란다.

1. 先煎: 전통적으로 介殼類나 礦物類 약물은 부수어서 먼저 20분 정도 달이고 나서 기타 약물들을 넣는 것으로 인식하였다. 어떤 材質이 비교적 가볍고, 용량이 비교적 많거나, 진흙 성분이 많은 약물도 역시 먼저 달여 藥汁을 취한 연후에, 그 藥汁으로 물을 대신하여 약물을 달인다. 어떤 有毒하거나 藥性이 峻烈한 약물도 역시 먼저 1~2시간 동안 달여서 그 峻烈한 성질을 완화하거나 毒性을 없애는 것이 필요하다.

(1) 介殼類나 礦物類 약물: 그 재질이 堅實하여 藥性이 煎出되기 어렵기 때문에 부수어서 먼저 달이는 것이니 곧 먼저 20분 정도 달인 후에 기타 약물을 넣는 것이니, 예를 들면 瓦楞子·蛤殼·磁石·牡蠣·代赭石·紫石英·白石英·海浮石·青礞石·珍珠母·石膏 등과 같다. 다만 어떤 연구자들은 이러한 종류의 藥材를 먼저 달일 필요가

없다고 생각했는데, 왜냐하면 그것들이 溶解되는 것은 分子가 결정체로부터 떨어져서 溶劑 속에 도달하는 과정이니, 무기 이온이 煎出되어 溶解되는 것은 지극히 큰 부분으로 처음 10분 이내에 있고, 같은 조건 하에서 煎煮 시간을 연장하더라도 그 煎出量의 증가는 지극히 미약하거나 증가하지 않기 때문이다. 杜氏[36]는 실험을 통하여 이러한 종류의 약재가 煎出되는 양은 단지 藥材의 粉碎度와 관련되어 있으니, 粉碎度가 클수록 藥材와 溶劑의 접촉면이 커지고, 擴散面이 클수록 유효성분의 溶出도 더욱 증가한다는 것을 증명하였다. 梅氏[37]는 『中國藥典』(1985년 판)을 통해 先煎을 요구하는 대표성이 있는 礦物·動物貝殼·化石·甲骨類 약물 6味(石膏·龍骨·牡蠣·磁石·龜甲·鱉甲)에 대하여 실험을 진행하였는데, 결과는 礦物·動物貝殼·化石類 약물을 炮製하여 粉碎를 거친 후에 30~60분 동안 달였지만, 그 유효성분의 煎出量은 거의 차이가 없는 것으로 나타났다. 孫氏[38]는 生石膏 30 g 單方 및 두 종류의 復方(白虎湯과 麻杏石甘湯)을 還流시켜 달이면서, 총 加水量은 300 mℓ였고 10분마다 1 mℓ씩 취하여 칼슘 함량을 측정하였는데, 측정 결과에 따르면 生石膏는 단독으로 달이거나 配伍하여 달이는 것에 관계없이 칼슘의 煎出量은 달인지 10분에 곧 최고 溶出量의 80% 이상에 도달하였고, 달이는 시간은 20~40분에 최고 溶出量에 접근하거나 도달하였으며, 40분을 초과하면 칼슘의 溶出量이 감소할 수 있었다. 일반적으로 湯劑는 처음 두루 달이는 시간이 대부분 20~40분 정도 되는 경우가 많기 때문에 生石膏를 煎劑에 넣을 때 先煎하거나 久煎할 필요가 없음을 건의한다. 그러나 어떤 연구[39]에서는 生石膏가 다른 약물과 配伍될 때 그 煎出率이 현저하게 증가하였으며, 약물을 달인지 20~40분 정도의 시간 내에 石膏칼슘의 溶出率이 復方에 비해서 單方이 8~14%가 차이 나게 증가하였다고 증명하였다. 孫氏[40]는 石膏의 粉碎度와 煎出量을 관찰 비교한 결과, 20目의 체(篩)를 통과하는 石膏의 煎出率은 71.56%였고, 60目의 체(篩) 이상을 통과하는 것의 煎出率은 100%에 달하는 것을 발견하였다. 따라서 礦物·貝類 韓藥의 溶解度를 가장 효과적으로 증가시키기 위하여, 60目의 체를 통과하게끔 분쇄한 것은 다른 약물과 함께 달이고, 40目 이하의 체를 통과하는 것들은 여전히 先煎할 필요가 있다고 제안하였다. 梁氏[41]의 실험에 의하면 石決明·鱉甲 등 材質이 단단한 약재는 10~24目의 체를 통과한 顆粒을 45분 정도 달였을 때의 물량이 60분 정도 原藥의 飮片規格으로 달인 總煎出量보다 높았다. 이러한 종류의 약물이 比重이 비교적 크다면 沈澱性이 강해서 복용에 영향을 미치지 않기 때문에 先煎이라는 하나의 조작 과정을 없앨 수 있다. 어떤 사람은[42] 龍骨에 대한 연구를 통하여 龍骨을 煎劑에 넣을 때 그 煎出 효과의 우열도 그 粉碎度와 관련이 있는데, 40目의 체 이하일 때 粉碎度가 증가함에 따라 평균 煎出率도 증가하였지만, 60目의 체 이상일 때는 평균 煎出率이 다시 증가하지 않았음을 지적하였다. 그러므로 이런 약물들을 만약 20~40目의 체를 통과하는 粗粉으로 넣어 달일 때에는 先煎할 필요가 없다. 이것으로 볼 때 일부 礦物藥의 적당한 煎煮 시간은 여전히 좀 더 검토되어야 할 필요가 있다.

(2) 動物角甲類 약물: 龜甲·鱉甲 등과 같이 전통적으로 이와 같은 종류의 약재는 材質이 礦物藥과 서로 비슷하므로 先煎하여야 한다. 梅氏[37]의 실험 결과 龜甲·鱉甲은 炮製하여 부순 후에 30분을 달인 것과 60분을 달인 것의 煎出物 차이가 비교적 크다는 것을 증명하였다. 吳氏[43]는 이러한 종류의 약물에 동물성 단백질·아미노산·膠質·칼슘·인 등 물질의 煎出에 유리하도록 하기 위해서 또한 先煎할 필요가 있다고 제안하였다.

(3) 有毒 및 藥性이 峻烈한 종류의 약물: 일반적으로 烏頭·附子 등 有毒性 韓藥은 1~2시간 정도 先煎하여 그 毒性을 낮추거나 없애야 한다. 사실 附子는 加工炮製·配伍相制·加熱煎煮 등의 전처리 과정을 거쳐서 모두 그 毒性을 낮추거나 제거할 수 있으며, 아울러 오직 先煎해야만 毒을 제거할 수 있는 것만은 아니다. 張仲景의 『傷寒論』 등에 附子를 포함하고 있는 方藥을 보면 모두 先煎의 예가 없으며, 서로 다른 病證의 수요에 따라 分煎 혹은 合煎法을 채택하였다.[44,45] 分煎은

두 가지 다른 病機의 證候를 치료하는 데 사용되는데, 약물의 상호 견제를 방지하기 위해 사용되는 일종의 煎煮 방법이다. 예를 들면 附子瀉心湯의 附子 煎汁을 나머지 약물 漬汁과 합하거나, 烏頭桂枝湯의 烏頭는 꿀을 사용하여 별도로 달여서 單煎한 桂枝湯에 넣는 것인데, 통상적인 상황에서는 生·熟附子를 논할 것 없이 모두 다른 藥과 함께 달이는 것이다. 이렇게 하면 去毒하는 작용을 일으킬 수 있을 뿐만 아니라, 煎劑의 품질에도 영향을 주지 않는다. 현대적인 연구에 따르면 附子의 毒性 성분은 주로 아코니틴(烏頭碱)인데, 그 성질이 불안정하여 물을 만나 가열되는 상황에서 쉽게 가수분해되거나 분해되며, 아세틸과 벤조틸을 제거하면 毒性이 낮은 하이파코니틴(hypaconitine)과 아코닌을 형성한다. 하이파코니틴의 독성 작용은 아코니틴의 1/50이고, 아코닌의 독성 작용은 아코니틴의 1/400~1/200이다. 아코니틴 그 자체로는 强心 작용이 없으면서 心臟에 대한 毒作用이 매우 강한 반면, 가수분해된 생산물인 아코닌에 이르러서야 비로소 强心 작용을 갖추게 된다.[46,47] 현재 임상에서 사용되고 있는 附子는 바로 이 원리에 의거하여 加工하여 炮製된 것이니 그 독성은 이미 매우 낮다. 配伍 응용에 있어서 일반적으로 방제에서 附子를 응용할 때 대부분 乾薑과 甘草와 配伍하여 그 독성을 낮추고 그 치료 효과를 증강시킨다. 어떤 실험[48,49]에서는 단독으로 附子를 사용할 때에는 强心 작용이 이미 뚜렷하지 않으면서 오래가지도 않고 독성이 있었지만, 만약 甘草·乾薑과 配伍하면 그 강심 작용이 강하면서 오래 지속되며 그 독성은 단독으로 사용했을 때와 비교했을 때 뚜렷하게 떨어짐을 증명하였다. 따라서 임상에서는 단지 辨證이 정확하고 選方用藥하는 것이 합리적이면서 9~15 g의 附子 常用量을 취한다면, 先煎 여부를 논할 것 없이 모두 믿을 수 있다. 그러므로 諸藥의 煎出 효과를 높이고 先煎의 번거로움을 줄이기 위하여 附子는 大劑量으로 사용하는 것을 제외한다면 先煎할 필요가 없다.[42]

이외에 또한 몇몇 古代에는 先煎하는 약물로 강조하지 않은 것이 현대 연구에 따르면 先煎의 필요성이 있는 것들이 있다. 예를 들어 石斛은 材質이 緊密하면서 結實하고 滲透性이 부족하기에 그것이 함유하고 있는 dendrobine·黏液質·澱粉 등 유효성분이 비교적 溶出되기 어렵기 때문에 湯劑에 넣을 때에는 마땅히 先煎해야 한다.[50] 紫菀과 같은 경우에는 달이는 시간이 길수록 湯液 중의 紫杜鵑 flavonoids가 더 많아지고 止咳作用이 더욱 강해지므로 또한 마땅히 先煎하여야 한다.[51] 麻黃에 대하여 古代에 湯劑에 넣을 때 先煎하여 上沫을 제거할 것을 강조하였다. 仲景方 중에서 麻黃을 先煎하는 것은 燥烈한 성질을 제거할 필요에서가 아니라, 방제 중의 配伍를 통하여 그 유효성분을 보존하고 휘발하지 못하게 함으로써 방제의 구성을 더욱 과학적이고 효능이 더욱 두드러지게 하는 것에 도달하는 것이다.[52]

2. 後下: 後下하는 약물은 대부분 芳香性을 가지고 있으며, 그 유효성분(대다함유 揮發油)은 熱을 받으면 쉽게 휘발되거나 熱을 만나면 불안정하면서 쉽게 파괴된다. 이러한 종류의 약재는 일반적으로 기타 약물들이 곧 달여지기 전에 넣어서 함께 달인다.

趙氏[54]는 解表藥과 芳香化濕하는 종류들, 예를 들어 薄荷·豆蔻·砂仁·藿香·木香·沈香·降香·魚腥草·蘇葉·菊花·辛夷·荊芥·紅花 등은 모두 後下해야 하는데, 일반적으로 韓藥의 湯劑가 달여지기 전 5~10분쯤에 약물을 넣는 것이 옳다고 생각하였다.

丁氏[54]의 실험에 따르면 豆蔻를 흔히 사용하는 後下法을 채택하여 달이면, 달이는 시간의 長短과 관계없이 煎液 중 揮發油 함량이 모두 가장 낮지만, 달이기 전 30분 동안 浸泡하는 것을 채용하여 부글부글 끓으면 後下하였다가 즉시 罐을 냉각하는 방법으로 하면 煎液 중 揮發油 함량이 가장 높으며, 가장 좋은 沸騰시간은 10분이다. 李氏[55]는 더욱 명확하게 지적하기를 아직 浸泡하지 않은 後下藥을 高溫으로 이미 糊狀이

된 藥材 중에 투입하여 함께 달이면 유효성분의 溶出에 영향을 미쳐서, 두 번째 달일 때에는 이미 後下하는 의미가 사라진다고 하였다. 그러므로 後下하는 藥材는 먼저 浸泡하는 방법을 채택하고 나서 煎煮하는 방법이 비교적 합리적이라고 제안하였다. 彭氏[56]는 先煎·後下하는 약재를 분별하여 煎汁한 다음에 혼합하여 다시 달이는 것은, 곧 '液 – 液法'으로 치료 효과를 높일 수 있다고 제시하였다.

이외에 어떤 연구에서는 일부 非芳香性인 韓藥 材도 역시 後下할 필요가 있다고 표명하였는데, 예를 들어 釣鉤藤과 같은 경우에 그것의 유효성분(주로 알칼로이드) 함유량이 끓이는 시작 단계에서는 끓는 시간이 길어지면서 함유량이 올라가면서 35분 동안 끓으면 알칼로이드 함유량이 최고치에 도달하고, 이후에는 시간이 길어질수록 함유량은 하강한다. 그러므로 釣鉤藤의 가장 좋은 끓이는 시간은 35분 정도가 마땅하고, 35분보다 적거나 많으면 그 알칼로이드 煎出率을 모두 낮아진다. 그러므로 釣鉤藤을 湯劑에 넣을 때에는 後下하는 것이 마땅하며, 첫 번째 달이는 것은 기타 약물이 다 끓기 15분 전에 넣고, 두 번째 달여서 끓어오르는 시간은 20분 정도가 마땅하며, 또한 釣鉤藤을 달일 때에는 먼저 浸泡할 필요는 없다.[57] 또한 어떤 사람은[58] 釣鉤藤이 復方의 煎劑 중에서 後下의 여부를 일률적으로 말할 수 없다고 생각했다. 釣鉤藤 속에 있는 rhynchophylline과 iso–rhynchophylline은 강혈압하는 화학성분일 뿐이니, 釣鉤藤을 혈압을 낮출 때 사용하기에는 後下하는 것이 정확하지만, 기타 질병, 예를 들면 頭痛, 感冒夾驚, 驚癇抽搐 등을 치료할 때에는 後下가 유익할 지의 여부를 의논할 가치가 있다. 또한 大黃과 같이 그것이 함유하고 있는 瀉下 성분이 쉽게 熱을 받으면 파괴되어 치료 효과를 떨어뜨리므로 大黃의 瀉下通便하는 효능을 취할 때에는 마땅히 後下해야 한다.[57] 番瀉葉이 함유하고 있는 瀉下 성분도 大黃과 유사하므로 또한 後下하는 것이 마땅하다.

後下 문제에 대한 견해는 현대 약학계에 서로 다른 의견이 존재한다. 邵氏[59]는 後下 약물의 劑量은 두 배로 하여 初煎·二煎으로 나누어 놓아두라고 제시 하다. 程氏[60]는 後下 약물의 劑量을 변화시키는 것은 실험연구에 근거해야 하며 임의로 변경해서는 안 되는데, 다만 중요한 것은 後下하는 시간에 부합하게 하는 것이고, 初煎이나 혹은 二煎에 넣는 것을 논할 것 없이 복용할 때에는 煎液을 합하는 것이 옳다고 생각하다. 만약 後下藥을 浸泡하여 滲透를 거치지 않고 직접 끓는 탕액에 넣는다면, 약재가 고온을 만나면서 표면의 구조가 파괴될 수 있으며, 蛋白質 凝固 變性·澱粉 糊化·일층의 특수한 保護膜을 형성하여 유효성분의 溶出에 영향을 미치게 되는데, 하물며 二煎이나 三煎에서는 이미 後下의 의미를 잃게 된다. 게다가 전통적인 後下法은 단지 약물이 熱을 받는 시간이 지나치게 긴 것을 피하는 문제만 고려했을 뿐, 약물이 熱을 받는 온도가 높은 상황을 간과하였으며, 일부 熱을 견딜 수 없는 약물들, 예를 들어 生大黃·釣鉤藤·砂仁 등과 같은 경우에는 비록 後下하더라도 또한 유효성분의 파괴를 피할 수 없다. 따라서 周氏[61]는 '分次煎煮法'과 '分次後下法'이 휘발성분의 손실을 감소시키는 것에는 비록 일정한 의미가 있지만, 근본적으로 문제를 해결하지는 못한다고 인식하였고, 蒙氏 등[62]은 약재의 粉碎度를 개선한 후에 暖瓶法(보온병)을 채용할 것을 제안하였는데, 暖瓶法이 어떤 芳香性 약재 성분의 溶出에 대해서 실행 가능하다는 것을 실험으로 증명하였다. 錢氏[63]는 袋泡劑로써 전통적인 後下法을 대신할 것을 제안하였다. 湯劑를 後下하는 것을 개선하는 것과 관계된 또 다른 방법은 '沖服'하는 것이다. 예를 들어 砂仁·白蔻仁·肉桂 등 氣味가 芳香性인 약물들은 사용하기 전에 곱게 갈아서 차례를 나누어 沖服하고, 番瀉葉·生大黃 등 유효성분이 물에 쉽게 용해되는 약물은 끓는 물에 沖服하거나 기타 煎液에 넣어 沖服할 수 있다.

3. 包煎: 전통적인 방법은 어떤 달인 후 藥液이 혼탁하거나 혹은 咽喉에 대하여 자극 작용이 있거나 쉽게 솥에 눌어붙을 수 있는 粉性·細小種子·含澱粉·黏

液質·絨毛가 많은 약재에 대하여 包煎을 실행하는데, 예를 들면 赤石脂·旋覆花·海金沙·蒲黃·五靈脂·車前子·六一散 등과 같다. 비록 包煎은 藥液의 여과에 유리하고 위에서 서술한 폐단을 피하거나 감소시킬 수 있지만, 包煎은 비교적 번거롭고 특히 藥材의 유효성분을 溶出시키는 것에는 어느 정도 영향을 미친다. 그러므로 藥學 종사자들은 包煎에 대한 견해가 일치하지 않으니, 여기에 약간의 이 방면과 관련된 報道를 수록하여 참고하도록 하겠다.

王氏[64]는 전통적으로 包煎하는 약물인 旋覆花·車前子·葶藶子·蒲黃을 4~6味의 4개 復方에 분별하여 배합하였는데, 각각의 방제마다 두 부류로 약물을 배합하여 그중 한 부류는 전통에 따라 包煎하고 다른 한 부류는 包煎하지 않았으며, 그렇게 한 후에 각 방제의 두 부류 약물을 서로 같은 방법으로 분별하여 煎煮·過濾·水分 乾燥를 진행하면서 그 總浸出物의 중량을 헤아려보았다. 결과는 包煎하지 않고 달여서 얻은 韓藥의 浸出物 총량은 包煎해서 달인 韓藥 浸出物 총량에 비해서 5~14.8% 높았으며, 여과 속도는 현저한 차이가 없었다. 이에 따라 전통적인 방법에 따라 旋覆花·車前子·葶藶子·蒲黃에게 包煎을 하는 것은 과학적이지 않으니, 그것은 약재를 낭비할 뿐만 아니라, 치료 효과를 낮추기도 하기 때문에 이후에는 包煎을 없앨 것을 제안한다. 車前子의 전통적인 煎法[66]은 '包煎'이고,『中國藥典』역시 '布包入煎'이라고 규정하였다. 일반적으로 車前子를 包煎하는 것은 그 分子의 黏液質이 과량 용출하여 膠膜을 형성하여 기타 약물의 성분이 擴散과 溶出되는 것에 영향을 미치는 것을 방지하기 위한 것이고, 동시에 솥 바닥에 눌어붙는 것을 방지할 수 있다고 인식하였다. 秦氏[66]는 車前子를 包煎하지 않는 것이 유효성분을 煎出하는 데 유리하고, 復方 약제를 함께 달이는 종합 치료 효과를 더욱 잘 발휘할 수 있다고 하면서, 임상에서는 淸炒·鹽炙한 車前子를 위주로 해야 한다고 인식하였다. 달여지는 과정에서 휘저어 섞어주면서 沸騰 작용을 거치면 기타 약물과도 균등하게 혼합될 수 있고, 包煎하지 않더라도 침전물이 솥 바닥에 눌어붙는 것과 濾過 困難한 것이 출현하지 않는다. 劉氏[67]가 보고하기를 五靈脂를 包煎하지 않더라도 다 달여졌을 때 완전하게 결점이 없으면서 藥液이 맑으니, 사람들이 상상하듯이 糞便이 물을 만나 가열했을 때 팽창하고 흩어져서 藥液을 혼탁하게 만드는 것은 아니므로 五靈脂도 달일 때 包煎할 필요가 없음을 알 수 있다.

이상의 연구에서 설명한 바와 같이 약재 包煎 공정은 구체적으로 분석하고 세밀하게 연구해야지 일률적으로 전통을 답습해서는 안 된다. 확산 법칙에 따르면 包煎할 때 약물이 싸여지면서 한 덩어리가 되면, 濃度의 경사도를 낮추고 藥物의 黏度를 증가시킴으로써 성분의 浸出에 이중으로 부정적인 영향을 조성한다. 이런 관점에서 보면 包煎은 과학적이지 않지만, 개선된 방법으로는 이러한 약재들을 기타 약재와 함께 달이면서 煎液은 紗布를 사용하여 濾過시키는 것이다. 紗布의 두께는 濾過되는 藥液 중에 침전물이나 떠다니는 물질이 없는 것이 마땅하다. 賈氏[68]가 소개한 紗袋壓여과법은 藥材의 粉末 및 刺激性 絨毛 여과가 湯劑의 입맛에 미치는 영향을 효과적으로 막을 뿐만 아니라, 약재의 유효성분을 비교적 큰 한도로 溶出하여 간단하면서 쉽게 실행할 수 있다.

4. 單煎: 單煎은 일반적으로 어떤 귀중한 약물들, 예를 들어 羚羊角·西洋蔘 등과 같은 것들을 그 유효성분이 다른 약물에 吸收·粘着되는 것을 피하기 위하여 切片한 후 單煎하여 藥汁을 취한 다음에 다시 다른 藥液과 복용하거나 단독으로 복용하는 것을 가리키는데, 이것은 비교적 합리적이다. 다만 韓藥의 화학성분은 매우 복잡하기 때문에 湯劑에서 많은 약물을 함께 달이는 것은 하나의 매우 복잡한 화학반응 과정이니, 방제에 있는 약물을 單煎한 후 합하여 사용하는 것은 방제의 약물을 合煎하는 것과 완전히 같은 효과가 나는 것은 아니다. 王雁梅 등[69]의 연구가 표명하기를 生化湯을 함께 달인 藥液 중의 阿魏酸(ferulic acid) 溶出이 單煎한 藥液보다 현저하게 높았다($P<0.01$)고 하였으니, 生

化湯의 전통적인 煎煮 방법은 合理性과 科學性이 있음을 설명하는 것으로, 방제 중 각 약물의 配伍 작용을 충분히 발휘할 수 있는 것이다. 생산에 차이가 나는 원인은 共煎하는 과정에서 보조적인 溶解 현상이 있어서 阿魏酸의 煎出率을 높였을 가능성이 있으니, 또한 추가적인 연구가 필요하다. 또한 四逆湯의 실험이 증명했듯이, 附子를 단독으로 사용할 때 强心 작용이 이미 뚜렷하지 않으면서 오래 지속되지 않았으며 毒性도 있었지만, 甘草·乾薑와 配伍하여 함께 달일 때 그 强心 작용이 강하면서 오래 지속되었고, 毒性도 단독으로 사용했을 때와 비교하면 뚜렷하게 저하되었다.[49] 이것으로 볼 때 合煎에는 방제 중 유효성분을 더 溶解시켜 효과를 증진시킬 가능성이 있고, 어떤 약물의 毒副作用을 제거하거나 낮추고, 혹은 새로운 화합물을 생성하여 새로운 藥效를 나타낼 수도 있다. 따라서 임상에서 方劑를 사용하거나 劑型의 변혁을 진행할 때 이러한 점에 주의해야 한다.

5. 溶化와 烊化: '溶化'와 '烊化'는 약을 달일 때 操作하는 두 가지 방법이다. '溶化'는 飴糖·蜂蜜·玄明粉 등과 같은 약물은 藥湯器에서 쉽게 溶解되므로 사용할 때에는 단지 달여진 藥湯器 내에 직접 붓고 몇 번 저어주면 신속하게 溶化되는 것이며, 또한 단독으로 끓는 물에 溶解하여 마시듯이 복용해도 된다.

'烊化'는 阿膠·龜甲膠·鹿角膠·鱉甲膠 등과 같은 膠類藥物을 사용할 때에는 먼저 膠塊를 두드려서 깨뜨리는 것이다. '烊化'하는 방법에는 두 종류가 있는데, 하나는 50~100 ㎖의 달여진 藥汁에 膠粒을 넣은 후 솥에 넣어 물기를 간직한 채 녹이는 것이고, 두 번째는 먼저 膠粒을 솥에 두고 冷水를 넣거나 달여진 藥湯 100 ㎖ 정도를 사용하여 文火로 끓이는데, 솥 주변을 저어가면서 완전히 녹인 후, 膠汁을 달여진 藥湯에 섞으면 된다. 膠類藥은 뜨거운 黃酒에서 쉽게 녹기 때문에, 또한 黃酒를 사용하여 가열해서 녹인 후에 복용할 수도 있다.

膠類藥을 다른 약물과 함께 달이는 것이 마땅하지 않은 이유는, 일부 응고성 膠劑인 阿膠·鹿角膠 등과 같은 것들은 주요 성분이 膠性의 단백질·아미노산·칼슘 등이어서, 다른 약물과 함께 달일 때 쉽게 먼저 녹아서 다른 약물에 점착하여 韓藥의 유효성분이 溶出하는데 영향을 미치고, 또한 藥液이 바깥으로 넘치면서 膠質과 함께 솥 바닥을 달라붙게 만들기 쉽다. 또한 草木藥과 더불어 共煎했을 때 쉽게 흡수되어 藥材를 낭비하고, 湯液의 濃度가 높고 黏性이 많아 濾過에 불리한 것 등이 있기 때문에 湯劑에 넣는 전통적인 방법은 烊化하여 沖服하는 것이다. 吳氏[43]는 여러 해 동안의 실천을 통하여 烊化하여 沖服하는 것을 가루로 갈아서 직접적으로 沖服할 것을 건의하였는데, 구체적인 방법은 달여진 藥汁을 바로 그릇에 거르고, 뜨거울 때 규정량의 膠類藥材 粉末을 투입하여 젓가락으로 휘저어 완전히 藥汁에서 녹도록 하여 즉시 복용하는 것이다. 이 방법은 간편하여 이행하기 쉬워서 더하는 물이나 黃酒 용량의 多少를 고려할 필요가 없고, 복용량이 비교적 정확하며, 동시에 藥材 자체가 熱을 받는 시간이 짧아서 유효성분의 파괴가 감소하여 藥效를 높일 수 있으니, 임상적으로 확대하여 응용할 가치가 있다.

6. 沖服: 임상에서 용약하는 것 중에 沖服을 채택하기에 적합한 약물에는 주로 다음과 같은 몇 가지 종류가 있다: ① 어떤 芳香性 藥物은 그 유효성분이 熱을 받으면 쉽게 휘발하거나 파괴되기 쉬우니, 예를 들면 麝香·沈香·蘇合香 등과 같다. ② 溶媒水의 제한을 받아 어떤 약물 성분은 물에 녹기 어려우니, 예를 들면 羚羊角·珍珠·琥珀·甘遂 등과 같다. ③ 약재를 아끼고 낭비를 피하기 위한 일부 귀중한 약재들이니, 예를 들어 人蔘·鹿茸·牛黃·猴棗·馬寶 등과 같다. ④ 어떤 黏性이 큰 약물들, 예를 들면 白及·三七根 등과 같은 것이다. ⑤ 어떤 물을 만나면 바로 녹아서 달일 필요가 없는 약물들, 예를 들면 玄明粉·柿霜·秋石 등과 같은 것이다. 위에 언급된 약물들은 항상 고운 가루를 만들거나, 신선한 약물을 직접 藥汁을 짜낸 후에 藥液이나 따뜻하게 끓인 물에 타서 沖服한다. 별도로 임상에서

는 같은 藥材를 가루 내어 沖服하는 것이 湯劑로 달일 때보다 우수할 때 또한 본 방법을 채택하는데, 예를 들어 上部 消化道의 出血을 치료하는 大黃·白及 등은 갈아서 고운 가루를 만들어서 직접 藥湯이나 끓는 물에 타서 沖服한다. 또한 茯苓의 유효성분(β-茯苓多糖)은 물에 녹기 어렵지만, 그 함량은 93%에 달한다. 현재 임상에서는 湯劑에 들어가는 용량을 많게 하여 함께 달이는데, 비록 그 용량(常用 30 g)을 계속해서 늘리고 있지만, 그 치료 효과를 증강시킬 수 없기 때문에, 陳氏[71]는 茯苓을 湯劑에 넣을 때에도 沖服의 방법을 채택하는 것이 옳다고 인식하였다. 全蠍과 같은 경우 복용할 때 대부분 빻지 않고 직접 煎劑에 넣는데, 이러한 용법은 全蠍의 치료 작용을 충분히 발휘할 수 없었다. 邵氏[71]는 일찍이 全蠍 전체를 넣어 달인 것과 꼬리를 따라 가른 것의 煎出率을 비교하였는데, 결과는 全蠍 전체를 넣어 달인 것의 煎出率은 12.6%였고, 꼬리를 따라 가른 것의 煎出率은 16%였다. 그러므로 全蠍은 갈아서 粗末로 만든 것으로 달이거나, 가루로 만들어서 沖服하는 것이 좋다.

沖服法을 살펴보면 使用便利·服用量少·節約藥材·提高藥效 등의 장점을 가지고 있어서 앞으로 더욱 깊이 연구할 것을 제창하는 바이다.

(六) 擠渣取汁(찌꺼기를 짜서 藥汁을 취하다)

湯劑를 달여 藥液을 취한 후에 만약 약 찌꺼기에 적당한 압착을 진행하면 일부 유효한 藥液을 더 받을 수 있는데, 이것은 藥材의 유효성분의 煎出率을 높이는 데 실제적으로 의미가 있다. 그 이유는 약을 달이는 과정이 化學反應의 과정이자 藥材의 細胞가 팽창하여 유효물질이 溶解·滲出되는 과정이기 때문이다. 비록 方劑의 配伍와 藥味의 組合은 자연스럽게 계통적으로 통제하여 어떤 성분이 자동적으로 溶出하게 할 수 있지만, 유효물질의 溶解度는 무한도로 증가하지 않으니, 液體의 농도가 식물성 세포 조직의 농도와 동등한 삼투압 상태여서 유효물질의 溶出이 제한받을 때, 일정한 外力인 壓搾을 하여 조직의 세포를 파열시키고 그 속에 남아 있는 그 부분의 液體를 방출시키는 것이 필요하다. 어떤 사람은[72] 일찍이 세 군데 醫院의 湯劑 煎煮法을 조사한 결과 壓搾하면 약 찌꺼기 중에서 상당한 부분의 유효물질을 거두어들일 수 있다는 것을 발견하였다. 예를 들어 甲醫院은 달여진 湯劑에서 浸出物 5.7 g을 얻었고, 약 찌꺼기를 압착하여 또한 浸出物 10.18 g을 얻었다. 乙醫院은 달여진 湯劑에서 浸出物 6.2 g을 얻었고, 약 찌꺼기를 압착한 후에 또한 浸出物 4.8 g을 얻었다. 丙醫院은 달여진 湯劑에서 浸出物 4.9 g을 얻었고, 약 찌꺼기를 압착한 후에 또한 浸出物 5.3 g을 얻었다. 어떤 사람[74]은 무작위로 22종의 비교적 상용하는 韓藥을 선택하여 單味藥材의 壓搾 전후 吸水量의 비교 실험을 했는데, 계산 방법은 다음과 같다: 吸水率 = 吸水量/飮片重量 = (煎後總量-飮片重量-得藥量)/藥材重量. 결과는 22종 중에 약물을 壓搾한 후의 平均吸水率이 壓搾前보다 33.2% 낮았다. 따라서 韓藥을 달여서 湯劑를 만들 때 '擠渣取汁'의 방법을 채택하는 것이 한 단계 더 나아가는 것이라고 건의한다.

위에서 서술한 바와 같이 韓藥 湯劑의 製作은 하나의 간단해 보이지만 매우 복잡한 문제이며, 湯劑의 製作 과정에서 많은 요소가 모두 그 藥效에 영향을 줄 수 있다. 최근 몇 년 동안 湯劑 제조를 둘러싸고 많은 연구가 진행되었음에도 불구하고, 여전히 탐색 단계에 있기 때문에 연구 결과가 결코 통일되지 않았다. 앞으로 어떻게 다방면으로 湯劑에 대한 종합적이고 심도 있는 탐색을 계속할 것인가 하는 것은, 湯劑의 치료 효과를 유지한다는 전제 하에 이 오래된 전통적인 劑型의 개혁을 가속화하는 것이 韓醫藥 종사자들이 직면한 하나의 중요한 임무이다.

第二節 服藥法

服藥法이 적절한지 여부는 치료 효과에 또한 어느 정도 영향을 미친다. 그것은 服藥時間·服用方法·藥後調護 등의 내용을 포함한다.

一. 服藥時間

服藥하는 時間이 과학적인지의 여부가 임상 치료 효과에 밀접한 관계가 있다. 인체의 生理·病理變化는 모두 일정한 시간 규율에 따르기 때문에 服藥하는 時間이 이러한 변화 규율에 적응할 수 있다면 임상 치료 효과를 높일 수 있다. 이것에 대하여 古代의 의학자들은 일찍이 인식한 것이 있었으니, 예를 들어 『素問』「生氣通天論」에서는 인체 陽氣의 晝夜節律을 총결하기를 "陽氣者, 一日而主外, 平旦人氣生, 日中而陽氣隆, 日西而陽氣已虛, 氣門乃閉."라고 하였고, 『靈樞』「順氣一日分四時」에서는 五臟 질병이 晝夜로 변화하는 규율을 귀납하여 지적하기를 "朝則人氣始生, 病氣衰, 故旦慧; 日中人氣長, 長則勝邪, 故安; 夕則人氣始衰, 邪氣始生, 故加; 夜半人氣入臟, 邪氣獨居於身, 故甚也."라고 하였으니, 이러한 논술들은 후세 의가들에게 晝夜로 시간을 가려서 服藥하는 방법을 탐색하여 연구하는데 이론적인 근거를 제공했음에 틀림없다. 『神農本草經』「序錄」에는 病邪의 위치가 서로 다른 것에 근거하여 서로 다른 服藥 時間을 채택하라는 기록이 있으니, "病在胸膈以上者, 先食後服藥; 病在心腹以下者, 先服藥而後食; 病在四肢·血脈者, 宜空腹而在旦; 病在骨髓者, 宜飽食而在夜."라고 하였다.

漢代의 名醫인 張仲景은 『傷寒論』과 『金匱要略』에서 서로 다른 方藥과 病證에 대해 많은 擇時服藥法을 제시하였는데, 상용하는 것으로는 다음과 같은 것들이 있다: ① 飯前服: 桂枝茯苓丸과 같은 것은 "每日食前服"하는 것이 마땅하다. ② 飯後服: 烏梅丸을 사용할 때에는 "先食飮後服"하는 것이 필요하다. ③ 淸晨服: 十棗湯을 사용할 때에는 "平旦服"하는 것이 필요하다. ④ 晝夜服: 黃芩湯을 사용할 때에는 "日再·夜一服"하는 것이 필요하다. ⑤ 發病前服: 『傷寒論』제54조에서 말하기를 "病人臟無它病, 時發熱自汗出而不愈者, 此衛氣不和也. 先其時發汗則愈, 宜桂枝湯."이라고 하였고, 또 瘧疾을 치료하는 蜀漆散은 마땅히 "未發前以漿水服半錢. 溫瘧加蜀漆半分, 臨發時服一錢匕."하라고 하였다. 아울러 仲景은 또한 服藥時間이 한 번 정해지면 변하지 않는 것이 아니고, 항상 病勢의 변화와 服藥後 反應에 따라 상응하는 조정이 필요하다고 제시하였으니, 예를 들어 桂枝湯에는 비록 하루에 세 번 복용하는 일정한 복약법이 있지만, 仲景은 또한 變法를 제시하였으니, 그 방제의 뒤에 말하기를 "……又不汗, 後服小促其間, 半日許令三服盡. 若病重者, 一日一夜服, 周時觀之. 服一劑盡, 病證猶在者, 更作服, 若不汗出, 乃服至二三劑."라고 하였고, 또한 桂枝附子去桂加白朮湯을 사용할 때에는 만약 "初一服, 其人身如痹."하면 "半日許復服之."하라고 하였다.

金·元시기에 이르러서는 의학자들은 이전 사람들의 경험을 계승하는 기초상에서 시간을 선택하여 복약하는 것을 더욱 중시하였으며, 특별히 이것은 李杲·王好古 등을 대표로 하는 '補土派'에게 있어서 擇時用藥에 대하여 상당히 많이 밝힌 것들이 있다. 服藥時間으로 설명하자면 李杲가 비교적 엄격한 규정을 가지고 있었는데, 초보적인 통계에 따르면 食前服·食後服·食遠服·空心服·五更服·上午服·巳午間服·臨臥服·不拘時服의 9種이 있다. 이러한 복약 방법은 陰陽消長의 節律에 따라 결정된 것으로 그가 靑白目翳의 치료를 논술할 때 지적하기를 "陽不勝其陰, 乃陰盛陽虛, 則九竅不通, 令靑白翳見於大."라고 하였고, "每日淸晨以腹中無宿食服補陽湯, 臨臥服瀉陰丸."라고 하였다. 淸晨(새벽)에는 陽氣가 萌動하기 때문에 補陽湯으로 陽氣의 升發을 돕고, 傍晚(저녁 무렵)에는 陰氣가 將盛하기 때문에 瀉陰丸으로 未盛한 陰을 먼저 瀉하는 것이 바로 陽虛陰盛한 證候를 위해서 설계한 것이다. 王好古는 일찍이 李杲를 스승으로 섬겼으며, 그가 전해주는 것을 다 받아서 새롭게 발휘한 것들이 있는데, 일찍이 서로 다른 性味의 方藥을 晝夜로 나누어 服藥하는 방법을 제시하였으니, 예를 들면『陰證略例』「陰陽寒熱各從類生服藥同象」에서 지적하기를 "假令附子與大黃合而服之, 晝服則陽藥成功多於陰藥, 夜服則陰藥成功多於陽藥, 是從其類也, 況人之疾獨不然乎! 若病陽證, 晝則增劇, 夜則少寧; 若病陰證, 晝則少寧, 夜則增劇. 是人之陰陽寒熱, 從天地之行陰行陽也. 寒熱之化, 以此隨之, 故前人治陰證用陽藥續於夜半之後者, 所以卻類化之陰, 而接身與子所生之陽也."라고 하였고,『此事難知』卷上에서는 또 午前에는 汗劑를 주고 午後에는 下劑를 주는 방법을 제시하였는데 "汗者, 本所以助陽也. 若陽受陰邪, 寒結無形, 須當發去陰邪, 以復陽氣."라고 하였으므로 汗劑는 마땅히 日午 이전에 복용해야 한다. 따라서 "日午以前爲陽之分也. …… 午後陰之分也."라고 한 것이다. "下者, 本所以助陰也. 若陰受陽邪, 熱結有形, 須當除去已敗壞者, 以致新陰."이라고 하였으므로 下劑는 마땅히 日已하기 전에 복용해야 한다. 따라서 "日已後爲陰之分也. …… 已前爲陽之分也."라고 하였다. 여기서 말하는 "日已後爲陰之分."이라는 것은 "日已之前"이 12時辰 중의 '巳'時의 이전이 아니라 日落하기 전 곧 '午後至日落'의 시간을 말한다. 이로부터 위에서 서술한 주요 정신을 요약하면 다음과 같다: 汗法은 주로 表部에 있는 無形의 陰邪를 잘 통하게 하므로 汗劑는 인체의 陽氣가 왕성한 단계인 午前을 선택하여 복용함으로써 邪氣가 表에 달하여 陽氣를 손상시키지 않는 것을 이롭게 하고, 下法은 주로 裏部에 있는 有形의 陽邪를 蕩滌하므로 下劑는 또한 인체의 陽氣가 점차 쇠약하면서 陰氣가 점점 자라나는 午後를 선택하여 복용함으로써 그 邪氣가 下走하면서 陰氣를 손상시키지 않도록 도와주는 것이다.

清代의 의학자인 葉桂의『臨證指南醫案』에는 擇時服藥하는 전형적인 醫案例가 매우 많이 있는데, 예를 들면 早溫腎陽, 晩補脾氣; 晨滋腎陰, 午健脾陽; 晨補腎氣, 晩滋胃陰; 早服攝納下焦, 暮進純甘清燥; 早溫腎利水, 晝健脾利水; 早滋腎水, 臥寧心神 등과 같다.

현대의 연구 또한 胃에 자극성이 있는 약물은 飯後服하는 것이 좋고, 健胃藥은 飯前服하는 것이 좋으며, 鎭靜安神藥은 睡前服하는 것이 좋고, 截瘧藥은 發病前에 복용할 것을 주장하였다.

요컨대 역대의 의학자들은 인체의 生理·病理의 변화 규율과 方藥의 기능적 특징 및 服藥 후의 反應 등에 근거하여 擇時服藥 방면에 있어서 비교적 풍부한 경험을 누적하였으니, 이것을 실행한다면 임상 치료를 효과적으로 지도할 수 있을 것이다. 현재 상용하는 擇時服藥法을 요약하면 다음과 같다.

1. 補陽藥은 淸晨(새벽)에 복용하는 것이 좋다: 補陽藥은 주로 溫補腎陽藥을 가리키며,『奇效良方』卷21에 기록된 71개의 溫補腎陽方의 통계에 따르면, 그중에서 平旦 空腹에 복용할 것을 注釋한 자는 56方에 달하였으니 총 숫자의 73%를 차지한다. 補陽藥은 淸晨에 복용하는 것이 가장 많음을 볼 수 있다.

2. 利濕藥은 淸晨에 복용하는 것이 좋다: 예를 들어 通陽化濕하는 雞鳴散은 五更 雞鳴時에 복용하는 것이 좋다. 또한 通陽行水하는 沈香快脾丸은 방제 뒤에 제시하기를 "消頭面腫, 五更初用蔥白酒送下; 消中膈胸腹腫, 五更初用陳皮湯送下; 消臍以下腳腫, 五更初用桑白皮湯送下."라고 하였으니, 비록 그 水腫의 부위는 서로 다르더라도 五更時에 복용을 강조한 것은 일치한다.

3. 催吐藥은 淸晨에 복용하는 것이 좋다: 예를 들어 劉完素는 獨聖散으로 風痰을 湧吐시키면서 제시하기를 "吐, 時辰巳午前, 宜早不宜夜."라고 하였고, 그 이후에『東醫寶鑑』에서 吐法으로 截瘧하는 것에 기록되어 있는 常山飮·七寶飮의 모든 방제에는 비록 그 적응증이 서로 다르더라도 모두 淸晨에 복약하여 取吐할 것을 강조하였다.

4. 解表藥은 午前에 복용하는 것이 좋다: 李杲가 인식하기를 "日午以前爲陽之分, 當發其汗; 午後陰之分也, 不當發汗."(錄自『此事難知』卷上)이라고 하였다. 어떤 사람은[75] 일찍이 10례의 太陽中風證 환자를 선택하여 桂枝湯을 사용하여 치료하면서, 복용 시간을 甲·乙 두 그룹으로 나누어서 각 조에 5인씩으로 하여, 甲組에는 오전 11시에 복약하도록 하고, 乙組는 저녁 8시에 복약하도록 하였다. 결과: 甲組는 복약 후 평균 1시간 내에 효과가 있었으며, 3시간에 증상이 기본적으로 소실되면서 3劑에 痊愈하였고, 乙組는 복약 후 效果와 時間의 관계가 뚜렷하지 않았으며, 평균 5劑에 痊愈하였다. 桂枝湯은 시간을 선택하여 복용하는 것이 치료 효과를 높이고 病程을 단축함을 설명한다.

5. 益氣藥은 午前에 복용하는 것이 좋다: 李杲의 『內外傷辨惑論』·『脾胃論』·『蘭室秘藏』 등에 기록되어 있기를 脾虛氣陷의 많은 질환을 치료하기 위하여 만든 補中益氣湯·蔘朮調中湯 등의 益氣升陽 효능을 가지고 있는 방제는 모두 午前에 복약할 것을 강조하였다.

6. 瀉下藥은 午後·日晡時 혹은 入夜에 복용하는 것이 좋다.

7. 滋陰藥은 入夜에 복용하는 것이 좋다: 예를 들어 明代 薛己가 六味地黃丸을 사용할 때 入夜時에 복약할 것을 강조하였다.

8. 安神藥은 夜臥에 복용하는 것이 좋다: 예를 들어 宋代 許叔微는 遠志丸·珍珠母丸으로 鎭心安神시킬 때 夜睡時에 薑湯으로 送下할 것을 주장하였다. 그 후 危亦林이 天王補心丹으로 養心安神할 때나, 龔廷賢이 加味定志丸을 사용하여 寧神定志할 때나, 王肯堂이 遠志丸으로 安神定魄할 때에도 모두 夜睡 前에 복용할 것을 제시하였다.

위에서 서술한 8종의 擇時服藥法을 분석하면 다음과 같은 기본 규율을 도출할 수 있다: ① 대체로 升提外透하는 약물은 午前에 복용하는 것이 좋고, 沈降下行하는 약물은 午後에 복용하는 것이 좋다. ② 대체로 溫陽補氣하는 약물은 淸晨에서 午前에 복용하는 것이 좋고, 滋陰養血하는 약물은 入夜에 복용하는 것이 좋다. ③ 대체로 陽分·氣分의 邪氣를 제거하는 약물은 淸晨에 복용하는 것이 좋고, 陰分의 伏火를 淸泄하는 약물은 入夜에 복용하는 것이 좋다.

이외에 병이 上焦에 있으면 食後服하는 것이 좋고, 병이 下焦에 있으면 食前服하는 것이 좋으며, 急性 重病은 시간에 구애받지 말고 복용하되, 慢性病은 시간에 맞게 복용해야 하는 것 등이 있다.

이것에 따르면 擇時用藥은 時間生物學에 의해 끊임없이 제시되는 生理性 節律活動과 病理性 周期變化, 그리고 질병 발생과 발전에 미치는 영향 및 약물에 의해 생기는 時間 反應 등의 특징을 이용하여 최적의 時間 用藥을 선택함으로써 최대한도로 치료 작용을 발휘하려는 것이고, 아울러 약물에 대한 불량반응(毒副作用)을 감소시키고 사용하는 약물의 劑量을 낮추며, 문란한 인체 리듬을 정상으로 회복하도록 유도하고자 함임을 볼 수 있다. 이러한 과학적 용약 방법은 반드시 현재의 "一日一劑, 分上下午, 飮服."하라는 일반적인 용법보다는 우수할 것이다. 당연히 擇時服藥法은 아직 추가적인 연구를 통하여 보완해야 할 많은 문제점들이 있다.

二. 服用方法

복용하는 湯劑는 일반적으로 매일 1劑씩 2·3차에 나누어 溫服하는 것이 보통 방법이다. 다만 이것은 病勢에 輕重緩急의 차이가 있으므로 치료에 있어서 藥物·劑量·劑型을 참작하여 결정하는 것을 제외하고, 服用方法에 있어서도 서로 다름이 있다. 일찍이 『傷寒論』과 『金匱要略』에서는 복약의 횟수에 대해서 서로 다른 요구가 있었는데, 예를 들어 乾薑附子湯과 瀉心湯은 '頓服'하라고 하였고, 大烏頭煎은 "一日一服 ……

不可一日再服."하라고 하였으며, 茯苓四逆湯은 "一日二服"하라고 하였고, 桃花湯과 白虎加人蔘湯은 "一日三服"하라고 하였고, 이외에 半日 혹은 더욱 짧은 시간에 3次를 복용한다거나 1日에 4服·5服·6服하는 것도 있었다. 潘氏[76]의 통계에 의하면, 책 속의 방제에 매일 1次 頓服하는 것이 6方이고, 매일 2次가 26方이며, 매일 3次가 48方이고, 매일 5次가 3方이고, 매일 6次가 1방이었고, 시간이 정해지지 않은 것이 27方, 某時에 복약하라고 한정한 것이 2方 등 여러 가지 종류의 형식이 있었다. 李杲는 복용 방법은 서로 다른 病位에 따라 결정되어야 한다고 인식하였는데, 그가 지적하기를 "病在上者, 不厭頻而少; 病在下者, 不厭頓而多. 少服則滋榮於上, 多服則峻補於下."(錄自『湯液本草』「東垣先生用藥心法」卷上)라고 하였다. 清代의 의학자인 程國彭은 마찬가지로 복약 방법의 중요성을 강조하였는데, 그가 『醫學心悟』首卷에서 말하기를 "病家誤, 在服藥, 服藥之中有巧妙, 或冷或熱要分明, 食後食前皆有道." 라고 하였다. 요컨대 임상에서 韓藥을 복용할 때는 다만 서로 다른 病證 및 藥物 特徵에 근거하여 서로 다른 服藥 方法을 채택해야만, 비로소 비교적 좋은 치료 효과를 얻을 수 있다. 이에 상용하는 복용 방법을 간단하게 서술하면 다음과 같다.

1. 冷服: 일반적으로 말해서 寒劑는 冷服하는 것이 좋으며 熱證에 적용된다. 다만 病勢가 엄중하면서 眞寒假熱證이 출현할 때에는 熱藥을 冷服함으로써 邪氣와 藥物이 格拒하는 것을 방지해야 한다. 이러한 방법은 『素問』「五常政大法」에서 말한 "治溫以淸, 冷而行之." 및 "治熱以寒, 溫而行之."의 취지와 매우 부합한다.

2. 熱服: 일반적으로 말해서 熱劑는 熱服하는 것이 좋으며 寒證에 적용된다. 다만 病勢가 엄중하여 眞熱假寒證이 출현할 때에는 寒藥을 熱服함으로써 邪氣와 藥物이 格拒하는 것을 방지해야 한다. 역시 『素問』「五常政大論」에서 말한 "治淸以溫, 熱而行之." 및 "治寒以熱, 涼而行之."의 의미와 부합한다.

그러나 임상에서 구체적으로 용약할 때에는 服藥의 冷熱을 구체적으로 분석하여 상대적으로 구별해야 한다. 일반적으로 湯藥은 대부분 溫服하는 것이 좋다. 왜냐하면 韓藥이 달여지는 과정에서 많은 약물 성분들이 화학반응을 일으켜 침전물을 만들 수 있기 때문이다. 대다수의 침전물은 消化器 내에서 消化液의 작용을 거치고 또한 분해되어 유기체에 흡수되어 치료 효과를 발휘한다. 많은 湯劑에서 나오는 침전물(유효성분 포함)의 析出量은 달여진 후의 냉각된 시간과 정비례하기 때문에, 湯劑를 사용할 때에는 뜨거울 때 濾過해야 하고, 또한 溫服하는 것이 좋으며, 복용할 때에는 또한 흔들어주는 것이 필요하다.[77] 만약 寒證을 치료하는데 熱藥을 사용하면서 熱服하는 것이 적합하다면, 특별히 辛溫으로 發汗解表하는 약물을 外感 風寒表實證에 사용할 때에는 약물을 熱服해야 할 뿐만 아니라, 복약 후에는 溫覆하여 땀을 내는 것이 필요하다. 熱病을 치료하는 데 寒藥을 사용함에 있어서, 만약 熱이 胃腸에 있어서 환자가 冷飮을 마시고자 하는 자는 涼服하는 것이 좋지만, 만약 熱이 다른 臟腑에 있어서 환자가 冷飮을 원하지 않는 자는 寒藥을 여전히 溫服하는 것이 좋다. 이외에 丸·散 등의 固體 製劑는 특별한 규정을 제외한다면 일반적으로 따뜻하게 끓인 물로 送服하는 것이 좋다.

3. 食前服: 『神農本草經』「序錄」에서 말하기를 "病在心腹以下者, 先服藥而後食."이라고 하였는데, 이 방법은 병이 下焦에 있거나 補養藥을 사용하는 자에게 적용된다. 예를 들면 溫補下元하는 右歸飮이나 補益肝腎하는 七寶美髯丹 등과 같다.

4. 食後服: 『神農本草經』「序錄」에서 말하기를 "病在胸膈以上, 先食後服藥."이라고 하였는데, 이 방법은 일반적으로 병이 上焦(心·肺)에 있는 자에게 적용된다.

5. 空腹服: 『神農本草經』「序錄」에서 말하기를 "病在四肢血脈者, 宜空腹而在旦."이라고 하였는데, 空腹은 음식을 먹기 전에 복약하는 것으로 일반적으로 驅

蟲藥에 응용하거나 四肢血脈에 병이 걸린 사람에게 적용된다. 별도로 峻下逐水藥도 또한 淸晨 空腹 時에 복용하는 것이 좋다.

6. 頓服: 李杲가 말하기를 "病在下者, 不厭頓而多."(錄自『湯液本草』「東垣先生用藥心法」卷上)라고 하였는데, 본 방법은 병이 下部에 있는 자에게 적용하며, 종종 다량을 한 번에 완전히 복용한다. 예를 들면 淸熱利濕하는 五淋散·寒通湯 등과 같은 것에 이 방법을 사용하는 것이 좋다. 다만 病位가 下部에 있지 않지만 病勢가 위급한 자에게도 사용할 수 있으니 扶危救急하는 獨蔘湯·蔘附湯 등과 같은 것이 있다.

7. 頻服: 李杲가 말하기를 "病在上者, 不厭頻而少."(錄自『湯液本草』「東垣先生用藥心法」卷上)라고 하였는데, 본 방법은 대부분 病이 上部에 있는 자에게 적용하며, 종종 소량을 여러 차례 나누어 마신다. 그러므로 대부분 咽喉 및 口腔 질환에 많이 사용하는데 射干桔梗湯 등과 같은 것이다.

8. 發病前服: 본 방법은 대부분 瘧疾 발작의 치료에 사용하는 것이니, 곧 瘧疾이 발작하기 전의 적당한 시간에 복약하는 것으로, 예를 들어 化痰截瘧하는 淸脾飮과 氣血兩虛로 瘧疾 발작이 오래되었는데도 낫지 않는 것을 치료하는 何人飮 등이 모두 발작 2~3시간 전에 복용하는 것이 적당하다.

복약하면 嘔吐하는 자에 대해서는 소량의 薑汁을 넣거나, 혹은 먼저 薑汁을 복용하고 연후에 服藥시키고, 또한 冷服하거나 少量씩 頻服하는 방법을 채택할 수도 있다. 昏迷하거나 口噤의 환자처럼 呑咽困難한 자에 대해서는 간혹 鼻飼法을 사용하여 약을 공급해 준다.

峻烈藥이나 毒性藥을 사용할 때에는 마땅히 少量으로 시작해서 점차 양을 늘릴 것이며, 효과를 얻으면 곧바로 그쳐서 過量을 사용해서는 안 되니, 이로써 中毒이나 正氣를 손상시키는 일이 발생하지 않도록 해야 한다. 그러므로『神農本草經』「序錄」에서 말하기를 "若用毒藥療病, 先起如黍粟, 病去即止, 不去倍之, 不去十之, 取去爲度."라고 하였다. 요컨대 病勢·病位·病性 및 藥物의 특징과 劑型의 不同에 따라 적절한 복용 방법을 결정해야 한다.

三. 藥後調護

복약 후의 調養과 看護 또한 服用法의 내용 중 하나이다. 漢代 張仲景이 지은『傷寒論』에서는 비교적 상세하게 기록되어 있는데, 예를 들어 桂枝湯의 복용법에서 말하기를 "啜熱稀粥一升餘, 以助藥力. 溫覆令一時許, 遍身微似有汗者益佳, 不可令如水流漓, 病必不除."라고 하였으니, 왜냐하면 복약 후 크게 따뜻한 죽한 모금을 마시면 穀食의 기운을 빌려 땀의 근원을 얻을 수 있을 뿐만 아니라, 熱의 힘을 빌려 衛陽을 떨쳐서 邪氣를 몰아 바깥으로 땀과 함께 나가게 할 수 있기 때문이다. 복약한 후에 溫覆하는 것은 마찬가지로 發汗을 보조하는 중요한 看護 조치이지만, 온몸에 약간 땀이 나는 것을 한도로 삼아야지 비로소 邪氣를 제거하는 임무를 다하고 正氣에는 손상이 없을 것이다. 현대적인 연구로도 또한 桂枝湯을 복용한 후에 啜粥과 溫覆을 중요시하여 단순히 약물을 공급하는 그룹과 서로 비교하였는데, 桂枝湯으로 小鼠의 流行性感冒로 病毒性肺炎을 일으키는 것을 억제하는 작용을 현저하게 향상시킬 수 있으며, 또한 병든 小鼠의 單核 大食細胞 계통의 呑噬를 활성화 시키는 경향이 증강됨을 증명하였다.[78] 복약한 후에 調養과 看護를 중요시하는 것은 임상 치료 효과와 환자의 건강 회복을 가속화 시키는 데 있어 매우 중요한 의미가 있음을 설명하는 것이다. 따라서 의료인은 환자가 약물 사용 기간 동안 환자의 약물 복용 후 반응을 중요하게 관찰하고, 아울러 서로 다른 看護 방법을 시행해야 하는데, 항상 아래의 몇 가지 점들을 주의해야 한다.

1. 觀汗出: 發汗解表類의 湯劑를 복용하여 약물을 공급한 이후에는 환자의 汗出의 有無, 汗出의 多少, 汗液의 性質 및 그 顔色·肢溫·脈象의 변화를 상세하게 관찰하여 病勢의 輕減의 여부 및 수반된 증상의 유무 등을 調査하고 아울러 記錄해 놓아야 한다. 汗出은 微汗이 나오는 것을 한도로 삼아야 하는데, 땀이 많이 나오면 亡陽을 두려워해야 하며, 땀이 나오지 않으면 邪氣가 풀리지 않는다. 만약 복약한 후에 약간 땀이 나고 熱이 물러나면서 身涼해지면 表證이 이미 풀린 것을 나타내므로 즉시 복약을 중지하여 다시 복용할 필요가 없으며 지나치게 땀을 냄으로 인해서 正氣가 손상되는 것을 방지해야 하고, 만약 땀이 나는데도 熱이 물러나지 않는다면 辨證立法에 잘못이 없다는 상황 하에서 약물의 양이 부족한 것을 표명하는 것이니 다시 약물을 공급해 주어야 하며, 만약 無汗하거나 汗出이 부족하다면 熱粥을 추가로 먹거나 적당하게 실내 온도를 높이고 의복을 더하며 온수 팩과 같은 보온 조치를 통하여 藥力을 도와 땀을 내도록 한다. 여름철에는 실내 공기의 유통에 주의하면서 다만 실내에 들어오는 바람을 피해야 하며, 겨울철에는 熱粥·薑湯 혹은 흑설탕 물 등을 더 많이 먹어서 藥力을 도와주어야 한다. 무릇 發汗은 단지 온몸에 微汗한 것이 적당하고 大汗(만약 發汗으로 消腫하려면 적당한 량의 多汗이 좋다)이 나와서는 안 된다. 만약 환자가 大汗淋漓·面色蒼白·脈微欲絶이 나타난다면, 곧 亡陽虛脫의 증상이니 즉시 血壓·脈搏 등을 측정하고 아울러 즉시 상응하는 응급 처치를 해야 한다.

2. 觀大便: 瀉下·驅蟲殺蟲하는 方藥을 복용한 자에 대해서는 大便의 상황을 관찰하여 病勢의 변화를 파악하는 것이 약물의 치료 효과를 이해하고 합리적으로 用藥을 지도하는 데 있어서 일정한 의미가 있다. 그러므로 복약한 후에는 환자 大便의 形狀·顔色·數量·氣味·蟲體 배출의 有無와 1차 排便한 시간 및 排便의 횟수 등의 상황을 상세하게 기록해야 한다. 일반적으로 潤下劑는 藥力이 溫和하여 通便한 후에도 1~2일 정도 복용할 수 있지만, 峻下劑는 藥力이 비교적 강렬하여 복약한 후에 극렬한 腹痛·腹瀉 혹은 惡心嘔吐 등의 반응이 출현할 수 있으니, 복약하기 전에 환자에게 설명해서 의심과 걱정을 없애야 하며, 아울러 환자에게 침대에 누워 쉬도록 注意를 주어야 한다. 峻下劑는 1劑를 복용한 후에 환자의 大便 상황을 면밀하게 관찰해야 하며, 만약 大便이 나오지 않거나 겨우 몇 개의 燥屎만 나온다면 4시간 간격을 두고 다시 복약하며, 만약 燥屎 후에 묽은 대변을 동반하면 이미 치료 요구에 도달한 것을 표명하는 것이니 약물 공급을 중지하여 지나친 약제로 脾胃를 손상시키는 것에서 벗어나야 한다. 만약 逐水藥을 복용한 후에 瀉下하는 것이 그치지 않는다면, 약물 복용을 정지하는 동시에 冷粥을 먹거나 冷開水를 마셔서 그치게 한다. 위에서 서술한 方藥들은 脾胃를 손상시키기 쉬우므로 복약한 후에 調理脾胃에 주의해야 하며, 米湯을 공급하거나 淸淡한 素食으로 養胃護脾할 수 있다.

3. 觀小便: 利水·逐水劑를 복용한 자에 대해서는 小便의 顔色·氣味·數量·渾濁物의 有無·pH값 등을 주의 깊게 관찰하여 기록해야 한다. 이렇게 하면 약물의 치료 효과를 알 수 있고, 적시에 조정하는 것이 쉬워진다. 단순한 水腫 환자의 경우 복약 전후에 환자의 體重을 측정하여 기록을 잘해야 한다.

4. 脈象·呼吸·血壓 및 神色 등의 변화를 관찰함: 瀉下·逐水劑를 복용한 사람에 대해서는 복약 후 脈象·呼吸, 血壓·神色 등의 변화 및 腹痛·惡心嘔吐·出汗·心悸氣促 등 증상의 有無를 주의 깊게 관찰하여 상세하게 기록해야 한다. 관찰을 통하여 환자가 복약한 후에 毒副作用이 발생했는지의 여부를 알 수 있는데, 만약 환자가 복약한 후에 腹痛이 劇烈하면서 泄瀉가 그치지 않거나, 혹은 腹痛과 泄瀉는 많지 않지만 嘔吐가 빈번하면서 大汗淋漓와 心悸氣短 등의 副作用 현상이 나타난다면, 즉시 조직적으로 응급 처치함과 동시에 환자에게 糯米粥이나 小米粥·紅棗湯 등을 마시게 하여 養胃止瀉시켜야 한다.

이외에 복약한 후에는 환자에게 愼勞役·戒房事·節恚怒 등을 주의 깊게 경고하는 것은 환자의 건강 회복에 있어 매우 중요한 것이다.

四. 服藥食忌

服藥食忌는 또한 '忌口'라고도 부르는데, 이것은 약물을 복용할 때 飮食禁忌에 주의해야 함을 가리킨다. 韓醫學의 服藥食忌에 관한 역사는 2천여 년 전의 秦漢시대로 거슬러 올라간다. 『五十二病方』에는 복약시 어떤 음식물을 忌食하라는 것에 관한 기록이 있는데, 예를 들어 治[脈]의 방제 뒤에 있는 注釋에서 말하기를 "服藥時禁毋食彘肉·鮮魚."이라고 하였고, 漢代 張仲景의 『金匱要略』「禽獸蟲魚禁忌並治」에서 지적하기를 "……所食之味, 有與病相宜, 有與身爲害, 若得宜則益體, 害則成疾, 以此致危, 例皆難療."라고 하였다. 『傷寒論』의 桂枝湯 방제 뒤의 注釋에서 밝히기를 "禁生冷·粘滑·肉麵·五辛·酒酪·臭惡等物."이라고 하였고, 烏梅丸의 방제 뒤에도 역시 말하기를 "禁生冷·滑物·臭食等."이라고 하였다. 현존하는 본초 서적 중 가장 빠른 服藥食忌에 대한 기록은 梁代 陶弘景의 『本草經集注』이다. 그 후 明代 李時珍의 『本草綱目』에도 또한 비교적 상세하게 기록되어 있다. 飮食宜忌의 내용은 本草 저작뿐만 아니라 方書에서도 볼 수 있으며, 方書에서 보충한 내용도 비교적 많다.

飮食宜忌의 내용은 주로 두 가지 방면인데, 첫째는 '病證'과 '飮食'의 宜忌로 예를 들면 水腫病에는 食鹽을 적게 먹는 것이 좋고, 消渴病에는 糖을 禁忌하며, 下利에는 油膩한 것을 삼가라는 등이다. 최근 사람인 華秉麾가 『醫學心傳全書』에서 제시한 忌口의 要點은 다음과 같다: "寒病忌生冷. 熱病忌溫性, 如椒辣之品. 肝陽忌雞之升提, 並忌溫品. 氣病忌酸斂之品. 毒病忌海鮮·雞·蝦發物. 血枯忌生冷. 呆胃忌油膩. 胃寒忌生冷. 瘧疾忌粥飯. 水臌忌鹽. 懷胎忌香·忌活血. 胎前忌熱. 產後忌寒. 痛經忌寒·酸. 停經忌寒冷及酸收." 다른 한 방면은 '藥物'과 '飮食'에 대한 宜忌로 예를 들면 『本草經集注』에서 아래와 같은 服藥忌食의 내용이 기록되어 있다: "有朮, 勿食桃·李及雀肉·葫蒜·靑魚鮓. 服藥有巴豆, 勿食蘆筍羹及豬肉. 有半夏·菖蒲, 勿食飴糖及羊肉. 有細辛, 勿食生菜. 有甘草, 勿食菘菜. 有藜蘆, 勿食狸肉. 有牡丹, 勿食生葫蒜. 有當陸, 勿食犬肉. 有恒山, 勿食蔥菜. 有空青·朱砂, 勿食生血物. 有茯苓, 勿食諸酢物. 服藥不可多食生葫蒜·雜生菜. 服藥不可多食諸滑物果食菜. 服藥不可多食肥豬·犬肉·肥羹及魚臊膾. 服藥通忌見死屍及產婦淹穢事."

위에서 서술한 내용은 후세에 계속해서 증가하고 있는데, 특히 '何藥忌食何物'한다는 것이 많으니, 예를 들어 熟地黃이 있는 方藥은 蘿蔔을 忌食하고, 土茯苓이 있으면 茶葉을 忌食하며, 荊芥를 복용할 때에는 河豚과 無鱗魚을 忌食하라는 것 등이 있다.

忌食하는 이유에 대하여 古代 文獻의 해석은 매우 적은데, 요약하자면 크게 두 가지 방면의 원인이 있다. 첫째, 疾病으로 말한다면, 食忌를 알지 못하면 舊病을 가중시키거나 新病이 변하여 생길 수 있다는 것이다. 예를 들어 『格致餘論』에서 지적하기를 "恣意犯禁, 舊染之證與日俱積."라고 하였고, 또한 『本草綱目』卷18에서 말하기를 "(使君子)忌飮熱茶, 犯之即瀉."라고 하였다. 둘째, 藥物로 설명하자면, 飮食의 부적합은 약물의 치료 효과를 저하시키거나 약물의 불량 반응을 유발한다는 것이다. 예를 들어 『備急千金要方』에서 말하기를 "凡餌藥之人不可食鹿肉, 服藥必不得力, 所以然者, 以鹿常食解毒之草, 是故能制毒散諸藥故也."라고 하였다.

古代의 문헌에서는 服藥食忌에 대하여 이치를 말할 수 있는 것은 많지 않고, 대다수가 단지 그 禁忌만 말하고 그 禁忌하는 까닭은 말하지 않았다. 어떤 것은 단지 그것이 해롭다고만 말하고 그것이 어떤 위해가 있는지는 말하지 않았다. 이 부분의 내용을 이해하는 것은 단지 추측에 의지할 뿐이다. 또한 많은 숫자의 구체적인 약물의 食忌는 또한 前人들의 경험담인지는 모르지만, 대부분의 경우 구체적인 例證이 결핍되어 있고, 또한 實驗 報道가 없기 때문에 이러한 경험 중 어떤 것이 재검증을 견뎌낼 수 있는 필연적인 결과인지, 어떤 것이 필연적인 우연히 교묘하게 결합된 것에 속하는 지를 판단하기는 어렵다. 중요한 것은 이러한 구체적인 약물의 食忌 科學性을 인정하면서, 또한 만들어야 할 많은 일들이 남아 있다.

前人들이 열거한 구체적인 약물의 食忌가 정말로 이치에 맞든 아니든 간에, 복약하는 기간에는 어떤 음식을 먹는 것을 피해야 한다는 것은 확실히 이치가 있다: 첫째, 일부 음식물들은 또한 약물이 될 수 있으니, 어떤 약물과 음식물 간에 相惡 혹은 相反의 配伍 관계가 존재하면 임상에서 약물을 사용하는데 있어 치료효과를 저하시키거나, 심지어는 藥效를 상실시키고, 혹은 毒副作用이 생길 수 있다. 예를 들어 皂礬을 복용할 때에는 茶를 피해야 하는데, 왜냐하면 皂礬은 低價의 鐵鹽으로 茶 중의 tannin(鞣質)을 만나면 쉽게 물에 녹지 않는 탄닌산철을 생성하여 원래의 치료 효과를 잃게 된다. 貫衆을 복용할 때에는 油를 피해야 하는데, 만약에 腸 중에 과다한 脂肪이 존재하면 유기체에 흡수되기 쉬워서 흡수 과다로 中毒을 일으킬 수 있다. 둘째, 어떤 음식물은 消化 吸收 기능을 방해하고 약물의 흡수에 영향을 줄 수 있다. 병을 앓고 있는 기간에는 일반적으로 사람들의 脾胃기능이 약해져 있으니, 生冷·多脂·黏膩·腥臭한 음식물들은 脾胃의 기능을 방해하여 유기체의 약물 흡수에 영향을 끼쳐서 치료 효과를 저하시킨다. 셋째, 어떤 음식물은 어떤 병증에 불리하게 작용하여 질병의 회복에 영향을 줄 수 있다. 예를 들어 生冷한 음식물은 寒證, 특히 脾胃虛寒證에 불리하여 生冷으로 胃를 손상시키고, 辛熱한 약물은 熱證에 불리하며, 식용유를 과다하게 먹으면 發熱을 가중시킬 수 있고, 食鹽을 너무 많이 먹으면 水腫을 가중시킬 수 있으며, 脾虛하여 濕이 막고 있는데 만약 다시 肥甘酒酪의 식품을 마음껏 먹으면 반드시 脾濕을 길러서 病勢가 가중될 것이다. 그러므로 복약하는 기간에 어떤 병증에 불리한 음식물들을 禁忌하지 않는다면, 약물의 치료 효과는 분명히 영향을 받을 것이다.

요컨대 服藥食忌는 과학적이며, 또한 임상에서 用藥하는데 있어 효과적이고 안전함을 확보하기 위한 조치 중의 하나이므로 충분히 중시하면서 진지하게 연구해야 한다.

【參考文獻】

1) 趙浩如, 曾祥明.煎器對提取蘆丁的影響[J]. 江蘇藥學與臨床研究. 2002;10(2) 28-29.

2) 廖仰平.煎煮工藝對湯劑質量的影響[J]. 中國民族民間醫藥. 2008;5:9-11.

3) 冼寒梅, 陳勇.中藥湯劑現代煎法的探討[J]. 中藥材. 1996;(2):100.

4) 蒙光容, 黃齊霞.中藥湯劑改進研究概況[J]. 吉林中醫藥. 1990;(5):36.

5) 萬國慶.搪瓷制品不宜煎藥[J]. 基層中藥雜志.1988;(6):44.

6) 周玉芝, 張秀坤, 劉秀範, 等.中藥煎法對療效的影響[J]. 中醫藥信息. 1993;(3):43.

7) 殷保元.鋁制品不宜作煎藥器具[J]. 中藥通報, 1997;(4):封3.

8) 宋華.中藥湯劑的煎服方法[J]. 中國民間療法. 2007;15(8):58-59.

9) 王景先.影響湯劑藥物有效成分諸因素探析[J]. 北京中醫. 1995;(2):39.

10) 邱佳信, 唐萊娣, 左建平, 等.不同容器熬煎中藥對胃癌細胞集落形成的影響[J]. 中醫雜志 1988;(7):60.

11) 任崇靜, 王永瑞.湯劑煎煮法探析-關於煎藥機與傳統 方法制備湯劑的比較研究[J]. 河南中醫學院學報. 2008;1(1):43-44.

12) 朱榮.談中藥湯劑的煎煮[J]. 時珍國藥研究. 1997;8(1): 85.

13) 薛廣波.實用消毒學[M]. 北京:人民軍醫出版社. 1986: 458.

14) 南京師院化學系.中學化學解疑[M]. 南京:江蘇人民出版社. 1979:38.

15) 王成永.中藥"忌鐵器"與藥劑學[J]. 中成藥研究. 1982;(5):43.

16) 劉國傑.藥劑學[M]第2版.北京:人民衛生出版社. 1985:641.

17) 萬國慶.自來水用於中藥制劑須經脫氯·去離子處理爲 宜

[J]. 中藥通報. 1998;13(8):29.

18) 周錫龍.中藥湯劑研究中幾個問題的商討[J]. 中藥通報. 1987;(10):29.

19) 張婷, 曹勤書, 羅京芳.淺析影響中藥湯劑質量原因[J]. 光明中醫. 2002;(3):40.

20) 張翠英.中藥煎煮應注意的問題[J]. 云南中醫中藥雜志. 2008;29(11): 72-73.

21) 邵金治.提高中藥湯劑質量應注意的幾個問題[J]. 時珍國藥研究. 2004;15(12):834-835.

22) 王玉英.影響中藥湯劑質量因素[J]. 醫學創新研究. 2007;3, 4(9):113-114.

23) 毛正銀, 銀慧賢, 徐江紅.簡論中藥湯劑的煎煮方法[J]. 首都醫藥. 2008;(6):10.

24) 王可成, 王緒平, 張良民, 等.湯劑用藥量·煎出液量與 煎出率的關系[J]. 中成藥研究. 1988;(2):7.

25) 劉紹貴.中藥湯劑研究近況[J]. 中醫藥時代. 1992;(1):53.

26) 黃泰康.中藥湯劑研究概況[J]. 中草藥. 1986;(1):35.

27) 張靜楷.重視中藥煎服法, 提高湯劑質量和療效[J]. 中成藥研究. 1981;(2):1.

28) 閆訓友, 李娜娜, 史振霞, 等.丙酮提取金頂側耳發酵液多糖的優化設計[J]. 菌物學報. 2008;27(3):413-419.

29) 李明雄, 王洪軍.煅制火候對寒水石炮制質量的影響[J]. 湖北中醫學院學報. 2003;6, 5(2):25-26.

30) 萬龍海.中藥湯劑煎藥方法的研究[J]. 中成藥研究(增刊). 1984;(1):17.

31) 毛照雄.兩種煎藥方法的驗證[J]. 山東中醫學院學報. 1980;(3):56.

32) 歐陽榮, 彭壹恋, 劉紹貴, 等.四種中藥的直火單煎與機煎單煎液的質量對比檢測[J]. 中國藥業. 2001;10(3):4849.

33) 孟廣義.淺談中藥煎煮方法對臨床療效的影響[J]. 北京中醫學院學報. 1993;(3):62.

34) 陳娟, 劉紹貴.不同煎煮方法對訶子中鞣質含量的影響[J]. 湖南中醫學院學報. 1999;3:4.

35) 閔云生.中藥煎煮前浸泡時間長短之我見[J]. 甘肅中醫. 1995;(4):42.

36) 趙科社.正交法考察影響赭石湯劑元素煎出量的因素[J]. 中國中藥雜志. 1991;16(12):736.

37) 梅全喜.中藥先煎問題的實驗探討[J]. 中國醫院藥學雜志. 1989;(10):465.

38) 孫守祥, 侯曉琦.對生石膏煎藥時間的探討[J]. 時珍國藥研究. 1996;(4):243.

39) 賈桂芝, 王玉玲, 王建明.復方中藥對石膏煎出率影響 的實驗研究[J]. 中成藥. 1991;(5):2.

40) 孫建民.石膏用量用法的實驗研究[J]. 中國中藥雜志. 1991;(2):91.

41) 梁健.淺談影響湯劑質量的因素[J]. 醫學研究通訊. 2001;30(11):63, 26.

42) 張春來, 張成元.某些中藥煎煮服用方法的研究概況[J]. 時珍國藥研究. 1995;(3):42.

43) 吳文.中藥湯劑特殊煎法的探討[J]. 時珍國藥研究. 1997;(4):364.

44) 黃全法.大劑量附子臨床應用擧隅[J]. 中國醫藥學報. 1993;(5):32.

45) 尤文强.論張仲景對毒劇藥物的運用[J]. 中醫藥信息. 1989;(2):8.

46) 林愛金.應重視湯劑中中藥特殊處理方法[J]. 海峽醫學. 2002;14(4):89-90.

47) 周鵬, 陶秀英.中藥湯劑煎煮的方法與質量[J]. 山東醫藥工業. 2001;20(5):37-38.

48) 李銳.中藥研究的回顧與展望[J]. 新中醫. 1981;(1):46.

49) 韓新民.四逆湯對麻醉家兔低血壓狀態升壓效應的初步拆方研究[J]. 中成藥研究. 1983;(2):28.

50) 張霄嶽.中醫特殊煎法宜規範化[J.]山東中醫雜志. 1995;(11):515.

51) 趙海峰, 邵阿利, 陳會霞.淺析需特殊方法煎煮藥物的原理[J]. 陝西中醫. 1993;(12):56.

52) 張寧, 閆美琳, 金東明.『傷寒論』方中藥物先煎的機理探討[J]. 吉林中醫藥. 2008;28(1):52.

53) 趙幸福.中藥湯劑的特殊煎法[J]. 中醫中藥. 2008;7, 5(20):90, 95.

54) 李振吉, 李滿海, 鄭守曾, 等.中藥藥理學M). 北京:中國中醫藥出版社. 1997.

55) 李東騰.淺談湯劑中後下藥煎煮的改進[J]. 新疆中醫藥. 1996;(1):37.

56) 彭平建.煎中藥特殊處理方法的改進[J]. 中藥材. 1991;(6):47.

57) 石昌順.不同煎煮方法和時間對鉤藤中生物碱煎出量的影響[J]. 中草藥. 1992;(7):36.

58) 肖耀軍.鉤藤煎法不可一概而論[J]. 中醫中藥. 2008;11: 48.

59) 邵建兵.中藥湯劑中後下藥處理一法[J]. 中藥材. 1993;(1):46.

60) 程一帆.對『中藥湯劑中後下藥處理一法』一文之不同 意見[J]. 中藥材. 1993;(5):41.

61) 周錫龍.中藥湯劑煎法研究進展[J]. 中成藥. 1990;(2):38.

62) 蒙光容, 詹貴成, 李素霞, 等.影響中藥湯劑質量因素的探討(I)[J]. 中藥通報. 1985;(10):24.

63) 錢永昌, 張寶山.利用袋泡劑代替傳統的後下法[J]. 中國醫院藥學雜志. 1990;10(3):136.

64) 王爲民.對中藥湯劑包煎法的探討[J]. 基層中藥雜志. 1994;(1):25.

65) 中華人民共和國藥典委員會.中國藥典S). 北京:化學工業出版社. 2000:50-51.

66) 秦元璋, 王琰, 秦健.車前子煎服法小議[J]. 山東中醫雜志. 2004;5(23):305-306.

67) 劉悅賢.淺談五靈脂的煎法[J]. 中國中藥雜志. 1991;(5): 288.

68) 賈傳春.湯劑過濾法的改良[J]. 中國中藥雜志. 1989;(5): 33.

69) 王雁梅, 史恒軍, 甘洪金, 等.RP-HPLC法測定生化湯單煎液與共煎液中阿魏酸的含量[J]. 中國中醫藥信息雜志. 2005;12(3):47-48.

70) 陳華.茯苓服用方法的建議[J]. 中藥材. 1996;(3):157.

71) 邵林.全蠍的鑒別·加工·儲存及使用[J]. 山東中醫雜志. 1995;(11):514.

72) 左桂英, 於翔龍.談談煎藥的方法-對哈爾濱四所醫院 中藥湯劑煎煮方法的調查[J]. 黑龍江中醫藥. 1983;(1):62.

73) 單靖珊, 張樹林, 趙可新, 等.中藥的壓搾處理對湯劑質量的影響[J]. 中醫中藥. 2006;3(3):115.

74) 張玉才.談桂枝湯的服藥時間[J]. 山東中醫雜志. 1987;(5):6.

75) 潘永南.談中藥服法的規律[J]. 湖北中醫雜志. 1994;(2):26.

76) 徐松仁.從化學成分變化談服用中草藥湯劑的注意點[J]. 中草藥. 1984;(5):18.

77) 富杭育, 賀玉琢, 郭淑英, 等.啜粥·溫覆對桂枝湯藥效 的影響[J]. 中華中醫藥雜志. 1990;(1):28.

第七章

한방 新藥의 기초 및 임상평가

1. 한약(생약)제제 정의

한약재를 원료로 이용하여 우리가 복용할 수 있는 한약의 형태는 1) 한의원에서 한의사가 조제하는 첩약과 2) 식약처의 허가를 받고 제약회사에서 제조하는 한약제제 2가지로 나뉜다. 첩약은 지난 수천년동안 전통적으로 환자를 치료해 오던 한의학적 방식으로서, 급변하는 환경 속에서 환자 개인의 특성을 고려한 맞춤형 치료 기술이라는 장점이 있다. 반면, 한약제제는 품질에 관한 자료를 바탕으로 안전성·유효성에 대한 임상·비임상 연구를 통하여 개발한 의약품으로서, 과학적 데이터 축적을 통한 세계 시장 진출이 가능하다는 장점을 가진다. 이번에는 상기와 같은 특징을 가지는 한약제제에 대하여 알아보자.

한약을 재료로 이용하여 Good Manufacturing Practice (GMP) 시설에서 생산한 의약품을 한약(생약)제제라고 명명하고, 이와 관련하여 「의료법」, 「약사법」, 「한약(생약)제제 등의 품목허가·신고에 관한 규정」등에 아래의 단어가 정의되어 있다.

한약(생약)제제에서 "한약제제(韓藥製劑)"란 한약을 한방원리에 따라 배합하여 제조한 의약품을 의미한다. "생약제제"란 서양의학적 입장에서 본 천연물제제로서 한의학적 치료목적으로는 사용되지 않는 제제를 말하고, 천연물을 기원으로 하되 특정 성분을 추출·정제하여 제제화한 것은 생약제제로 간주하지 아니한다. 또한, "한약(생약)제제 복합제(이하 복합제)"란 2종 이상의 주성분을 함유하는 한약(생약)제제를 말하며, 2종 이상의 식물에서 추출한 추출물과 동일 동물의 2종 이상의 장기에서 추출한 추출물(예: 돼지의 간과 위의 추출물) 등을 포함한다. 동일 식물의 추출 엑스(단, 낭탕근엑스와 같이 동일 식물이라도 각 부위에서 추출한 주성분이 현저하게 다른 경우 제외)와 동일 동물의 동일 장기에서 추출한 추출물(예: 돼지의 위점막 추출물)은 단일제로 본다.

2. 한약(생약)제제 개발을 위한 자료제출범위

한약(생약)제제를 개발하기 위하여 다음의 자료를 제출하여야 한다.

1. 기원 또는 발견 및 개발경위에 관한 자료

2. 구조결정, 물리화학적 성질에 관한 자료(품질에 관한 자료)

가. 원료의약품에 관한 자료
1) 구조 결정에 관한 자료
2) 물리화학적 성질에 관한 자료
3) 제조방법에 관한 자료
4) 기준 및 시험방법이 기재된 자료
5) 기준 및 시험방법에 관한 근거자료
6) 시험성적에 관한 자료
7) 표준품 및 시약·시액에 관한 자료
8) 용기 및 포장에 관한 자료

나. 완제의약품에 관한 자료
1) 원료약품 및 그 분량에 관한 자료
2) 제조방법에 관한 자료
3) 기준 및 시험방법이 기재된 자료
4) 기준 및 시험방법에 관한 근거자료
5) 시험성적에 관한 자료
6) 표준품 및 시약·시액에 관한 자료
7) 용기 및 포장에 관한 자료

3. 안정성에 관한 자료

가. 원료의약품에 관한 자료
1) 장기보존시험 또는 가속시험자료
2) 가혹시험자료

나. 완제의약품에 관한 자료
1) 장기보존시험 또는 가속시험자료
2) 가혹시험자료

4. 독성에 관한 자료

가. 단회투여독성시험자료
나. 반복투여독성시험자료
다. 유전독성시험자료
라. 생식발생독성시험자료
마. 발암성시험자료
바. 기타독성시험자료
1) 국소독성시험(국소내성시험포함)
2) 의존성
3) 항원성 및 면역독성
4) 작용기전독성
5) 대사물
6) 불순물
7) 기타

5. 약리작용에 관한 자료

가. 효력시험자료
나. 일반약리시험자료 또는 안전성약리시험자료
다. 흡수, 분포, 대사 및 배설시험자료
1) 분석방법과 밸리데이션 보고서
2) 흡수
3) 분포
4) 대사
5) 배설

라. 약물상호작용 등에 관한 자료

6. 임상시험성적에 관한 자료

가. 임상시험자료집
1) 생물약제학 시험보고서
2) 인체시료를 이용한 약동학 관련 시험 보고서
3) 약동학(PK) 시험보고서
4) 약력학(PD) 시험 보고서

5) 유효성과 안전성 시험 보고서
6) 시판후 사용경험에 대한 보고서
7) 증례기록서와 개별 환자 목록
나. 가교자료
다. 생물학적동등성 시험에 관한 자료

7. 외국의 사용현황 등에 관한 자료

8. 국내 유사제품과의 비교검토 및 당해 의약품의 특성에 관한 자료

3. 한약(생약)제제 품질 관리 (Quality Control, QC)

한약(생약)제제 품질 관리(quality control)의 목표는 한약(생약)제제의 품질에 대한 일관성을 확보하는데 있다. 그러나, 한약(생약)제제는 많은 성분들을 포함하고 있고, 어떠한 성분이 약리 활성을 가지는지 분명하지 않은 특성을 가지고 있다. 그러므로 유효성과 안전성에 대한 기초 자료인 품질의 일관성을 확보하는 것이 쉽지 않은 것이 사실이다. 이에 규제당국에서는 한약(생약)제제의 원료로 사용하는 한약재 및 최종 산물인 한약(생약)제제의 품질을 관리함에 유용한 방법을 제시함으로써 품질의 일관성을 확보하는데 도움을 주고 있다.[1,2]

식품의약품안전처가 발행한 가이드라인(Guideline for quality control of herbal extract)에 따르면, 원료의약품등록제도(Drug Master File, DMF)가 2002년 7월 도입되었는데, 이러한 DMF 제도는 원료 한약 및 한약(생약)제제에 대한 품질 관리에 대한 새로운 자료 확보 방안을 제시하고, 이를 통하여 한약(생약)제제의 안전성과 유효성에 대한 자료를 확보함에 그 목적이 있다. 나아가 성분프로파일을 한약 추출물의 품질관리에 적합한 방법으로서 채택하였다는데, 여기서 성분프로파일이란 한약(생약)제제의 분석자료(고성능 액체 크로마토그래피 등)로부터 구성 성분의 분포와 함량에 대한 특징을 정리한 자료를 말한다고 규정하고 있다.[1,3]

4. 한약(생약)제제 임상시험 (Clinical Trial)

임상시험이란 의약품 등의 안전성과 유효성을 증명하기 위하여 사람을 대상으로 해당 약물의 약동, 약력, 약리, 임상적 효과를 확인하고 이상반응을 조사하는 시험(약사법)을 말한다. 임상시험에는 허가용 임상시험과 연구자 임상시험(Investigator−initiated trial) 2가지로 나뉜다. 먼저, 허가용 임상시험은 1) 개발 중인 신약, 2) 신조성, 신투여경로, 신제형의약품, 3) 효능효과, 용법용량 등의 변경, 4) 주요 허가사항 변경 등에 관한 임상시험이다. 연구자 임상시험은 임상시험자가 외부의 의뢰없이 안전성유효성이 검증되지 않은 의약품 또는 시판중인 의약품으로 허가(신고)되지 아니한 새로운 효능효과, 용법용량에 대해 독자적으로 수행하는 임상시험을 지칭하는데, 제출자료 범위는 허가용 임상시험과 동일하다.

임상시험에 대한 제출자료는 임상시험 계획서 또는 변경계획서, GMP에 맞게 제조되었음을 증명하는 서류 또는 자료, 자가기준 및 시험방법, 안전성, 유효성 관련 자료 등을 포함한다. 만약, 한방병원에서 사용하는 한약제제 중 내용고형제, 내용액제를 대상으로 하고, 해당 한약제제가 당해 임상시험실시기관에서 최소 3년 이상, 200례 이상 사용되어 안전성·유효성이 인정됨을 증명하는 임상시험실시기관장의 확인서가 있을 경우 연구자 임상시험을 실시할 수 있다(의약품 임상시험 계획 승인에 관한 규정).

임상시험은 사람을 대상으로 하므로 안전 관리가 가장 중요하다. 그러므로 사전에 시험 목적, 실시 필요성, 투여량 안전성 등 임상시험계획서와 관련 자료를 제출하여 안전하고 윤리적인 임상시험(Institutional Review Board, IRB)으로 승인된 시험만 실시토록 하고 있다. 이 때, 임상시험용의약품은 개발 중인 제품이므로 시판의약품과 비교할 때 품질관리가 더욱 중요하고, GMP에 적합하게 제조되어야 한다. 임상시험은 임상시험실시기관에서 수행하여야 하는데, 임상시험이 윤리적.과학적으로 수행되도록 의료기관의 시설, 능력 등을 식약처장이 사전에 평가하여 적합한 경우 임상시험실시기관으로 지정된다(의약품 등의 안전에 관한 규칙).

5. 세계 시장과 미래 가치

중국(Traditional Chinese Medicine, TCM)

2012년 기준으로 중화인민공화국약전의 구성은 중성약, 서약, 중약음편으로 되어있다. 그중 중국 한약유래의약품(중약재계열)은 크게 1) 중약재와 2) 약재를 가공, 의약품의 원료로 사용하는 중약음편과 3) 중성약으로 크게 구분되는데, 중성약은 처방을 제제화한 것이며, 이들은 산제, 환제, 액제 등으로 제제화되어 판매되고 있다. 합성의약품과 결합한 형태의 전통약제제까지 중성약이라는 용어를 통해 포괄하고 있고, 음편은 규격품의 의미인데, 중약재가 중약으로 사용되는 원료약재를 의미하는 반면 세정, 절단, 건조의 과정을 거친 것은 중약으로 취급되어 음편이라고 불린다.[4)]

일본 (Kampo medicine)

기본적으로 일본은 서양의학(conventional medicine)과 한방의학(traditional medicine)을 구분하지 않는 일원화 체계이다. 따라서 별도의 한약 안전관리 법령은 존재하지 않고 기본적으로 모든 약품은 약사법의 관리하에 있다. 다만, 한약유래의약품을 별도로 구분하고, 서양의학품과 구분된 관리가 필요한 경우 별도의 지침이나 기준을 제정하여 관리하고 있다.[5)]

Kampo medicine은 옛날 중국에서 전해져, 일본에서 발전해 온 일본의 전통 의학 한의학이며, 나중에 서양에서 일본에 들어온 蘭方(서양 의학)과 구별되는 개념이다. 한약은 한의학에서 사용하는 약제 전체를 개념적으로 널리 표현할 때 사용하며 한의학의 이론에 따라 생약을 조합하여 구성된 한방 처방에 따른 한방처방제제(Kampo medicine)형태이고, 현대 중국에서 이용되고 있는 중의학에 근거한 약물은 "중약"으로 지칭된다.

미국

Botanical products는 의약품, 음식 또는 식이보조제의 세 가지로 분류된다. 질병을 예방, 진단, 중재, 치료하기 위한 목적으로 사용되는 것은 의약품의 범주에 포함되고, 인체의 구조나 기능에 영향을 주기 위한 목적으로 사용되는 경우 의약품이나 식이보조제로 분류된다. 식이보조제는 허가/승인은 필요하지 않으나 제품의 안전성을 보증해야 하며, 포장을 식이보조제 규제에 맞추어야 하고, GMP 규정에 맞춰 생산해야 한다.[6)]

미래가치

개똥쑥에서 말라리아 치료제인 아르테미시닌(Artemisinin)을 발견하고 의약품으로 개발한 중국의 투유유라는 중의학 연구소 과학자가 2015년 노벨생리의학상을 수상하였다. 현재 우리나라에는 유명 한방병원에서 사용하던 처방인 청파전 추출물 '신바로', 국내 한의원의 처방이었던 활맥모과주 추출물 '레일라정', 애엽(쑥) 추출물 '스티렌' 등 한약(생약)제제가 임상·비임상시험을 거쳐 개발되었으며, 수백억 원의 매출을 올리고 있다.

첩약은 수천년동안 사용해오던 방식이니 안전하고 유효하다는 입장과, 과학적 진보가 있는 만큼 입증 가능한 부분은 과학적으로 증명해야 한다는 입장이 팽팽히 맞서고 있다. 동의보감 등 10종 전통한의서 처방을 근거로 한 한약제제의 경우, 안전성 우려가 없다면 임상·비임상 등 안전성·유효성 자료가 면제되어 허가받을 수 있고, 첩약은 소관법률에 따른 한의사의 면허 범위로서 규제 없이 한의사가 직접 조제하여 쓸 수 있다. 한의학이 당면한 상황을 고려할 때, 현재 모습이 한의약의 밝은 미래를 기약할 수 있는지, 무언가 개선이 필요한지, 이에 대한 충분한 의견수렴이 필요할 것으로 보인다.

【参考文獻】

1) 식품의약품안전처. 한약(생약)제제 임상시험계획승인신청 안내. 2016.
2) Liang et al., Chromatographic Fingerprinting and Metabolomics for Quality Control of TCM. Combinatorial Chemistry & High Throughput Screening, 2010, 13, 943-953.
3) Lee DS, Kim YW. Trends in System-level Research on Quality Control of Complex Herbal Formulation. Journal of physiology & pathology in Korean Medicine. 2016.
4) WHO(1998) Regulatory Situation of Herbal Medicines - A Worldwide Review.
5) Nishimura, K, Plotnikoff GA, Watanabe K. (2009) Kampo Medicine as an Integrative Medicine in Japan, JMAJ 52(3): 147-149.
6) Food and Drug Administration. Rockville: U.S. Department of Health and Human Services, Center for Drug Evaluation and Research (CDER): Guidance for Industry, Botanical Drug Products Online Resource; 2004.

附錄

古今의 度量衡 대조

重量

時代		單位換算	g 환산	1兩(g)
戰國	楚	1斤 = 16 兩 1兩 = 24 銖	1斤 = 250 g 1兩 = 15.6 g 1銖 = 0.65 g	15.6 g
	趙	1石 = 120 斤 1斤 = 16 兩 1兩 = 24 銖	1石 = 30,000 g 1斤 = 250 g 1兩 = 15.6 g 1銖 = 0.65 g	15.6 g
	魏	魏 1镒 = 10 釿 1釿 = 20 兩	1镒 = 315 g 1釿 = 31.5 g	–
	秦	1石 = 4 鈞 1鈞 = 30 斤 1斤 = 16 兩 1兩 = 24 銖	1石 = 30,360 g 1鈞 = 7,590 g 1斤 = 253 g 1兩 = 15.8 g 1銖 = 0.66 g	15.8 g
秦		1石 = 4 鈞 1鈞 = 30 斤 1斤 = 16 兩 1兩 = 24 銖	1石 = 30,360 g 1鈞 = 7,590 g 1斤 = 253 g 1兩 = 15.8 g 1銖 = 0.66 g	15.8 g
漢	西漢	1石 = 4 鈞 1鈞 = 30 斤 1斤 = 16 兩 1兩 = 24 銖	1石 = 29,760 g 1鈞 = 7,440 g 1斤 = 248 g 1兩 = 15.5 g 1銖 = 0.65 g	15.5 g
	東漢	1石 = 4 鈞 1鈞 = 30 斤 1斤 = 16 兩 1兩 = 24 銖	1石 = 26,400 g 1鈞 = 6,600 g 1斤 = 220 g 1兩 = 13.8 g 1銖 = 0.57 g	13.8 g
三國		1石 = 4 鈞 1鈞 = 30 斤 1斤 = 16 兩 1兩 = 24 銖	1石 = 26,400 g 1鈞 = 6,600 g 1斤 = 220 g 1兩 = 13.8 g 1銖 = 0.57 g	13.8 g
兩晉		1石 = 4 鈞 1鈞 = 30 斤 1斤 = 16 兩 1兩 = 24 銖	1石 = 26,400 g 1鈞 = 6,600 g 1斤 = 220 g 1兩 = 13.8 g 1銖 = 0.57 g	13.8 g

重量

時代		單位換算	g 환산	1兩(g)
南北朝	南齊	1石 = 4 鈞 1鈞 = 30 斤 1斤 = 16 兩 1兩 = 24 銖	1斤 = 330 g	–
	梁, 陳		1斤 = 220 g	–
	北魏, 北齊		1斤 = 440 g	–
	北周		1斤 = 660 g	–
隋	大	1石 = 4 鈞 1鈞 = 30 斤 1斤 = 16 兩 1兩 = 24 銖	1石 = 79,320 g 1鈞 = 19,830 g 1斤 = 661g 1兩 = 41.3 g	41.3 g
	小		1石 = 26,400 g 1鈞 = 6,600 g 1斤 = 220 g 1兩 = 13.8 g	13.8 g
唐		1石 = 4 鈞 1鈞 = 30 斤 1斤 = 16 兩 1兩 = 10 錢 1錢 = 10 分	1石 = 79,320 g 1斤 = 661g 1兩 = 41.3 g 1錢 = 4.13 g 1分 = 0.41g	41.3 g
宋, 元		1石 = 120 斤 1斤 = 16 兩 1兩 = 10 錢 1錢 = 10 分	1石 = 75,960 g 1斤 = 633 g 1兩 = 40 g 1錢 = 4 g 1分 = 0.4 g	40 g
明		1石 = 120 斤 1斤 = 16 兩 1兩 = 10 錢 1錢 = 10 分	1石 = 70,800 g 1斤 = 590 g 1兩 = 36.9 g 1錢 = 3.69 g 1分 = 0.37 g	36.9 g
中華民國 (1930년 1월 1일 시행)		1擔 = 100 斤 1斤 = 16 兩 1兩 = 10 錢 1錢 = 10 分	1擔 = 50,000 g 1斤 = 500 g 1兩 = 31.25 g 1錢 = 3.125 g	31.25 g
中 人民共和國 (1959년)		1担 = 100 斤	1擔 = 50,000 g	50 g

古代의 斤·兩 사이에는 16진법이 많았다. (1斤=16兩)
中华人民共和國은 1959년 市制 중량 단위의 기본 단위를 "斤"으로 정하고, 斤·兩의 進制를 十進制로 바꾸었다.
市制는 현대 중국 민간 시장에서 관용적으로 사용되는 도량형 제도이다.
注: 维基百科, http://zh.wikipedia.org/wiki/%E5%BA%A6%E9%87%8F%E8%A1%A1 , 央视国际2004 年07 月22 日17:11。

容量

時代		單位換算	mL 환산	1升(mL)
戰國	齊	1鍾 = 10釜 1釜 = 4區 1區 = 4豆 1豆 = 4升	-	
	楚	1筲 = 5升	-	-
	三晉 (韓, 趙, 魏)	1斛 = 10斗 1斗 = 10升	-	-
	秦	1斛 = 10斗 1斗 = 10升	-	-
秦		1斛 = 10斗 1斗 = 10升	1斛 = 20,000 mL 1斗 = 2,000 mL 1升 = 200 mL 商鞅变法 1方升= 201 mL	200 mL
漢		1斛 = 10斗 1斗 = 10升 1升 = 10合 1合 = 2龠 1龠 = 5撮 1撮 = 4圭	1斛 = 20,000 mL 1斗 = 2,000 mL 1升 = 200 mL 1合 = 20 mL 1龠 = 10 mL 1撮 = 2 mL 1圭 = 0.5 mL	200 mL
兩晉		1斛 = 10斗 1斗 = 10升 1升 = 10合	1斛 = 20,450 mL 1斗 = 2,045 mL 1升 = 204.5 mL 1合 = 20.45 mL	204.5 mL
南北朝		1斛 = 10斗 1斗 = 10升 1升 = 10合	1斛 = 30,000 mL 1斗 = 3,000 mL 1升 = 300 mL 1合 = 30 mL	300 mL
隋	開皇	1斛 = 10斗 1斗 = 10升 1升 = 10合	1斛 = 60,000 mL 1斗 = 6,000 mL 1升 = 600 mL 1合 = 60 mL	600 mL
	大業		1斛 = 20,000 mL 1斗 = 2,000 mL 1升 = 200 mL 1合 = 20 mL	200 mL
唐	大	1斛 = 10斗 1斗 = 10升 1升 = 10合	1斛 = 60,000 mL 1斗 = 6,000 mL 1升 = 600 mL 1合 = 60 mL	600 mL
	小		1斛 = 20,000 mL 1斗 = 2,000 mL 1升 = 200 mL 1合 = 20 mL	200 mL

容量

時代	單位換算	mL 환산	1升(mL)
宋	1石 = 2斛 1斛 = 5斗 1斗 = 10升 1升 = 10合	1石 = 67,000 mL 1斛 = 33,500 mL 1斗 = 6,700 mL 1升 = 670 mL 1合 = 67 mL	670 mL
元	1石 = 2斛 1斛 = 5斗 1斗 = 10升 1升 = 10合	1石 = 95,000 mL 1斛 = 47,500 mL 1斗 = 9,500 mL 1升 = 950 mL 1合 = 95 mL	950 mL
明	1石 = 2斛 1斛 = 5斗 1斗 = 10升 1升 = 10合	1石 = 100,000 mL 1斛 = 50,000 mL 1斗 = 10,000 mL 1升 = 1,000 mL 1合 = 100 mL	1,000 mL
清中華民國 (1930년 1월 1일 시행)	1市石 = 10市斗 = 100L 1市斗 = 10市升 = 10L 1市升 = 10市合 = 1L 1市合 = 10勺 = 0.1L 1勺 = 10撮 = 0.01L 1撮 = 0.001L	1市石 = 100L 1市斗 = 10L 1市升 = 1L 1市合 = 0.1L 1勺 = 0.01L 1撮 = 0.001L	1,000 mL
中华人民共和國 (1959년)	1市石 = 10市斗 = 100L 1市斗 = 10市升 = 10L 1市升 = 10市合 = 1L 1市合 = 0.1L	1市石 = 100L 1市斗 = 10L 1市升 = 1L 1市合 = 0.1L	1,000 mL

營造尺庫平制: 1石 = 2斛 = 10斗 = 100升 = 1000合 = 1,0000勺 = 3160立方寸 = 103.54688公升(L)
市制: 1市石 = 10市斗 = 100市升 = 1000市合 = 1,0000勺 = 10,0000撮 = 100公升(L)
注: 维基百科, https://zh.wikipedia.org/wiki/%E4%B8%AD%E5%9C%8B%E5%BA%A6%E9%87%8F%E8%A1%A1#量

尺度

時代	單位換算	cm 환산	1升(mL)
商	1尺 = 10寸 1寸 = 10分	1尺 = 16.95 cm 1寸 =1.58 cm	16.95 cm
周	1尺 = 10寸 1寸 = 10分	1尺 =19.1 cm 1寸 = 1.58 cm 楚国一尺 = 22.7 cm	19.1 cm
戰國	1丈 = 10尺 1尺 = 10寸 1寸 = 10分	1丈 = 231 cm 1尺 = 23.1 cm 1寸 =2.31 cm 1分 = 0.231 cm 1铜尺 =23 cm	23.1 cm
秦	1引 = 10丈 1丈 = 10尺 1尺 = 10寸 1寸 = 10分	1引 = 2,310 cm 1丈 = 231 cm 1尺 = 23.1 cm 1寸 = 2.31 cm 1分 = 0.231 cm	23.1 cm
漢	1引 = 10丈 1丈 = 10尺 1尺 = 10寸 1寸 = 10分	1引 = 2,310 cm 1丈 = 231 cm 1尺 = 23.1 cm 1寸 = 2.31 cm 1分 = 0.231 cm 一牙尺 = 23.3 cm 王莽一货币尺 = 23.1 cm 后汉一铜尺 = 23.6 cm	23.1 cm
三國	1丈 = 10尺 1尺 = 10寸 1寸 = 10分	1丈 = 242 cm 1尺 = 24.2 cm 1寸 = 2.42 cm 1分 = 0.242 cm	24.2 cm
西晋	1丈 = 10尺 1尺 = 10寸 1寸 = 10分	1丈 = 242 cm 1尺 = 24.5 cm 1寸 = 2.42 cm 1分 = 0.242 cm	24.5 cm
東晋	1丈 = 10尺 1尺 = 10寸 1寸 = 10分	1丈 = 245 cm 1尺 = 24.5 cm 1寸 = 2.45 cm 1分 = 0.245 cm 十六国前后趙一尺 =24.3 cm 南齊一骨尺 =24.7 cm 南梁一铜尺 =24.95 cm	24.5 cm
南北朝	1丈 = 10尺 1尺 = 10寸 1寸 = 10分	南朝 : 1丈 = 245 cm 1尺 = 24.5 cm 1寸 = 2.45 cm 1分 = 0.245 cm 北朝 : 1丈 = 296 cm 1尺 = 29.6 cm 1寸 = 2.96 cm 1分 = 0.296 cm 一中尺 =27.9 cm 王尺=26.7 cm 后尺=34.75 cm 西魏周王室用王尺，东魏北齐王室用后尺民间一尺 =24.95 cm	29.6 cm
隋	1丈 = 10尺 1尺 = 10寸 1寸 = 10分	1丈 = 296 cm 1尺 = 29.6 cm 1寸 = 2.96 cm 1分 = 0.296 cm 一水尺 = 27.4 cm	

尺度

<table>
<tr><th colspan="2">時代</th><th>單位換算</th><th>cm 환산</th><th>1升(mL)</th></tr>
<tr><td rowspan="2">唐</td><td>大</td><td rowspan="2">1丈 = 10尺
1尺 = 10寸
1寸 = 10分</td><td>大尺 : 1丈 = 360cm
1尺 = 36cm
1寸 = 3.6cm
1分 = 0.36cm
宗庙星历用尺一尺 = 24.75cm</td><td></td></tr>
<tr><td>小</td><td>小尺 : 1丈 = 300cm
1尺 = 30cm
1寸 = 3cm
1分 = 0.3cm</td><td></td></tr>
<tr><td colspan="2">五代十国
辽
金</td><td>1丈 = 10尺
1尺 = 10寸
1寸 = 10分</td><td>1丈 = 300cm
1尺 = 30cm
1寸 = 3cm
1分 = 0.3cm</td><td>30cm</td></tr>
<tr><td colspan="2">宋
元</td><td>1丈 = 10尺
1尺 = 10寸
1寸 = 10分</td><td>1丈 = 312cm
1尺 = 31.2cm
1寸 = 3.12cm
1分 = 0.312cm</td><td>31.2cm</td></tr>
<tr><td colspan="2">明</td><td>1丈 = 10尺
1尺 = 10寸
1寸 = 10分</td><td>裁衣尺 : 1尺 = 34cm
1寸 = 3.4cm
量地尺 : 1尺 = 32.7cm
1寸 = 3.27cm
营造尺 : 1尺 = 32cm
1寸 = 3.2cm</td><td>32cm</td></tr>
<tr><td colspan="2">清</td><td>1丈 = 10尺, 1尺 = 10寸, 1寸 = 10分</td><td>裁衣尺 : 1丈 = 355cm
1尺 = 35.5cm
1寸 = 3.55cm
量地尺 : 1丈 = 345cm
1尺 = 34.5cm
1寸 = 3.45cm
营造尺 : 1丈 = 320cm
1尺 = 32cm
1寸 = 3.2cm</td><td>32cm</td></tr>
<tr><td colspan="2">中華民國
(1930년 1월 1일 시행)</td><td colspan="3" rowspan="2">1里 = 15引 = 150丈 = 1500尺 = 1,5000寸 = 15,0000分 = 150,0000釐 = 1500,0000毫 = 500米
1引 = 10丈 = 100尺 = 1000寸 = 1,0000分 = 10,0000釐 = 100,0000毫 = 33 ⅓ 米
0.1引 = 1丈 = 10尺 = 100寸 = 1000分 = 1,0000釐 = 10,0000毫 = 3 ⅓ 米
0.01引 = 0.1丈 = 1尺 = 10寸 = 100分 = 1000釐 = 1,0000毫 = ⅓ 米
0.001引 = 0.01丈 = 0.1尺 = 1寸 = 10分 = 100釐 = 1000毫 = ⅓ 分米
0.0001引 = 0.001丈 = 0.01尺 = 0.1寸 = 1分 = 10釐 = 100毫 = ⅓ 釐米
0.00001引 = 0.0001丈 = 0.001尺 = 0.01寸 = 0.1分 = 1釐 = 10毫 = ⅓ 毫米
0.000001引 = 0.00001丈 = 0.0001尺 = 0.001寸 = 0.01分 = 0.1釐 = 1毫 = 33 ⅓ 微米</td></tr>
<tr><td colspan="2">中华人民共和國
(1959년)</td></tr>
</table>

營造尺庫平制 : 1里 = 18引 = 180丈 = 360步 = 1800尺 = 1,8000寸 = 18,0000分 = 180,0000釐 = 1800,0000毫 = 576米(m)
市制 : 1里 = 15引 = 150丈 = 1500尺 = 1,5000寸 = 15,0000分 = 150,0000釐 = 1500,0000毫 = 500米(m)
注: 维基百科，https://zh.wikipedia.org/wiki/%E5%B8%82%E5%88%B6#中华人民共和国

특수 計量

단위	의미	환산
方寸匕	計量 器具이다. 正方 1寸 크기로 만든 숟가락에 粉末藥을 떠서 떨어지지 않는 정도의 분량이다. 刀匕 형태이다.	容量은 약 2.7 mL이고, 重量은 金石藥은 약 2 g이고 草木藥은 약 1 g이다.
錢匕	計量 단위이다. 漢代의 五銖錢에 粉末藥을 떠서 떨어지지 않는 정도의 분량이다.	方寸匕의 6/10~7/10 용량이다.
錢五匕	計量 단위이다. 粉末藥이 五銖錢의 '五'字를 덮고 있는 정도를 말한다.	1錢匕의 1/4 용량이다.
刀圭	計量 器具이다. 형태가 刀頭처럼 생긴 圭角이다. 끝이 뾰족하고 중간이 낮다.	一方寸匕의 약 1/10 용량이다.
一字	計量 단위이다. 開元通寶 銅錢에는 "開元通寶"의 네 글자가 새겨져 있는데, 粉末藥을 떠서 글자 한 개를 덮어 메운 정도의 분량이다.	
銖	重量 單位이다.	漢代에는 黍米 100粒의 중량이었는데, 24銖가 1兩이었다. 晉代에는 黍米 10粒의 중량이었는데, 6株가 1分이 되고, 4分이 1兩이 된다.

중화인민공화국 國務院의 지시에 근거하여 1979년 1월 1일부터 全國 中醫 處方과 藥物의 계량 단위는 일률적으로 g 단위를 公制로 정한다. 16進制와 公制의 계량 단위와 환산은 아래와 같다.

16進制	公制(g 단위)
1斤(16兩)	0.5 kg = 500 g
1市兩	31.25 g
1市錢	3.125 g
1市分	0.3125 g
1市厘	0.03125 g

注: 환산 소수점은 제거할 수 있다.